D1359256

COLLECTION « BEST-SELLERS »

DU MÊME AUTEUR

Chez le même éditeur

LA FIRME, 1992
L'AFFAIRE PÉLICAN, 1994
NON COUPABLE, 1994
LE COULOIR DE LA MORT, 1995
L'IDÉALISTE, 1997
LE CLIENT, 1997
LE MAÎTRE DU JEU, 1998
L'ASSOCIÉ, 1999
LA LOI DU PLUS FAIBLE, 1999
LE TESTAMENT, 2000
L'ENGRENAGE, 2001
LA DERNIÈRE RÉCOLTE, 2002
PAS DE NOËL, CETTE ANNÉE, 2002
L'HÉRITAGE, 2003
LA TRANSACTION, 2004
LE DERNIER JURÉ, 2005
LE CLANDESTIN, 2006
LE DERNIER MATCH, 2006

JOHN GRISHAM

L'ACCUSÉ

traduit de l'américain par Patrick Berthon

ROBERT LAFFONT

Titre original : THE INNOCENT MAN
© Bennington Press, LLC 2006
Traduction française : Éditions Robert Laffont, S.A., Paris, 2007

ISBN 978-2-221-10821-5
(édition originale : ISBN 978-0-385-51723-2 Doubleday/Random House, New York)

À Annette Hudson et Renee Simmons
En mémoire de leur frère

1.

Les collines du sud-est de l'Oklahoma étirent leurs ondulations de Norman jusqu'à l'Arkansas. Rien ne laisse soupçonner qu'il y avait autrefois là, sous la surface du sol, de vastes nappes de pétrole. Quelques-uns des vieux derricks qui parsèment la campagne extraient encore du sol un peu d'or noir, mais si péniblement que le passant se demande si cela vaut la peine d'insister. La plupart se sont arrêtés. Ils demeurent plantés au milieu des champs, vestiges rouillés de l'époque glorieuse des puits jaillissants, des spéculateurs et des fortunes rapides.

Ces derricks éparpillés dans la campagne, il y en a plein aux alentours d'Ada, une ancienne ville pétrolière de seize mille âmes, avec son université et son tribunal. Mais il n'y a plus de pétrole ; les puits sont à sec. À Ada on gagne à présent sa vie en travaillant à l'usine, dans les fabriques d'aliments pour animaux et dans les fermes qui produisent des noix de pécan.

Le centre-ville est un quartier animé. On ne trouve pas de logements inoccupés dans la Grand-rue ; les commerçants survivent malgré le développement des grandes surfaces à la périphérie de la ville. À l'heure du déjeuner, les cafés-restaurants sont bondés.

Le tribunal du comté de Pontotoc est un bâtiment ancien, exigu, où se pressent les avocats et leurs clients. Tout autour sont regroupés les bureaux de l'administration locale et les cabinets juridiques. La prison, un bâtiment trapu, sans fenêtre, dont la silhouette rappelle celle d'un blockhaus, a été construite – pour une raison oubliée de tous – sur la pelouse du tribunal. Les drogués suffisent à la remplir.

La Grand-rue aboutit au campus de l'université East Central qui accueille quatre mille étudiants dont la plupart n'habitent pas à Ada. Cette population jeune donne de l'animation à la ville.

Rien ou presque n'échappe à l'attention du *Ada Evening News*, le quotidien local qui s'efforce de rivaliser avec *The Oklahoman*, le plus gros tirage de l'État. L'actualité internationale et nationale fait le plus souvent la une du journal. Viennent ensuite les nouvelles régionales. Les dernières pages sont consacrées aux rubriques les plus importantes : sport scolaire, politique locale, vie associative et nécrologie.

Ada et le comté de Pontotoc offrent le spectacle d'un mariage réussi entre gens du Sud et de l'Ouest. Leur accent évoque aussi bien celui de l'est du Texas que celui de l'Arkansas. Dans un État où les Amérindiens sont plus nombreux que partout ailleurs, le sang indien coule dans les veines de quantité de Blancs. Les stigmates s'estompent : cet héritage est aujourd'hui un sujet de fierté.

Ada est au cœur du *Bible Belt*. La ville compte cinquante églises pour une douzaine de communautés chrétiennes. Ce sont des lieux très fréquentés, pas seulement le dimanche. Un des édifices est consacré au culte catholique, un autre à l'Église épiscopalienne, mais on n'y trouve ni temple ni synagogue. Les gens sont chrétiens ou prétendent l'être ; il n'est pas très bien vu de n'appartenir à aucune religion. La place de chacun dans la société y est souvent déterminée par sa confession.

Ses seize mille habitants font d'Ada une agglomération importante dans cette région rurale de l'Oklahoma. La ville a attiré des usines et des magasins discount ; on vient y travailler et s'approvisionner de plusieurs comtés à la ronde. Elle est située à cent trente kilomètres au sud-est d'Oklahoma City et à trois heures de route de Dallas. Tout le monde y a un proche qui vit au Texas.

Les ranchs du coin élèvent quelques-uns des meilleurs chevaux du pays, notamment un demi-sang rapide et puissant qui est la grande fierté locale. Quand l'équipe de football scolaire, les

Couguars, remporte le championnat de l'État, la ville s'en gargarise pendant des années.

Ada est un endroit accueillant où on n'hésite pas à parler à un inconnu, où on est toujours prêt à aider celui qui est dans le besoin. Le jour, les enfants jouent sur les pelouses ombragées et les portes restent ouvertes. La nuit, les jeunes en virée ne se font pas remarquer.

Si deux meurtres n'avaient placé la ville sous le feu des projecteurs au début des années 1980, personne n'aurait entendu parler d'Ada, et ça n'aurait pas déplu aux braves gens du comté de Pontotoc.

Comme pour respecter quelque arrêté municipal tacite, la plupart des bars et des boîtes de nuit d'Ada étaient implantés à la périphérie de la ville, exilés dans les faubourgs afin de protéger les honnêtes gens de la racaille et de ses excès. L'un de ces lieux nocturnes, le *Coachlight*, était une énorme construction métallique. L'éclairage y était mauvais, la bière de piètre qualité. Il y avait des juke-box, un orchestre le week-end, une piste de danse et un gigantesque parking gravillonné occupé par une majorité de pick-up couverts de poussière. La clientèle était composée d'ouvriers qui passaient boire un verre avant de rentrer chez eux, de campagnards en goguette, de couche-tard et de fêtards venus danser au son d'un orchestre. Vince Gill et Randy Travis s'y étaient produits au début de leur carrière.

Populaire, animé, l'établissement avait de nombreux employés à temps partiel : barmen, serveuses, videurs. Une des serveuses s'appelait Debbie Carter. Âgée de vingt et un ans, elle avait arrêté ses études à la fin du lycée et profitait de sa liberté de célibataire. Elle avait deux autres petits boulots à Ada et faisait également du baby-sitting. Debbie possédait une voiture et vivait seule dans un trois pièces, au-dessus d'un garage, dans la 8e Rue, près de l'université. C'était une jolie brune, mince et musclée, qui plaisait aux garçons mais tenait à son indépendance.

Sa mère, Peggy Stillwell, trouvait que Debbie passait trop de temps dans les boîtes de nuit, au *Coachlight* en particulier. Elle avait élevé sa fille dans la religion, pas pour qu'elle mène cette vie, mais après le lycée, Debbie avait commencé à sortir faire la fête. Peggy lui en faisait reproche et elles se disputaient. Décidée à conquérir son indépendance, Debbie avait fini par quitter le foyer familial ; elle avait son propre logement mais restait proche de sa mère.

Le soir du 7 décembre 1982, Debbie faisait le service, l'œil fixé sur la pendule. Comme il n'y avait pas grand monde au *Coachlight*, elle demanda à son patron la permission de quitter son service pour prendre un verre avec des copains. Elle se retrouva bientôt à la table de Gina Vietta, une amie de longue date. Glen Gore, un copain de lycée, vint inviter Debbie à danser. Elle accepta mais, au bout d'une ou deux minutes, l'air furieux, elle le planta sur la piste. Plus tard, sans donner d'explications, elle confia à Gina qu'elle se sentirait plus tranquille si quelqu'un venait dormir chez elle.

Le *Coachlight* ferma de bonne heure, vers minuit et demi. Gina Vietta invita son groupe d'amis à passer prendre un dernier verre chez elle. La plupart acceptèrent, pas Debbie. Elle avait faim, elle était fatiguée, elle voulait rentrer. Ils sortirent tous ensemble de la boîte de nuit, sans se presser.

Tandis que les lumières du *Coachlight* s'éteignaient, plusieurs personnes virent Debbie discuter sur le parking avec Glen Gore. Tommy Glover connaissait bien Debbie, avec qui il travaillait dans une verrerie. Il connaissait également Gore. Au moment où il montait dans son pick-up, il vit Debbie ouvrir la portière de sa voiture et Gore s'approcher ; ils échangèrent quelques mots et elle le repoussa.

Mike et Terri Carpenter travaillaient tous deux au *Coachlight*. Lui était videur, elle serveuse. Se dirigeant vers leur voiture, ils passèrent devant celle de Debbie. Elle était au volant et discutait avec Glen Gore qui se tenait près de la portière. Les Carpenter les saluèrent de la main sans s'arrêter. Un mois auparavant, Debbie avait confié à Mike qu'elle avait peur de Glen à cause de son tempérament agressif.

Toni Ramsey travaillait aussi dans la boîte de nuit ; elle cirait les chaussures. En 1982, le pétrole était encore une source de richesse, dans l'Oklahoma. Ada était pleine de belles bottes ; il fallait bien que quelqu'un les fasse briller. Et Toni ne crachait pas sur l'argent que cela lui rapportait. En rentrant, ce soir-là, elle vit Debbie dans sa voiture et Gore accroupi devant la portière ouverte. Ils discutaient d'une manière apparemment civilisée. Rien dans leur comportement ne mit la puce à l'oreille de Toni.

Gore n'avait pas de voiture ; il s'était fait conduire au *Coachlight* par un vague copain du nom de Ron West. Ils étaient arrivés vers 23 h 30. Après avoir commandé des bières, West s'était tranquillement installé pendant que Gore faisait le tour des tables. Il semblait connaître tout le monde. Au moment de la fermeture, West avait demandé à Gore s'il avait besoin de lui pour rentrer. Gore avait dit oui. West était sorti et l'avait attendu sur le parking. Au bout de quelques minutes, Gore était monté précipitamment dans la voiture.

Comme ils avaient un petit creux, ils avaient filé en ville pour manger un morceau au *Waffler*. West avait payé les repas, comme il avait payé les tournées de bière au *Coachlight*. Il avait commencé la soirée au *Harold's*, une autre discothèque, à la recherche de types avec qui il était en affaires. C'est là qu'il était tombé sur Gore, qui y travaillait occasionnellement comme barman ou D.J. Ils se connaissaient à peine mais, quand Gore lui avait demandé de l'emmener au *Coachlight*, West n'avait pu refuser.

Père de deux petites filles, heureux en ménage, West n'avait pas pour habitude de traîner dans les bars. Il aurait voulu rentrer chez lui mais Gore le cramponnait, et il commençait à lui coûter cher. En sortant du *Waffler*, West avait demandé à son passager où il voulait aller. Chez sa mère, qui habitait dans Oak Street, à moins d'un kilomètre au nord. Chemin faisant, Gore avait brusquement changé d'avis. Après tout ce temps passé en voiture avec West, il avait envie de marcher. La température était glaciale, le vent cinglant. Une vague de froid était annoncée.

Ils s'étaient arrêtés près de l'église baptiste d'Oak Avenue, non loin de la rue où Gore avait dit que sa mère vivait. Il était descendu de la voiture, avait remercié West pour la soirée et s'était éloigné sur le trottoir, en direction de l'ouest.

L'église se trouvait à quinze cents mètres de l'appartement de Debbie Carter.

La mère de Gore vivait de l'autre côté de la ville.

Vers 2 h 30, Gina Vietta, qui avait invité quelques amis, reçut deux coups de téléphone bizarres, tous deux de Debbie Carter. La première fois, Debbie lui demanda de passer chez elle : elle avait un visiteur dont la présence la mettait mal à l'aise. Gina demanda de qui il s'agissait. La conversation fut interrompue ; elle n'entendit plus que les voix étouffées de deux personnes qui se disputaient l'appareil. Cet appel laissa Gina perplexe. Debbie avait une voiture, une Oldsmobile de 1975, et pouvait se déplacer comme elle voulait. Au moment où Gina s'apprêtait à partir, le téléphone sonna de nouveau. C'était Debbie : elle avait changé d'avis, tout allait bien, il n'y avait pas à s'inquiéter. Gina voulut savoir qui était le visiteur mais Debbie éluda la question. Elle demanda à Gina de l'appeler dans la matinée pour la réveiller. Elle ne voulait pas être en retard à son travail. Une requête curieuse, que Debbie n'avait jamais faite jusqu'alors.

Gina monta quand même dans sa voiture et mit le moteur en marche, puis elle changea d'avis. Elle avait des amis chez elle ; il était tard. Debbie était capable de se débrouiller seule et, si elle était en compagnie d'un homme, Gina risquait de la gêner. Elle rentra se coucher et oublia de réveiller Debbie le lendemain matin.

Le 8 décembre, vers 11 heures, Donna Johnson passa chez Debbie pour lui dire bonjour. Elles avaient été proches au lycée, avant que Donna s'installe à Shawnee, à une heure de route d'Ada. Elle était venue pour la journée, voir ses parents et retrouver quelques amis. En grimpant les marches de l'étroit escalier extérieur qui menait à l'appartement, elle remarqua des éclats de verre. La petite fenêtre de la porte était brisée. La première idée qui vint à l'esprit de Donna fut que Debbie avait oublié ses clés dans l'appartement et qu'elle avait été obligée de casser la vitre pour entrer. Donna frappa à la porte. Pas de réponse. Elle perçut de la musique à l'intérieur. Elle tourna le bouton et constata avec étonnement que la porte n'était pas fermée à clé. Elle avança prudemment et comprit qu'il était arrivé quelque chose.

La pagaille régnait dans le petit salon : les coussins du canapé traînaient par terre, des vêtements jonchaient le sol. Sur le mur de droite, quelqu'un avait griffonné à l'aide d'un liquide rouge : « Jim Smith sera le prochain ».

Donna appela Debbie d'une voix forte ; pas de réponse. Comme elle était déjà venue une fois dans l'appartement, elle se dirigea rapidement vers la chambre sans cesser de crier le nom de son amie. Le lit avait été déplacé, les couvertures enlevées. Elle vit d'abord un pied, fit le tour du lit et découvrit Debbie à terre sur le ventre, nue, couverte de sang, une inscription sur le dos.

Pétrifiée d'horreur, incapable de faire un pas, Donna ne pouvait que regarder fixement le corps. « Ce n'est qu'un mauvais rêve », se disait-elle en guettant le moindre signe de vie.

Elle recula enfin jusqu'à la cuisine où, sur la petite table blanche, le tueur avait laissé un autre message. L'idée lui vint soudain qu'il se trouvait peut-être encore dans l'appartement. Elle sortit en courant et sauta dans sa voiture. Elle roula à toute allure jusqu'à un magasin d'alimentation, où elle trouva un téléphone pour appeler la mère de Debbie.

Peggy Stillwell entendait ce que disait Donna mais les mots n'avaient pour elle aucun sens. Sa fille était étendue par terre, nue, couverte de sang et elle ne bougeait pas. Elle fit répéter Donna avant de se ruer vers sa voiture. La batterie était à plat. Malade d'angoisse, elle rentra chez elle et appela Charlie Carter, le père de Debbie, son ex-mari. Le divorce, qui remontait à quelques années, s'était mal passé ; ils ne se parlaient que de loin en loin.

Personne ne décrocha. Peggy appela Carol Edwards, une amie qui habitait en face de chez Debbie. Elle lui dit qu'elle redoutait le pire et lui demanda d'aller immédiatement chez sa fille. L'attente fut interminable. Peggy rappela Charlie ; cette fois, il répondit.

Carol Edwards courut jusqu'à l'appartement, vit les éclats de verre sur les marches et la porte restée ouverte. Elle entra et découvrit le corps dans la chambre.

Charlie Carter était un maçon solidement charpenté qui travaillait de temps en temps comme videur au *Coachlight.* Il sauta dans son pick-up et fila chez sa fille, la tête pleine des pensées les plus horribles qu'un père puisse concevoir. La scène qui s'offrit à ses yeux était pire que tout ce qu'il avait pu imaginer.

En voyant le corps, il prononça deux fois le nom de sa fille. Il s'agenouilla près d'elle et lui souleva délicatement les épaules pour voir son visage. Un gant de toilette imbibé de sang était enfoncé dans sa bouche. Sa fille était morte, cela ne faisait aucun doute, mais il attendit quand même, à l'affût du plus infime signe de vie. Au bout d'un moment, il se remit debout, lentement, et fit le tour de la pièce du regard. Le lit avait été écarté du mur, les couvertures n'étaient plus là, le désordre régnait. Tout indiquait qu'il y avait eu une lutte. Dans le salon, il vit les mots écrits sur le mur, puis il entra dans la cuisine. Charlie prit garde à ne toucher à rien : il enfonça les mains dans ses poches et sortit.

Donna Johnson et Carol Edwards attendaient sur le palier, secouées de sanglots. Elles entendirent Charlie faire ses adieux à sa fille, lui dire le chagrin qu'il ressentait de ce qui était arrivé. Quand il franchit la porte, titubant, il pleurait, lui aussi.

— J'appelle une ambulance ? demanda Donna.

— Trop tard, répondit-il. Il faut prévenir la police.

Les premiers sur les lieux furent deux infirmiers du service d'urgence. Quelques secondes plus tard, l'un d'eux ressortit de l'appartement pour vomir sur le palier.

À l'arrivée de l'inspecteur Dennis Smith, le trottoir grouillait de policiers municipaux, de personnel médical et de badauds. Deux des procureurs du comté étaient déjà sur place. Dès qu'il comprit qu'il s'agissait d'un homicide, l'inspecteur fit boucler le quartier.

Capitaine de la police d'Ada où il servait depuis dix-sept ans, Smith savait ce qu'il avait à faire. Il fit évacuer l'appartement, ne gardant avec lui qu'un inspecteur, et envoya ses hommes faire du porte-à-porte dans le quartier à la recherche de témoins. Hors de lui, il contenait difficilement son émotion. Smith connaissait bien Debbie, dont la petite sœur était une amie de sa fille. Il connaissait aussi Charlie Carter et Peggy Stillwell ; il n'arrivait pas à croire que c'était leur fille qu'il avait devant les yeux, raide morte sur le sol de sa chambre. Dès que l'appartement fut vide, il entreprit de le passer au peigne fin.

Les débris de verre sur le palier provenaient d'une vitre brisée de la porte ; il y en avait à l'intérieur et à l'extérieur. Dans le salon, sur la gauche, se trouvait un canapé dont les coussins avaient été jetés à travers la pièce. Devant le canapé il trouva une chemise de nuit en pilou neuve, portant encore l'étiquette d'un Wal-Mart. Sur le mur opposé, il examina le message qui avait été écrit à l'aide d'un vernis à ongles. « Jim Smith sera le prochain ».

Il connaissait Jim Smith.

Dans la cuisine, sur la petite table blanche carrée, il y avait un autre message. Pour l'écrire, on avait apparemment utilisé du ketchup. Il disait : « Ne nous chercher pas si non ». Par terre, au pied de la table, il vit un jean et des boots. Comme il n'allait pas tarder à l'apprendre, Debbie les portait la veille au soir, au *Coachlight*.

Il passa dans la chambre dont la porte était en partie bloquée par le lit. Les fenêtres étaient ouvertes, les rideaux tirés ; il faisait très froid. Une lutte farouche avait précédé la mort. Le sol était jonché de vêtements, de draps, de couvertures et de peluches. Quand Smith s'agenouilla près du corps, il vit le troisième message laissé par le tueur. Sur le dos, écrit avec ce qui ressemblait à du ketchup séché, il lut un nom : « Duke Gram ».

Il connaissait Duke Graham.

Sous le corps, il trouva un fil électrique et une ceinture munie d'une grosse boucle en argent, gravée au nom de Debbie.

Pendant que l'officier de police Mike Kieswetter photographiait la scène de crime, l'inspecteur Smith commença à recueillir des indices. Il trouva des poils sur le corps, le sol, le lit, les peluches. Il ramassa méthodiquement chacun d'eux et le plaça dans une feuille de papier pliée, sur laquelle il nota exactement où il l'avait trouvé.

Il collecta soigneusement les autres éléments de preuve, les étiqueta et les mit dans un sac en plastique : les draps, les taies d'oreiller, les couvertures, le fil électrique et la ceinture, une culotte déchirée trouvée dans la salle de bains, plusieurs peluches, un paquet de Marlboro, une boîte vide de 7-Up, un flacon de shampooing en plastique, des mégots de cigarette, un verre pris dans la cuisine et d'autres poils découverts sous le corps. Une bouteille de ketchup Del Monte était enveloppée dans un drap, près de la victime. Il la plaça elle aussi dans un sac pour la faire examiner par le labo de recherche criminelle de l'État. Le bouchon devait être retrouvé plus tard par le légiste.

Quand il eut terminé, Smith entreprit de relever les empreintes digitales, une opération banale, effectuée sur quantité de scènes de crime. Il saupoudra les deux côtés de la porte d'entrée, le chambranle des fenêtres, toutes les surfaces en bois de la chambre, la table de la cuisine, les plus gros éclats de verre, le téléphone, les zones peintes autour des portes et des fenêtres et même la voiture de Debbie, garée dans la rue.

Gary Rogers était un agent de l'OSBI, le Bureau d'investigations pour l'État de l'Oklahoma, qui vivait à Ada. Il arriva vers 12 h 30 à l'appartement, où Dennis Smith le mit au courant. Les deux hommes étaient amis ; ils avaient souvent travaillé ensemble.

Dans la chambre, au bas d'un mur, juste au-dessus de la plinthe et tout près d'une prise de courant, Rogers remarqua une petite tache qui pouvait être du sang. Un peu plus tard, après le transport du corps, il demanda à l'officier de police Rick Carson de découper une portion de dix centimètres carrés du placoplâtre afin de préserver l'empreinte sanglante.

La première impression de Dennis Smith fut partagée par Gary Rogers ; le tueur n'était pas seul. La pagaille qui régnait dans l'appartement, l'absence de marques de liens sur les poignets et les chevilles de Debbie, le gros hématome qu'elle avait à la tête, le gant de toilette enfoncé dans sa bouche, les ecchymoses sur ses flancs et ses bras, l'utilisation probable du fil électrique et de la ceinture – il semblait y avoir là trop de violences pour un seul tueur. Debbie n'était pas une mauviette : un mètre soixante-douze pour cinquante-neuf kilos. C'était une fille énergique, qui s'était certainement défendue avec acharnement.

Le docteur Larry Cartmell, le légiste d'Ada, passa faire un rapide examen du corps. D'après ses premières constatations, la mort avait eu lieu par strangulation. Il confia le corps à Tom Criswell, propriétaire du funérarium d'Ada. Un corbillard le transporta à l'institut médico-légal d'Oklahoma City. Arrivé à 18 h 25, il fut placé dans une armoire frigorifique.

L'inspecteur Smith et l'agent Rogers retournèrent au commissariat où ils reçurent les parents de Debbie Carter. Tout en s'efforçant de les consoler, ils recueillirent des noms. Amis, petits amis, collègues de travail, ennemis, ex-employeurs, tous ceux qui connaissaient Debbie et pouvaient savoir quelque chose sur sa mort. Pendant que la liste s'allongeait, Smith et Rogers commencèrent à appeler les connaissances de sexe masculin de la victime. Ils les priaient simplement de se présenter au commissariat où on prendrait leurs empreintes digitales et où on prélèverait des échantillons de salive, de cheveux et de poils pubiens.

Personne ne refusa. Mike Carpenter, le videur du *Coachlight*, qui avait vu Debbie sur le parking en compagnie de Glen Gore le soir du crime, vers minuit et demi, fut un des premiers à se présenter. Tommy Glover, un autre témoin de la discussion avec Gore sur le parking, fournit aussitôt les échantillons demandés.

Vers 19 h 30, ce même soir, Gore arriva au *Harold's*, où il devait passer la musique et servir au bar. L'établissement était presque vide. Quand il demanda pourquoi il y avait si peu de monde, quelqu'un lui parla du meurtre. Les clients et certains des employés de la boîte de nuit répondaient aux questions de la police, qui prenait leurs empreintes digitales.

Gore se rendit au commissariat, où il fut interrogé par Gary Rogers et D. W. Barrett, un policier d'Ada. Il déclara qu'il connaissait Debbie Carter depuis le lycée et reconnut l'avoir vue la veille au soir au *Coachlight.*

Le texte du rapport de police est le suivant :

> Glen Gore est disque-jockey au *Harold's Club.* Susie Johnson lui a parlé de la mort de Debbie vers 19 h 30, le 8-12-82. Glen est allé au lycée avec Debbie. Glen l'a vue le lundi 6 décembre au *Harold's Club.* Glen l'a vue le 7-12-82 au *Coachlight.* Ils ont parlé de la voiture de Debbie qu'elle voulait faire repeindre. Elle n'a pas dit à Glen qu'elle avait des problèmes avec quelqu'un. Glen est arrivé au *Coachlight* vers 22 h 30 avec Ron West. Reparti avec lui vers 1 h 15 du matin. Glen n'est jamais allé dans l'appartement de Debbie.

Rédigé par D.W. Barrett en présence de Gary Rogers, le rapport a été classé avec des dizaines d'autres.

Glen devait par la suite modifier sa déposition en affirmant avoir vu dans la boîte un homme du nom de Ron Williamson importuner Debbie le soir du 7 décembre. Personne ne confirmerait cette nouvelle version. Beaucoup de ceux qui étaient présents ce soir-là au *Coachlight* connaissaient Ron Williamson, un fêtard notoire doublé d'un fort en gueule, mais personne ne se souvenait de l'y avoir vu. En réalité, la plupart des témoins affirmaient qu'il n'y était pas.

Or, quand Ron Williamson était quelque part, tout le monde le savait.

Aussi curieux que cela puisse paraître, on ne prit pas les empreintes digitales de Gore, pas plus qu'on ne lui demanda des échantillons de salive ou de poils. Qu'il ait profité d'une négligence commode ou d'un simple oubli, toujours est-il qu'il passa entre les mailles du filet.

Il s'écoula plus de trois ans et demi avant que la police d'Ada prélève enfin des échantillons ADN de Gore, la dernière personne à avoir vu Debbie Carter vivante.

L'après-midi du 8 décembre, à 15 heures, le docteur Fred Jordan, médecin expert à l'institut médico-légal de l'État, pratiqua une autopsie en présence des agents Gary Rogers et Jerry Peters, de l'OSBI.

Le docteur Jordan, qui n'en était pas à sa première autopsie, constata tout d'abord que le corps était celui d'une jeune femme de race blanche, entièrement nue à l'exception d'une paire de chaussettes blanches. La rigidité cadavérique était complète, ce qui signifiait qu'elle était morte depuis au moins vingt-quatre heures. Sur la poitrine, avec ce qui semblait être du vernis à ongles rouge, était écrit le mot « Meurs ». Le corps était barbouillé d'une autre substance rouge, probablement du ketchup, et sur le dos, toujours avec du ketchup, étaient écrits les mots « Duke Gram ».

Il y avait plusieurs ecchymoses mineures sur les bras, la poitrine et le visage. Le docteur Jordan remarqua de petites coupures à l'intérieur des lèvres. Il retira délicatement le gant de toilette vert imbibé de sang fourré jusqu'au fond de la gorge. Il y avait sur le cou des écorchures et des ecchymoses en demi-cercle. Le vagin était contusionné, le rectum dilaté. En l'examinant, le docteur Jordan découvrit et retira un bouchon de métal à pas de vis.

L'examen interne ne révéla rien d'inattendu : affaissement des poumons, dilatation du cœur, quelques meurtrissures sur le cuir chevelu, sans lésion cérébrale.

Toutes les blessures avaient été infligées à la victime pendant qu'elle était encore en vie.

Il n'y avait aucune marque de liens sur les poignets ni les chevilles. Un certain nombre d'ecchymoses sur les avant-bras venaient probablement des coups portés quand la victime s'était défendue. Le taux d'alcool dans son sang à l'heure de la mort était peu élevé : 0, 04. Le légiste fit des prélèvements sur écouvillon dans la bouche, le vagin et l'anus. L'examen au microscope allait révéler la présence de spermatozoïdes dans le vagin et l'anus, pas dans la bouche.

Pour conserver des indices, le docteur Jordan coupa des ongles, préleva un échantillon de ketchup et de vernis à ongles, retira à l'aide d'un peigne les poils épars du pubis et coupa une mèche de cheveux.

La cause de la mort était l'asphyxie doublement provoquée par le gant de toilette et la strangulation par la ceinture ou le fil électrique.

À la fin de l'examen, Jerry Peters photographia le corps et prit un jeu complet d'empreintes de la pulpe des doigts et de la paume des deux mains.

Terrassée par la douleur, Peggy Stillwell était incapable de prendre des décisions. Peu lui importait de savoir qui organisait les obsèques et quel en serait le déroulement ; de toute façon, elle refusait d'y assister. Elle était incapable de manger et de se laver mais, surtout, elle était incapable d'accepter la réalité : sa fille était morte. Une de ses sœurs, Glenna Lucas, s'installa chez elle et prit discrètement les choses en main. Quand toutes les dispositions furent arrêtées, la famille fit savoir à Peggy qu'elle comptait sur sa présence aux obsèques.

Elles eurent lieu le samedi 11 décembre dans la chapelle du funérarium Criswell. Glenna fit prendre un bain à Peggy et l'habilla, puis elle la conduisit au funérarium. Elle ne lâcha pas sa main pendant toute la durée de cette pénible épreuve.

Dans l'Oklahoma rural, il est de tradition de laisser le cercueil ouvert au pied de la chaire afin que les parents et amis puissent voir le défunt pendant l'office. Quelles que soient les raisons de cette pratique, elle a pour effet d'aviver la souffrance des assistants.

Le cercueil ouvert montrait que Debbie avait été battue. Elle avait le visage tuméfié mais un corsage montant à dentelles dissimulait les traces de strangulation. On l'avait vêtue de son jean et de ses bottes préférés, avec une ceinture de cow-boy à grosse boucle et la bague de diamants en fer à cheval que sa mère avait prévu de lui offrir à Noël.

Après l'office funèbre célébré par le révérend Rick Summers devant une vaste assemblée, Debbie fut inhumée dans le cimetière de Rosedale sous des flocons de neige épars. Elle laissait derrière elle ses parents, deux sœurs, deux de ses grands-parents et deux neveux. Elle était membre d'une petite paroisse baptiste, où elle avait été baptisée à l'âge de six ans.

Le meurtre bouleversa la ville. Ada avait un passé de violences et de crimes de sang, mais les victimes étaient le plus souvent des cow-boys ou des propres-à-rien. Des hommes qui, s'ils n'avaient pas reçu une balle dans la tête, auraient probablement infligé le même traitement à autrui, un jour ou l'autre.

Le viol et le meurtre d'une jeune femme avaient quelque chose de terrifiant. Les racontars et les hypothèses se multipliaient, la peur suintait. La nuit venue, on fermait les fenêtres et les portes. Les adolescents avaient interdiction de sortir le soir. Les jeunes mères ne quittaient pas des yeux les plus petits quand ils jouaient sur la pelouse du jardin.

Dans les bars et les boîtes de nuit, on ne parlait pour ainsi dire que du meurtre ; les habitués connaissaient Debbie. Pendant les jours qui suivirent sa mort, la police interrogea les garçons avec qui elle était sortie. Des noms circulaient, amis, connaissances, petits copains. Des dizaines d'interrogatoires firent surgir d'autres noms mais pas de véritables suspects. Debbie était une fille sociable, que tout le monde aimait bien : comment imaginer qu'on ait voulu lui faire du mal ?

La police dressa une liste de vingt-trois personnes qui se trouvaient au *Coachlight* le soir du drame et interrogea la plupart d'entre elles. Personne ne se rappelait y avoir vu Ron Williamson.

Les tuyaux et les récits de comportements étranges affluaient au commissariat. Une jeune femme du nom d'Angelia Nail appela Dennis Smith pour lui faire part d'un incident survenu avec Glen Gore. Elle était très proche de Debbie, qui avait la conviction que Gore avait dérobé les essuie-glaces de sa voiture. C'était entre eux un sujet de dispute. Angelia, qui connaissait Gore depuis le lycée, avait peur de lui. Une dizaine de jours avant le meurtre, Debbie avait demandé à Angelia de la conduire chez Gore pour une explication. Debbie était entrée seule. En remontant dans la voiture, elle était furieuse, plus convaincue que jamais que Gore était le voleur. Elles s'étaient rendues au commissariat pour raconter l'histoire mais rien n'avait été inscrit sur la main courante.

Duke Graham et Jim Smith étaient tous deux bien connus de la police d'Ada. Graham et sa femme, Johnnie, étaient propriétaires d'un night-club, un établissement très convenable où les débordements n'étaient pas tolérés. Les altercations y étaient rares mais il y en avait eu une avec Jim Smith, un petit malfrat qui n'en était pas à son premier délit. Un soir où il était ivre, il avait cherché querelle à ses voisins. Comme il refusait de partir, Duke l'avait fait sortir à la pointe de son fusil. Les deux hommes avaient échangé des menaces. Dans la boîte, l'atmosphère était restée tendue pendant plusieurs jours. Smith était capable de revenir avec une arme pour tirer dans le tas.

Glen Gore avait été un habitué de la boîte de nuit, jusqu'au jour où il avait entrepris de faire une cour appuyée à Johnnie. Quand il était devenu trop entreprenant, elle l'avait envoyé paître et Duke lui avait interdit de remettre les pieds dans son établissement.

L'assassin de Debbie avait essayé maladroitement de coller le meurtre sur le dos de Duke Graham tout en faisant peur à Jim Smith. Ce dernier n'avait rien à craindre ; il était déjà derrière les barreaux. Duke Graham alla voir la police avec un alibi en béton.

La famille de Debbie fut informée que l'appartement occupé par la jeune femme devait être libéré. Sa mère demeurant incapable de réagir, Glenna Lucas se proposa pour cette pénible tâche.

Accompagnée d'un policier qui lui avait ouvert la porte, Glenna entra lentement dans l'appartement. Rien n'ayant été déplacé depuis le meurtre, sa première réaction fut de laisser exploser sa colère. Elle voyait les traces d'une lutte. Sa nièce s'était défendue avec l'énergie du désespoir. Toute cette violence... Dirigée contre une jolie fille sans défense.

Dans la froideur de l'appartement flottait une odeur désagréable qu'elle n'arrivait pas à identifier. Les mots « Jim Smith sera le prochain » étaient encore visibles sur le mur. Glenna se dit qu'il avait fallu du temps pour griffonner ces mots. Le tueur était resté longtemps. Debbie était morte après avoir subi des atrocités. Dans la chambre, le matelas était posé contre un mur, mais rien n'avait été remis en ordre. Dans la penderie, plus une seule robe, plus un seul chemisier n'était resté en place. Pourquoi le tueur avait-il enlevé tous les vêtements des cintres ?

La petite cuisine était en désordre mais ne montrait pas de traces de lutte. Pour son dernier repas, Debbie avait mangé des pommes de terre surgelées ; les restes se trouvaient encore sur une assiette en carton, avec du ketchup. Il y avait une salière à côté de l'assiette, sur la petite table blanche où elle prenait ses repas. Glenna regarda longuement l'autre message écrit sur la table : « Ne nous chercher pas si non ». Glenna savait que le tueur avait utilisé du ketchup pour certains de ses messages. Elle s'étonna des fautes d'orthographe.

En chassant les pensées horribles qui l'assaillaient, Glenna entreprit de rassembler les affaires de Debbie. Il lui fallut deux heures pour tout ranger dans des cartons. La police n'avait pas emporté le dessus-de-lit maculé de sang. Il y avait encore des taches rouges sur le sol.

Glenna n'avait pas prévu de nettoyer l'appartement, seulement de prendre les affaires de Debbie et de repartir le plus vite possible. Elle aurait préféré ne pas laisser le message du tueur écrit avec le vernis à ongles de Debbie et elle était gênée de savoir que quelqu'un d'autre laverait les taches de sang.

Elle hésita à nettoyer l'appartement, de manière qu'il ne reste plus la moindre trace du drame. Mais elle n'en pouvait plus.

Les suspects habituels furent convoqués dans les jours qui suivirent le meurtre. La police prit les empreintes digitales et des échantillons de poils ou de salive de vingt et un hommes. L'inspecteur Smith et l'agent Rogers se rendirent le 16 décembre à Oklahoma City pour remettre au laboratoire de recherche criminelle de l'OSBI les indices relevés sur le lieu du crime ainsi que les échantillons fournis par dix-sept hommes.

Le morceau de dix centimètres carrés de placoplâtre était particulièrement intéressant. Si la trace de sang avait été laissée sur le mur au cours de la lutte qui avait précédé le meurtre et si ce sang n'était pas celui de Debbie, la police tenait une piste sérieuse qui pourrait lui permettre d'identifier le tueur. Jerry Peters, l'agent de l'OSBI, examina le morceau de placo et compara les traces avec les empreintes de Debbie prises pendant l'autopsie. Sa première impression fut que les unes et les autres ne coïncidaient pas, mais il avait besoin d'un examen approfondi.

Le 4 janvier 1983, Dennis Smith apporta de nouvelles empreintes digitales. Le même jour, les échantillons de poils pris sur Debbie Carter et sur la scène de crime furent remis à Susan Land, une spécialiste de l'OSBI. Quinze jours plus tard, de nouveaux échantillons de la scène de crime arrivèrent sur son bureau. Ils furent classés avec les autres par Susan Land, qui croulait sous le travail. Comme la plupart des labos de recherche criminelle, celui de l'Oklahoma ne disposait ni des fonds ni du personnel suffisants et subissait d'énormes pressions pour que soient produits les résultats espérés.

En attendant les conclusions de l'OSBI, Smith et Rogers poursuivaient leur enquête. Le meurtre était encore dans tous les esprits ; la population attendait l'arrestation du coupable. Mais après l'interrogatoire des barmen, des videurs, des ex-amis et des nuitards, l'enquête piétinait. Il n'y avait pas de suspect sérieux, pas de piste sérieuse.

Le 7 mars, Gary Rogers interrogea Robert Gene Deatherage, un habitant d'Ada qui venait de passer quelques jours dans la prison du comté de Pontotoc pour conduite en état d'ivresse. Il y avait partagé une cellule avec Ron Williamson, incarcéré pour la même raison. On parlait beaucoup du meurtre entre les détenus, les théories les plus folles circulaient et nombreux étaient ceux qui se prétendaient au parfum. Deatherage et son compagnon de cellule avaient abordé le sujet en plusieurs occasions. À en croire Deatherage, cela ne plaisait pas à Williamson. Ils s'étaient disputés et en étaient même venus aux mains. On avait fini par changer Williamson de cellule. Deatherage avait la vague impression que Williamson avait trempé dans l'affaire. Il conseilla à Roger de s'intéresser de près à lui.

C'était la première fois que le nom de Williamson apparaissait dans l'enquête.

Deux jours plus tard, la police interrogea Noel Clement, un des premiers à s'être présenté pour faire relever ses empreintes digitales. Clement raconta que, quelques jours plus tôt, Williamson, à la recherche d'un type, disait-il, était entré chez lui sans frapper. Voyant une guitare, il s'était installé et s'était mis à gratter tout en bavardant. Dans la conversation, il avait parlé du crime. Selon ses propos, lorsqu'il avait vu les voitures de police dans son quartier, le lendemain, il avait cru qu'on venait le chercher. Il avait eu des ennuis à Tulsa et ne voulait pas que cela recommence à Ada.

Il était inévitable que la police suive la piste de Ron Williamson. Il était même curieux qu'il ait fallu trois mois aux policiers pour penser à lui. Certains d'entre eux le connaissaient depuis l'enfance, et la plupart se souvenaient de l'époque où il était la vedette de l'équipe de base-ball du lycée. Quand il avait signé en 1971 chez les professionnels d'Oakland, tout le monde, à commencer par lui, était convaincu qu'il pouvait succéder à Mickey Mantle, le plus grand joueur de l'Oklahoma à ce jour.

Le temps du base-ball était révolu. Pour la police, Ron Williamson n'était plus qu'un chômeur qui vivait chez sa mère, jouait vaguement de la guitare, buvait trop et avait un comportement bizarre.

Il avait été arrêté deux fois pour conduite en état d'ébriété, une autre pour ivresse sur la voie publique. Et il traînait une mauvaise réputation remontant à l'époque où il vivait à Tulsa.

2.

Ron Williamson avait vu le jour à Ada, le 3 février 1953. Il était le fils de Juanita et de Roy Williamson, démarcheur de produits alimentaires pour la société Rawleigh. Tout le monde connaissait Roy. Il arpentait les rues en complet-veston avec une valise bourrée d'échantillons, les poches pleines de bonbons qu'il distribuait aux gamins qui lui tournaient autour comme des mouches. Son travail harassant, suivi de longues heures consacrées à la paperasse, ne lui permettait que péniblement de gagner sa vie. Il touchait une commission modeste, de sorte que, peu après la naissance de Ron, Juanita avait pris un emploi à l'hôpital de la ville.

Ses parents étant retenus par leur travail, Ron avait naturellement été pris en charge par sa sœur Annette, pour le plus grand bonheur de cette fillette de douze ans. Elle lui donnait à manger, le lavait, le bichonnait, enchantée de son nouveau jouet. Quand Annette n'était pas à l'école, elle gardait son frère tout en faisant le ménage et en préparant le dîner.

Renee, la fille cadette, avait cinq ans à la naissance de son petit frère. Elle n'avait aucun goût pour le baby-sitting mais elle appréciait d'avoir un compagnon de jeu. Annette menait son petit monde à la baguette ; les deux plus jeunes ne se laissaient pas faire, et savaient se liguer contre elle à l'occasion.

Juanita était une fervente croyante et une femme volontaire. Elle emmenait toute la famille à l'église le dimanche, le mercredi et chaque fois qu'il y avait un office. Les enfants ne manquaient jamais les cours d'instruction religieuse, les camps d'été, les *revivals*, ni les fêtes de la paroisse et, de temps en temps, ils assistaient à un mariage ou à un enterrement. Sans être animé par la même piété, Roy n'en respectait pas moins une discipline de vie rigoureuse : présence assidue aux offices, dévotion à sa famille. L'alcool, le jeu, les grossièretés, la danse étaient bannis de sa vie. Il ne tolérait aucune entorse et n'hésitait pas à déboucler sa ceinture pour l'abattre sur le postérieur de son fils unique.

La famille Williamson appartenait à la Première Église pentecôtiste. Les pentecôtistes entretenaient une relation personnelle avec le Christ, pratiquaient une vie de prières ferventes, prônaient la fidélité à l'Église et à ses œuvres, l'étude constante de la Bible et l'amour du prochain, particulièrement des membres de la congrégation. Dans les offices, toute tiédeur était interdite – musique vibrante, sermons enflammés et participation émotionnelle de l'assemblée. On y parlait en langue, on y pratiquait des guérisons instantanées par l'imposition des mains et on y exprimait avec force les émotions que le Saint-Esprit faisait surgir.

Les histoires qu'on racontait le soir aux enfants étaient tirées de l'Ancien Testament. On leur faisait apprendre par cœur les versets les plus connus de la Bible. On les encourageait à « accepter le Christ » dès leur plus jeune âge, à confesser leurs péchés, à demander au Saint-Esprit d'entrer dans leur vie pour l'éternité et à suivre l'exemple du Christ en recevant le baptême en public. Ronnie accepta le Christ à l'âge de six ans ; il fut baptisé dans la Blue River, au sud de la ville, au terme d'un long *revival* de printemps.

Les Williamson vivaient paisiblement dans une modeste maison de la 4e Rue, à l'est d'Ada, près de l'université. Pendant leurs loisirs, ils rendaient visite à leur famille, participaient aux activités de leur paroisse et partaient de temps en temps camper dans un parc naturel. Ils ne s'intéressaient guère au sport, du moins jusqu'au jour où Ronnie découvrit le base-ball. Il commença à jouer dans la rue, avec ses copains, selon des règles très peu précises. Il fut évident dès le début qu'il avait un bon bras et des mains agiles. Accro à ce sport dès la première partie, il se mit à tanner son père pour avoir un gant et une batte. Roy n'avait pas beaucoup d'argent de côté mais il emmena son fils chez Haynes, le quincaillier d'Ada. Un rite s'instaura : tous les ans, au début du printemps, ils allaient choisir un nouveau gant. Ils prenaient en général le plus cher.

Ron gardait son gant dans le coin de sa chambre où il avait élevé un autel dédié à Mickey Mantle, le plus grand joueur de l'Oklahoma de l'Histoire, objet d'un véritable culte. Tous les gamins, Ronnie comme les autres, rêvaient de devenir le prochain Mickey Mantle. Il punaisait des photos et des cartes sur un tableau, dans ce coin de sa chambre. À six ans, il connaissait par cœur les statistiques de Mantle et celles de nombreux autres joueurs.

Quand il ne jouait pas dans la rue, il restait planté au milieu du séjour à balancer la batte de toutes ses forces. La maison était petite, le modeste mobilier n'aurait pu être remplacé. Quand sa mère le surprenait en pleine action, frôlant une lampe ou une chaise, elle le chassait de la maison. Il revenait quelques minutes plus tard. Juanita avait une tendresse particulière pour son garçon. Bien sûr, il était un peu trop gâté, mais il ne pouvait rien faire de mal.

La personnalité de Ron était pourtant difficile à cerner. Il pouvait être un enfant tendre et sensible, qui ne craignait pas de montrer son affection à sa mère et à ses sœurs. L'instant d'après, il devenait égoïste, exigeant, insupportable. Ses sautes d'humeur avaient été très tôt apparentes, sans que quiconque s'en inquiète vraiment. On se disait simplement qu'il était parfois difficile. Peut-être parce qu'il était le dernier-né, entouré de femmes aux petits soins pour lui.

Il y a dans chaque petite ville un entraîneur de base-ball voué aux équipes de jeunes, que sa passion pousse à rechercher sans cesse de nouveaux talents, même des enfants de huit ans. À Ada, cet homme s'appelait Dewayne Sanders ; il était l'entraîneur des Police Eagles. Il travaillait dans une station-service, pas très loin de chez les Williamson. Sanders entendit parler de Ronnie et le prit dans son équipe.

Malgré son jeune âge, il sautait aux yeux que le garçon avait des dons, ce qui était d'autant plus curieux que son père ne connaissait rien ou presque au base-ball. Ronnie avait tout appris dans la rue.

En été, les gamins se retrouvaient de bonne heure pour discuter du match des Yankees de la veille. Seulement celui des Yankees. Ils étudiaient les statistiques, parlaient de Mickey Mantle, se faisaient des passes en attendant l'arrivée d'autres copains. Ils jouaient dans la rue au risque de se faire heurter par une voiture ou de casser une vitre, puis, lorsqu'ils étaient assez nombreux, ils se rendaient dans un terrain vague pour commencer une partie qui durerait toute la journée. En fin d'après-midi, ils rentraient chez eux se laver, manger un morceau et se changer avant de filer au stade Kiwanis pour assister à un vrai match.

Les Police Eagles gagnaient le plus souvent, récompense du dévouement de Dewayne Sanders. La vedette de l'équipe était Ronnie Williamson. Quand son nom apparut pour la première fois dans l'*Ada Evening News*, il venait d'avoir neuf ans. *Les Police Eagles ont marqué 12 points, dont deux home runs réalisés par Ron Williamson qui a également réussi deux doubles.*

Roy assistait discrètement à tous les matches. Jamais il ne criait contre un arbitre ou un entraîneur, jamais il ne criait contre son fils. De temps en temps, après un mauvais match, il lui prodiguait quelques conseils, mais d'ordre général. Roy n'avait jamais joué au base-ball et n'avait pas encore une bonne connaissance du jeu. Son jeune fils en savait beaucoup plus que lui dans ce domaine.

À onze ans, Ronnie changea de catégorie. Il fut le premier choix des Yankees, une équipe sponsorisée par la Banque de l'Oklahoma. Elle termina la saison, invaincue.

L'année suivante, tandis que Ronnie jouait encore pour les Yankees, le quotidien d'Ada suivit de près la saison de l'équipe : *La Banque de l'Oklahoma a marqué quinze points dans la première manche... Ronnie Williamson a réussi deux triples* (9 juin 1965) ; *Les Yankees ne sont passés que trois fois à la batte... mais la puissance de Roy Haney, Ron Williamson et James Lamb a fait la différence. Williamson a réussi un triple* (11 juin 1965) ; *Les Yankees de la Banque de l'Oklahoma ont marqué deux fois dans la première manche... Ron Williamson et Carl Tilley ont chacun réussi un double* (13 juillet 1965) ; *L'équipe de la Banque de l'Oklahoma s'est hissée à la deuxième place... Ronnie Williamson a réussi deux doubles* (15 juillet 1965).

Dans les années 1960, le lycée de Byng était situé à une douzaine de kilomètres au nord-est d'Ada. C'était un établissement du second degré de taille modeste, beaucoup plus petit que le lycée d'Ada, où auraient pu s'inscrire Ronnie et les gamins de son quartier. Mais ils choisissaient presque tous d'aller à Byng, essentiellement parce qu'un bus scolaire passait tout près de chez eux alors qu'il n'y avait pas de moyen de transport pour se rendre au centre d'Ada.

Au collège de Byng, Ron fut élu délégué de sa classe de sixième et, l'année suivante, président des élèves. Il entra en quatrième en 1967.

À Byng, on ne jouait pas au football, un sport tacitement réservé au lycée d'Ada dont les équipes étaient en lice pour remporter le championnat de l'État. On jouait au basket. Ron découvrait ce sport ; il y fit des progrès aussi foudroyants qu'au base-ball.

Sans être un rat de bibliothèque, il aimait la lecture et avait d'excellentes notes en lettres mais préférait les maths. Quand il en avait assez de ses manuels scolaires, il se plongeait dans les dictionnaires et les encyclopédies. Parfois jusqu'à l'obsession. Il lui arrivait de bombarder ses copains de mots qu'ils ne connaissaient pas en leur reprochant leur ignorance. Il avait appris par cœur le nom et la vie de tous les présidents des États-Unis. Pendant plusieurs mois, il n'avait parlé de rien d'autre. Même s'il s'éloignait de la religion, il connaissait encore des dizaines de versets de la Bible dont il tirait avantage et qu'il n'hésitait pas à citer pour provoquer son entourage. Ses obsessions finissaient par insupporter ses amis et sa famille.

Ses qualités de sportif lui valaient une grande popularité. Il fut élu vice-président de sa classe de quatrième. Il attirait les filles : elles voulaient sortir avec lui et il n'avait pas peur d'elles. Il devint exigeant sur son apparence, sur sa garde-robe. Les vêtements qu'il voulait n'étaient pas à la portée de la bourse de ses parents. Sans rien dire, Roy commença à s'habiller avec des vêtements d'occasion afin de pouvoir en payer des neufs à son fils.

Annette s'était mariée et vivait à Ada. En 1969, elle ouvrit avec sa mère un salon de coiffure, le *Beauty Casa*, au rez-de-chaussée du vieil hôtel Julienne. Elles travaillaient dur et leur commerce devint rapidement florissant grâce, notamment, aux call-girls qui occupaient les étages de l'hôtel. Les belles de nuit, qui exerçaient leur industrie à Ada depuis des décennies, avaient conduit plus d'un mariage à sa perte. Juanita les tolérait tout juste.

Annette avait toujours été incapable de refuser quoi que ce soit à son petit frère. Il en profitait pour lui soutirer de l'argent qui lui servait pour ses vêtements et ses sorties. Ayant découvert par hasard qu'elle avait un compte dans une boutique de mode, il y fit inscrire ses propres achats, le plus souvent sans l'accord de sa sœur. Et il ne choisissait pas des vêtements bon marché. Annette explosait, ils se disputaient mais Ron finissait toujours par la convaincre de régler la note. L'adoration qu'elle avait pour lui sapait en elle toute volonté et elle voulait que son petit frère eût ce qu'il y avait de mieux. Au plus fort de l'altercation, il réussissait toujours à glisser qu'il l'aimait. Et c'était vrai.

Renee et Annette s'inquiétaient de voir Ron devenir un enfant gâté. Cela provoquait des disputes mémorables, mais Ronnie gagnait toujours. Il pleurait, demandait pardon, faisait sourire, puis rire tout le monde. Ses sœurs lui donnaient souvent en douce de quoi s'acheter ce que leurs parents n'avaient pas les moyens de lui payer. Il se montrait tyrannique, égocentrique, puéril, puis, d'un seul coup, grâce à sa forte personnalité, il faisait tourner la situation à son avantage.

Sa famille l'entourait d'un amour qu'il lui rendait bien. Même au plus fort d'une dispute, tous savaient qu'il obtiendrait ce qu'il voulait.

À la fin de son année de quatrième, quelques élèves de la classe de Ronnie avaient prévu de participer pendant l'été à un stage de base-ball organisé dans un campus universitaire. Il voulait y aller mais le prix en était au-dessus des moyens de ses parents. Il ne lâcha pas prise : c'était une occasion exceptionnelle de progresser et même de se faire remarquer par des entraîneurs de l'université. Pendant plusieurs semaines, il ne parla que de ça et, quand la situation parut sans espoir, se mit à bouder. De guerre lasse, Roy céda et emprunta de l'argent à la banque.

Ronnie eut ensuite une autre idée fixe : une moto. Ses parents étaient contre. Ils refusèrent, le sermonnèrent, affirmèrent avec force qu'ils n'avaient pas de quoi la lui payer et que, en tout état de cause, c'était trop dangereux. Ronnie déclara qu'il se l'achèterait tout seul. Il trouva un petit boulot, son premier, une tournée de distribution du quotidien local, et mit de côté tout ce qu'il gagnait. Quand il eut assez d'argent pour le premier versement, il fit l'acquisition de la moto et convint des mensualités avec le concessionnaire.

Le remboursement tourna court quand un *revival* sous chapiteau – le Bud Chambers Crusade – débarqua à Ada. Un véritable show avec musique et sermons charismatiques. Ronnie s'y trouva le premier soir, en revint bouleversé et y retourna le lendemain avec la moitié de ses économies. Au moment de la quête, il vida ses poches. Le frère Bud en voulait encore plus : Ronnie y revint encore avec le reste de son épargne. Le quatrième soir, il racla les fonds de tiroir, emprunta un peu et fila sous le chapiteau assister à un nouveau service et faire don de cet argent durement gagné. Jusqu'à la fin de la semaine, il apporta quotidiennement sa contribution. Quand le chapiteau quitta enfin la ville, il n'avait plus un sou.

Il laissa tomber la distribution des journaux, qui l'empêchait de jouer au base-ball. Son père parvint à trouver de quoi payer le reliquat de la moto.

Ses deux sœurs ayant quitté la maison, Ronnie polarisait l'attention de ses parents. Un enfant moins attirant eût été insupportable mais son charme était irrésistible. Étant lui-même chaleureux, ouvert et généreux, il attendait naturellement de la part de sa famille une générosité sans limites.

Quand Ronnie entra en troisième, l'entraîneur de l'équipe de football du lycée d'Ada demanda à Roy d'inscrire son fils dans son établissement. Tout le monde savait déjà que Ron Williamson était un joueur de talent, aussi bien au basket-ball qu'au base-ball mais l'Oklahoma était une terre de football. L'entraîneur assura Roy que son fils serait sous le feu des projecteurs dès qu'il foulerait la pelouse du stade des Couguars. Avec sa taille, sa vitesse et la qualité de son bras, il pouvait rapidement devenir une vedette, peut-être même être recruté par une équipe universitaire. Il proposa de passer prendre Ronnie tous les matins pour le conduire au lycée.

La décision appartenait à Ron. Il choisit de rester à Byng, au moins pour deux ans.

Asher est une petite agglomération tapie au bord de la nationale 177, à une trentaine de kilomètres au nord d'Ada. Elle compte à peine cinq cents habitants et n'a pas de centre-ville à proprement parler. On y trouve deux églises, un château d'eau, des rues pavées et quelques maisons assez anciennes. Mais ce qui fait la fierté du village est un magnifique terrain de base-ball, juste derrière le tout petit lycée.

Rien de notable ne pouvait se passer dans une si petite ville, en apparence. Pourtant, Asher a eu pendant quatre décennies la meilleure équipe de base-ball scolaire au niveau national. Mieux encore, aucun établissement public ou privé dans l'histoire de ce sport n'a remporté autant de victoires que les Indians d'Asher.

Tout avait commencé en 1959, quand un jeune entraîneur du nom de Murl Bowen avait pris les rênes d'une équipe en perdition – elle n'avait pas remporté une seule rencontre de toute la saison précédente. Il ne lui avait pas fallu longtemps pour inverser la tendance : moins de trois ans plus tard, Asher remportait son premier championnat de l'État. Des dizaines d'autres allaient suivre.

Pour des raisons obscures, l'Oklahoma organise la finale de son championnat de base-ball scolaire en automne, mais seulement pour les établissements trop petits pour avoir une équipe de football. Au long de la carrière du coach Bowen, il ne fut pas rare de voir son équipe remporter le championnat de l'État à l'automne et enchaîner sur un nouveau titre au printemps. Pendant une période exceptionnelle, Asher se qualifia soixante fois d'affilée pour la finale du championnat de l'État, trente fois au printemps et trente en automne.

En quarante ans, les équipes de Bowen remportèrent deux mille cent quinze rencontres et n'en perdirent que trois cent quarante-neuf. Elles gagnèrent quarante-trois titres et envoyèrent des dizaines de joueurs dans les équipes universitaires et professionnelles. En 1975, Bowen fut nommé meilleur entraîneur scolaire au niveau national. La municipalité le récompensa en modernisant le stade. Il obtint en 1995 la même distinction. « Ce n'est pas moi, disait-il modestement. Ce sont les petits. Je n'ai jamais marqué un point. »

Peut-être. Mais il était à l'origine de tous les succès. Dès le mois d'août, quand la température dépasse fréquemment les

35 °C, Bowen rassemblait son petit groupe de joueurs et préparait la prochaine conquête du titre. Son effectif était mince. Chaque classe du lycée d'Asher comptait une vingtaine d'élèves, dont la moitié de filles; il n'était pas rare que l'équipe ne soit composée que d'une douzaine de joueurs et qu'y soit inclus un garçon de quatrième ou de cinquième au talent prometteur. Pour s'assurer que personne ne partirait, la première tâche de Bowen était de distribuer les tenues. À tous les gamins sans exception.

Ensuite, il les faisait travailler, à raison de trois séances par jour. Les entraînements étaient extrêmement rigoureux : des heures de sprint, de tours des bases, de répétition des fondamentaux. Il mettait l'accent sur le sérieux du travail, la force des jambes, le dévouement et, par-dessus tout, l'esprit sportif. Jamais un seul joueur d'Asher n'avait discuté la décision d'un arbitre, ni balancé son casque de rage, ni fait quoi que ce soit pour humilier un adversaire. Jamais une équipe d'Asher n'avait cherché à alourdir le score contre des joueurs plus faibles.

L'entraîneur essayait d'éviter les adversaires trop faibles, surtout au printemps, quand la saison était plus longue et que le calendrier lui donnait plus de souplesse. Asher acquit la réputation d'une équipe qui battait les grands lycées. Elle écrasait régulièrement Ada, Norman et même Oklahoma City et Tulsa. Tandis que la légende prenait corps, ces équipes prirent l'habitude d'aller à Asher jouer sur le terrain impeccablement entretenu par le coach en personne. Le plus souvent, elles en repartaient vaincues.

Les équipes d'Asher étaient extrêmement disciplinées, et les joueurs, à en croire les mauvaises langues, triés sur le volet. Le petit lycée exerçait une attirance irrésistible sur les bons éléments rêvant d'un brillant avenir. Ron Williamson n'allait pas échapper à cette règle. Il se lia avec Bruce Leba, un joueur d'Asher, probablement le meilleur de la région juste après Ronnie. Devenus inséparables, ils envisagèrent de jouer ensemble dans l'équipe d'Asher pendant leur année de terminale. Les recruteurs des équipes universitaires et professionnelles commençaient à venir en nombre au stade Bowen. Et l'équipe avait de bonnes chances de remporter le championnat de l'État à l'automne 1970 et au printemps 1971. Les perspectives d'avenir de Ronnie seraient beaucoup plus claires.

S'il changeait d'établissement, il faudrait déménager à Asher, un énorme sacrifice pour ses parents qui se trouveraient obligés de faire chaque jour l'aller et retour à Ada. Mais Ronnie était inébranlable. Il avait la conviction – partagée par les entraîneurs et les recruteurs – qu'il pouvait être choisi et en bonne place par une grosse équipe à l'issue de son année de terminale. Son rêve de devenir un joueur professionnel était à portée de main ; il lui manquait un dernier coup de pouce.

On murmurait qu'il pourrait devenir le nouveau Mickey Mantle et il en avait pleinement conscience.

Avec l'aide discrète de quelques supporters, les Williamson louèrent une petite maison à proximité du lycée. Quand Ronnie se présenta au mois d'août au camp d'entraînement de Murl Bowen, il fut d'emblée abasourdi par ce que le coach exigeait de ses joueurs – toutes ces heures passées à courir. Bowen s'y reprit à plusieurs fois pour convaincre sa nouvelle recrue qu'il fallait des jambes aux muscles d'acier pour frapper la balle et la lancer, atteindre les bases, faire de longs lancers du champ extérieur et tenir jusqu'aux derniers tours de batte de la seconde rencontre, quand l'effectif est réduit. Ronnie mit du temps à accepter cette vision des choses mais, impressionné par la rigueur de Bruce Leba et des autres, il s'aligna sur eux et atteignit rapidement une excellente condition physique. Il n'y avait que quatre élèves de terminale dans l'équipe, dont il devint le meneur de jeu avec Bruce.

L'entraîneur aimait sa taille, sa vitesse et les fusées qu'il lançait du centre. Son bras était un véritable canon ; il lui arrivait à l'entraînement de survoler tout le champ droit avec sa balle. Dès le début de la saison d'automne, les recruteurs s'intéressèrent sérieusement à Ron Williamson et à Bruce Leba. Opposée à de petits établissements sans équipe de football, Asher ne perdit qu'une seule rencontre et remporta aisément un nouveau titre. Les coups réussis de Ron étaient de 0,468 avec six home runs tandis que Bruce, avec le même nombre de home runs, atteignait 0,444.

L'émulation était forte entre eux et tous deux voyaient se profiler une carrière professionnelle.

En dehors du terrain, ils ne se ménageaient pas plus. Ils passaient leurs week-ends à boire de la bière, puis découvrirent la marijuana. Ils couraient les filles, qui étaient faciles à attraper ; ils étaient tenus pour des héros à Asher. Faire la fête dans les bars et les boîtes de nuit devint une habitude. Quand ils avaient trop bu et qu'ils craignaient de rentrer en voiture, ils débarquaient chez Annette. Ils la réveillaient et demandaient quelque chose à manger tout en s'excusant de la déranger. Ronnie l'implorait de ne rien dire à ses parents.

Ils restaient prudents et faisaient en sorte de ne pas avoir d'ennuis avec la police. Ils redoutaient que Murl Bowen soit informé de leurs incartades ; ils n'oubliaient pas que les rencontres du printemps seraient décisives pour leur avenir.

Jouer au basket, à Asher, était avant tout un bon moyen de se maintenir en forme. Ron commença au poste d'avant et devint le meilleur marqueur de son équipe. Deux ou trois petites universités montrèrent de l'intérêt pour lui mais il ne donna pas suite à leurs propositions. Vers la fin de la saison, il reçut des lettres de recruteurs de base-ball qui se rappelaient à son souvenir, promettaient de venir assister à ses matchs, l'interrogeaient sur le calendrier de l'équipe, lui demandaient de participer à des stages d'entraînement pendant l'été. Bruce lui aussi recevait du courrier et ils prenaient plaisir à comparer leur correspondance.

Fin février, quand la saison de basket s'acheva, on passa aux choses sérieuses. Le base-ball reprenait.

L'équipe d'Asher commença en douceur par quelques victoires faciles et atteignit sa vitesse de croisière quand vint le moment de recevoir les grands lycées. Ronnie commença très fort à la batte, et continua sur le même rythme. L'équipe gagnait, les recruteurs se bousculaient, la vie était belle. Les joueurs de Bowen affrontaient semaine après semaine les meilleurs lanceurs des meilleures équipes. À chaque rencontre, sous les yeux des recruteurs, Ronnie prouvait qu'il était capable de dominer n'importe quel lanceur. Ses statistiques de coups réussis pour la saison s'établissaient à 0,500, avec cinq home runs et quarante-six points marqués sur des coups de batte. Il était rarement éliminé. Les recruteurs appréciaient sa puissance et sa discipline sur le marbre, sa vitesse pour atteindre la première base et, bien entendu, la qualité de son bras.

Fin avril, il fut sélectionné pour le prix Jim Thorpe, qui récompensait le meilleur sportif d'un lycée de l'Oklahoma.

Au terme d'une saison marquée par vingt-six victoires pour cinq défaites, Asher écrasa Glenpool 5 à 0 en finale du championnat.

Bowen proposa Ronnie et Bruce pour figurer sur la liste des joueurs de l'année. Ils méritaient assurément cette distinction mais ils faillirent tout perdre.

Quelques jours avant la fin de leur année de terminale et de la cérémonie qui devait marquer un tournant dans leur vie, ils prirent conscience que le base-ball scolaire serait bientôt derrière eux, que plus jamais ils ne seraient aussi proches. Il convenait de fêter ça par une bringue mémorable.

Il y avait à l'époque trois clubs de strip-tease à Oklahoma City. Ils choisirent le meilleur, le *Red Dog*, et subtilisèrent une bouteille de whisky et un pack de bières dans la cuisine des parents de Bruce. Ils prirent la route avec leur butin ; en arrivant au *Red Dog*, ils étaient ivres. Ils commandèrent des bières et regardèrent les effeuilleuses qu'ils trouvaient de plus en plus jolies. Puis les demoiselles quittèrent la scène pour s'asseoir sur les genoux des clients et les deux garçons commencèrent à claquer leur argent de poche. Le père de Bruce avait exigé qu'ils soient de retour à 1 heure du matin. Les filles et l'alcool aidant, ils repoussaient sans cesse le moment de leur départ. Quand ils sortirent enfin de la boîte, il était minuit et demi. Ils avaient deux heures de route. Au volant de sa Camaro au moteur gonflé, Bruce démarra sur les chapeaux de roues mais pila quand Ronnie lui lança une vacherie. Ils commencèrent à s'insulter et décidèrent de régler la querelle sur-le-champ. Ils descendirent tant bien que mal de la voiture et entreprirent de se tabasser.

Au bout de quelques minutes, ils en eurent assez et décidèrent d'en rester là. Ils remontèrent en voiture et s'en allèrent. Ils ne se souvenaient ni l'un ni l'autre du motif de la querelle.

Bruce rata une sortie et se trompa de direction. Complètement perdu, il décida de suivre des routes de campagne inconnues dans ce qu'il pensait être la direction d'Asher. Pour rattraper le temps perdu, il roulait à tombeau ouvert. Son compagnon était écroulé sur la banquette arrière. Bruce vit soudain apparaître dans son rétroviseur des feux rouges clignotants qui se rapprochaient rapidement.

Il se souviendrait de s'être arrêté devant la conserverie de viande Williams, sans savoir quelle était la ville la plus proche. Il n'était même pas sûr d'être dans le bon comté.

Bruce descendit. Le policier lui demanda gentiment s'il avait bu. Il répondit par l'affirmative.

Savait-il qu'il roulait trop vite ? Il répondit encore oui.

Ils commencèrent à discuter. Le policier ne semblait pas désireux de lui flanquer une contravention ni de le conduire au poste. Bruce était parvenu à le convaincre qu'il était capable de rentrer chez lui sans se mettre en danger quand Ronnie passa brusquement la tête par la vitre arrière en hurlant d'une voix éraillée quelque chose d'incompréhensible.

Le policier voulut savoir qui c'était. Un ami, répondit Bruce.

Quand l'ami en question se remit à hurler, le policier lui demanda de sortir de la voiture. Ronnie ouvrit la portière donnant sur le bas-côté et tomba lourdement dans le fossé.

En état d'arrestation, il se retrouvèrent dans une cellule exiguë, humide et froide. Un gardien jeta deux matelas par terre. C'est là qu'ils passèrent la nuit, frigorifiés, effrayés, l'esprit encore embrumé par l'alcool.

Pour Ron, cette première nuit derrière les barreaux devait être suivie de bien d'autres.

Le matin venu, le gardien apporta du café et du bacon et leur conseilla de prévenir leurs parents par téléphone. Ils hésitèrent longtemps, puis s'exécutèrent ; deux heures plus tard, on les relâchait. Bruce rentra à Asher au volant de sa Camaro alors que Ron fut obligé de rentrer avec son père dans la voiture de M. Leba. Les deux heures de route lui parurent interminables, et il était terrifié à l'idée de tout devoir raconter à son entraîneur.

Les pères obligèrent leurs fils à aller voir Murl Bowen séance tenante. Le coach se mura dans un silence glacial mais ne prit pas de sanctions contre eux.

Lors de la cérémonie de fin d'année, Bruce, le deuxième de la classe, fit son allocution avec aisance. Le discours de remise des diplômes fut prononcé par Frank H. Seay, un juge fédéral du comté voisin de Seminole.

Pour les dix-sept élèves de terminale, cette cérémonie était un événement marquant, une étape de leur vie qui faisait la fierté de leurs familles. Rares étaient les parents présents qui avaient eu la possibilité de faire des études supérieures ; certains n'étaient même pas allés jusqu'en terminale. Pour Ronnie et Bruce, ce n'était pas aussi important. Ils savouraient encore leur titre de champion de l'État et rêvaient d'être appelés par une équipe professionnelle. Ils ne finiraient pas leur vie dans un bled de l'Oklahoma.

Un mois plus tard, ils figuraient tous deux dans l'équipe de l'État. Ronnie faillit même être nommé joueur de l'année. Ils participèrent à la rencontre annuelle opposant les meilleurs joueurs de l'Oklahoma dans un stade bondé, devant les recruteurs des équipes professionnelles et de nombreuses universités. À la fin du match, deux de ces dénicheurs de talents, l'un au service de l'équipe de Philadelphie, l'autre d'Oakland, vinrent les trouver pour leur faire une proposition officieuse. S'ils acceptaient une prime de dix-huit mille dollars chacun, les Phillies recruteraient Bruce et les Oakland Athletics prendraient Ronnie. Trouvant la proposition insuffisante, ce dernier refusa. Bruce commençait à s'inquiéter pour ses genoux. Il estimait, lui aussi, que ce n'était pas assez, et essaya de bluffer en affirmant qu'il avait l'intention de jouer deux ans pour l'université de Seminole mais qu'une somme plus élevée pourrait le faire changer d'avis. Le coup de bluff échoua.

Un mois plus tard, Ron était choisi au deuxième tour par les Oakland Athletics. Quarante et unième sur les huit cents joueurs en lice et premier de l'Oklahoma. Les Phillies ne recrutèrent pas Bruce mais lui proposèrent un contrat. Il refusa de nouveau et fit savoir qu'il jouerait pour l'université de Seminole. Leur rêve de mener ensemble une carrière professionnelle s'estompait.

La première offre officielle d'Oakland était insultante. Les Williamson n'avaient ni agent ni avocat mais ils savaient que les Athletics essayaient de faire signer leur fils pour une bouchée de pain.

Ron se rendit seul à Oakland pour s'entretenir avec des responsables du club. Les discussions ne donnèrent pas de résultats : Ron revint à Ada sans contrat. On le rappela peu après. Sa deuxième visite lui permit de rencontrer Dick Williams, le directeur sportif, et plusieurs joueurs. Dick Green, le gardien de la deuxième base, était un type sympa. Pendant qu'il montrait le club-house et le terrain à Ronnie, ils tombèrent sur Reggie Jackson, la superstar de l'équipe. Quand Reggie apprit que Ronnie avait été choisi au deuxième tour par son club, il lui demanda quelle position il occupait sur le terrain.

— Ron est un joueur de champ droit, répondit Dick Green pour asticoter la vedette, sachant que le champ droit était le domaine réservé de Reggie.

— Mon pauvre vieux, tu finiras en division régionale, lança Reggie en tournant les talons.

La discussion était close.

Oakland rechignait à verser une grosse prime car on comptait prendre Ron au poste de receveur mais on ne l'avait pas encore vu à l'œuvre. Les négociations traînaient en longueur, Oakland s'en tenant à la somme proposée.

Chez les Williamson, on envisageait l'éventualité que Ronnie poursuive ses études. Il s'était engagé verbalement à accepter une bourse de l'université de l'Oklahoma et ses parents l'encourageaient dans cette voie. C'était une chance unique de faire des études supérieures, quelque chose qui lui resterait toute sa vie. Ronnie comprenait leur point de vue mais objectait qu'il pourrait le faire plus tard. Quand Oakland proposa brusquement cinquante mille dollars de prime à la signature, il sauta sur l'occasion et oublia les études supérieures.

Ce fut un coup de tonnerre à Asher aussi bien qu'à Ada. Jamais un joueur de la région n'avait été choisi par un grand club en aussi bonne position. Pendant une courte période, l'attention dont il jouissait amena Ron à un peu plus d'humilité. Son rêve se réalisait : il était devenu un joueur de base-ball professionnel. Les sacrifices consentis par sa famille étaient récompensés. Il se sentait guidé par le Saint-Esprit : il reprit le chemin de l'église. Un dimanche soir, pendant l'office, il s'avança vers l'autel pour prier avec le pasteur, puis il s'adressa à l'assemblée et remercia ses frères et ses sœurs pour l'amour et le soutien qu'ils lui avaient apportés. Le Seigneur avait répandu sa bénédiction sur lui. En refoulant ses larmes, il promit de faire usage de son argent et de son talent pour la gloire de Dieu.

Il s'acheta une Cutlass Supreme et quelques vêtements, et offrit à ses parents un téléviseur couleur dernier cri. Il perdit le reste au cours d'une partie de poker.

En 1971, le propriétaire des Oakland Athletics était Charlie Finley, un original qui, trois ans plus tôt, avait fait venir l'équipe de Kansas City. Il se prenait pour un visionnaire mais agissait plutôt comme un bouffon. Il se délectait de secouer le monde du base-ball avec des innovations telles que les tenues multicolores, les ramasseuses de balles, des balles orange (une idée qui fit long feu) et un lapin mécanique qui distribuait des balles neuves à l'arbitre. Tout était bon pour attirer l'attention. Il acheta un mulet qu'il baptisa Charley O et le fit tourner autour du terrain et même entrer dans des halls d'hôtels.

Tout en faisant la une des journaux avec ses excentricités, Finley bâtissait une grande équipe. Sous la férule de Dick Williams, un directeur sportif de haut niveau, il avait engagé des joueurs tels que Reggie Jackson, Joe Rudi, Sal Bando, Bert Campaneris, Rick Monday, Vida Blue, Catfish Hunter, Rollie Fingers et Tony LaRussa.

Les Oakland Athletics du début des années 1970 étaient sans conteste l'équipe la plus décontractée du pays. Ils disposaient d'une gamme éblouissante de tenues alliant le vert, le jaune doré, le blanc et le gris, et leurs chaussures étaient munies de crampons blancs. Une décontraction californienne, un non-conformisme apparent dans la coupe des cheveux et la pilosité faciale. Dans un milieu sportif dont les traditions vénérées étaient plus que centenaires, les joueurs d'Oakland faisaient scandale. La société ne s'était pas encore remise des turbulences des années 1960. On contestait l'autorité, toutes les règles pouvaient être jetées bas, même dans ce bastion historique qu'était le base-ball professionnel.

À la fin du mois d'août 1971, Ron effectua son troisième voyage à Oakland, cette fois en qualité de joueur, de membre de l'équipe des Athletics, de future vedette, même s'il n'avait pas encore disputé une seule rencontre chez les professionnels. Il fut bien reçu et on l'encouragea comme il se devait. Il avait dix-huit ans mais, avec son visage de chérubin et sa frange qui lui tombait sur les yeux, il n'en faisait pas plus de quinze. Les anciens de l'équipe savaient qu'il avait toutes les chances d'échouer, comme tous les petits jeunes qui venaient de signer un contrat, mais ils lui faisaient quand même bon accueil. Ils se souvenaient d'avoir été à sa place.

Moins de dix pour cent des jeunes joueurs qui signent un contrat dans une équipe professionnelle atteignent le plus haut niveau. À dix-huit ans, on ne veut pas entendre parler de ça.

Ron traîna autour du terrain, discuta avec les autres joueurs, observa la manière dont ils s'entraînaient à la batte avant un match et regarda les spectateurs, pas très nombreux, à leur entrée dans le stade, l'Oakland Alameda County Coliseum. Bien avant le coup d'envoi, on le conduisit à une bonne place, derrière le banc d'Oakland, d'où il regarda jouer sa nouvelle équipe. Il repartit le lendemain à Ada, plus que jamais déterminé à brûler les étapes, à jouer au plus haut niveau à l'âge de vingt ans. Peut-être vingt et un. Il avait vu et senti, il s'était imprégné de l'atmosphère électrique qui faisait vibrer le stade pendant une rencontre de première division. Plus jamais il ne serait le même homme.

Il se laissa pousser les cheveux, fut déçu et essaya la moustache ; le résultat n'était toujours pas concluant. Ses amis le croyaient riche et il faisait tout pour donner cette impression. Il était différent, plus cool que les gens d'Ada. Il était allé en Californie !

Pendant tout le mois de septembre, il suivit avec un plaisir sans mélange les prestations de l'équipe d'Oakland, qui remporta cent une victoires et s'appropria le titre de l'American League West. Il serait bientôt des leurs, au poste de receveur ou au centre ; il porterait les tenues colorées du club, les cheveux longs, il serait dans l'équipe la plus branchée du pays.

En novembre, il signa un contrat avec les chewing-gums Topps, par lequel il cédait à cette société les droits exclusifs de montrer, d'imprimer et de reproduire son nom, son visage, sa photographie et sa signature sur une carte de base-ball.

Comme tous les petits garçons, Ron les avait collectionnées, ces cartes. Il en avait rassemblé des milliers qu'il gardait précieusement, échangeait, encadrait, transportait dans un carton à chaussures. Il avait économisé sou à sou pour en acheter. Mickey Mantle, Whitey Ford, Yogi Berra, Roger Maris, Willie Mays, Hank Aaron, tous les grands joueurs avaient des cartes à leur effigie. Il aurait bientôt la sienne !

Le rêve était en train de se réaliser.

Sa première affectation fut Coos Bay, Oregon, une équipe de la division régionale Nord-Ouest, loin d'Oakland. Le stage de préparation suivi au printemps à Mesa, Arizona, n'avait rien eu d'exceptionnel. Il n'avait pas attiré l'attention et Oakland n'arrivait pas à décider où le faire jouer. On l'avait mis au poste de receveur, une position qu'il ne connaissait pas, puis de lanceur, en raison de sa puissance.

Vers la fin du stage, il avait eu un coup dur : une crise d'appendicite l'avait obligé à retourner à Ada pour se faire opérer. Impatient d'être à nouveau en état de jouer, il s'était mis à boire pour tuer le temps. La bière était bon marché, au *Pizza Hut*. Quand il en avait assez, il sautait dans sa Cutlass pour se rendre au *Elks Lodge*, histoire de descendre quelques bourbons-cocas. Il s'ennuyait, il n'en pouvait plus de ne pas avoir de nouvelles. Sans qu'il s'explique pourquoi, c'est dans l'alcool qu'il trouvait refuge. Il reçut enfin le coup de téléphone tant attendu et partit pour l'Oregon.

Dans les matches disputés avec l'équipe de Coos Bay, il réussit 41 coups gagnants sur 155 à la batte, un pourcentage médiocre de 0,265. Il joua quarante-six rencontres au poste de receveur et quelques manches au centre. En fin de saison, son contrat fut transféré à Burlington, Iowa, en division régionale Midwest. Ce n'était qu'un changement de club, assurément pas une promotion. Il ne joua que sept rencontres pour Burlington, puis revint à Ada pour l'intersaison.

Chaque étape dans un club des divisions inférieures est temporaire et perturbante. Les joueurs ne gagnent pas grand-chose et doivent se contenter d'une modeste prise en charge de leurs repas et des maigres avantages que le club peut leur offrir. Quand ils jouent à domicile, ils sont logés dans des motels à tarif réduit ou s'entassent dans de petits appartements. À l'extérieur, encore des motels, et des transports par car sur les lignes régulières. Puis le bar, la boîte de nuit ou le club de strip-tease. Ils sont jeunes, célibataires pour la plupart, loin de leur famille et des valeurs qu'on leur a inculquées, ils ont envie de s'éclater. Immatures, trop longtemps couvés par leur entourage, ils sont convaincus que la gloire et la fortune sont à portée de main.

Tous les excès de conduite leur sont permis. Le coup d'envoi des matchs est donné à 19 heures ; trois heures plus tard, c'est terminé. Le temps de se doucher et de se changer, ils sont prêts à faire la tournée des bars. Ils rentrent au petit matin et dorment toute la journée, dans leur chambre d'hôtel ou dans le car. Ils boivent sec, courent le jupon, jouent au poker, fument de l'herbe... Tel est le quotidien peu glorieux des joueurs de second plan. Ron s'y jeta à corps perdu.

Comme tout père qui se respecte, Roy Williamson suivit la saison de son fils avec intérêt et fierté. Ronnie téléphonait de temps en temps et écrivait très peu mais Roy parvenait à se tenir au courant de ses résultats. Il se rendit deux fois en voiture dans l'Oregon avec Juanita pour le regarder jouer. Pendant cette première année, Ronnie eut la vie dure, surtout avec les balles puissantes et les balles à effet.

De retour à Ada, Roy reçut un coup de téléphone d'un entraîneur. Le comportement de Ronnie en dehors du terrain suscitait des inquiétudes. Il sortait beaucoup, buvait, se couchait tard, passait des journées dans le cirage. De tels excès étaient monnaie courante chez un jeune joueur exilé loin de chez lui pendant la durée d'une saison ; quelques mots bien sentis de son père suffiraient peut-être à le calmer.

Ron se plaignait, lui aussi. Il voyait l'été s'écouler et son temps de jeu demeurait limité. Il avait le sentiment d'être sous-utilisé, commençait à en vouloir à l'entraîneur et à son staff. Comment progresser quand on reste sur la touche ?

Il prit le parti risqué et rarement utilisé de court-circuiter ses entraîneurs. Il se mit à appeler la direction d'Oakland pour présenter ses doléances. Il voulait que ceux qui l'avaient engagé sachent que les conditions de vie étaient lamentables et qu'il ne jouait pas suffisamment.

La direction du club ne donna pas suite. Elle avait des centaines de joueurs sous contrat dans les divisions inférieures, la plupart bien meilleurs que Ron Williamson. Ses statistiques étaient connues, on savait qu'il galérait.

On fit savoir à ses entraîneurs qu'il devait la boucler et jouer.

À son retour à Ada, au début de l'automne 1972, il resta une gloire locale, mais on lui trouva un côté affecté, des manières de Californien. Il continua à vivre la nuit. À la fin du mois d'octobre, quand les Okland Athletics remportèrent les World Series pour la première fois de leur histoire, il arrosa leur victoire dans une boîte de nuit. « C'est mon équipe ! » hurlait-il devant la télé sous les regards admiratifs de ses compagnons de beuverie.

Son mode de vie changea brusquement quand il commença à sortir avec Patty O'Brien, une ex-Miss Ada. Leur relation devint rapidement sérieuse. Patty était baptiste, ne buvait pas une goutte d'alcool et ne passait rien à Ron. Heureux de pouvoir se défaire de ses mauvaises habitudes, il s'engagea à changer de conduite.

Quand arriva l'année 1973, il était toujours loin du niveau auquel il aspirait. Au terme d'un médiocre stage de printemps à Mesa, il repartit à Burlington, où il ne participa qu'à cinq rencontres avant d'être transféré dans l'équipe des Key West Conchs qui jouait en championnat de Floride. En cinquante-neuf matchs, il resta sur un score catastrophique de 0,137. Pour la première fois, il s'interrogea sur la suite de sa carrière. Ces deux saisons très quelconques lui avaient permis de constater que le base-ball professionnel, même à un niveau modeste, n'avait rien à voir avec ce qu'il avait connu à Asher. Tous les lanceurs étaient puissants, toutes les balles à effet difficiles à frapper, tous les joueurs avaient des qualités qui conduiraient certains d'entre eux au plus haut niveau. La prime touchée à la signature de son contrat n'était plus qu'un lointain souvenir. Le visage souriant affiché sur sa carte de base-ball n'avait plus le même attrait que deux ans auparavant.

Il avait l'impression d'être observé. Ses amis et les bonnes gens d'Ada et d'Asher attendaient de lui que ses début prometteurs se concrétisent, qu'il fasse connaître leurs petites villes. Il était le futur grand joueur de l'Oklahoma, le successeur désigné de Mickey Mantle qui avait joué en première division à l'âge de dix-neuf ans. Ron avait déjà pris du retard.

De retour à Ada, il retrouva Patty qui lui conseilla vigoureusement de trouver un job sérieux pendant l'intersaison. Un de ses oncles connaissait quelqu'un au Texas. Ron prit la route de Victoria, où il travailla quelques mois chez un couvreur.

Le 3 novembre 1973, Ron et Patty se marièrent à la Première Église baptiste d'Ada. Il avait vingt ans et considérait encore que l'avenir lui appartenait.

Pour les habitants d'Ada, Ron était un héros local qui venait d'épouser une reine de beauté, jeune fille de bonne famille qui plus est. Décidément, il était béni des dieux.

En février de l'année suivante, les jeunes mariés se rendirent à Mesa pour le rassemblement annuel des joueurs. Le mariage obligeait Ron à gravir les échelons, peut-être pas jusqu'à la deuxième division mais au moins jusqu'à la troisième. Il ne voulait plus entendre parler de Burlington ni de Key West. Le message était clair : si la direction d'Oakland le renvoyait dans un de ces clubs, il ne serait plus considéré comme un espoir.

Il mit les bouchées doubles à l'entraînement, courut beaucoup plus, fit un gros travail à la batte, se donna autant qu'il l'avait fait à Asher. Un jour, au cours d'un exercice, alors qu'il lançait violemment la balle en direction de la deuxième base, il sentit une douleur fulgurante au coude. Il refusa d'y prêter attention. Il se disait, comme tous les joueurs, que cela passerait, que ce n'était qu'un muscle froissé, la reprise de l'entraînement. La douleur revint le lendemain et ne fit qu'empirer. Fin mars, il avait de la peine à lancer la balle.

Le 31 mars, Oakland mit fin à son contrat. Ron et Patty reprirent la route de l'Oklahoma.

Ils évitèrent Ada et s'installèrent à Tulsa, où Ron trouva un emploi de représentant chez Bell Telephone. C'était un boulot alimentaire, en attendant que son bras guérisse et que quelqu'un du milieu du base-ball, quelqu'un qui savait de quoi il était capable, lui fasse une offre. Au bout de quelques mois, il se résigna à décrocher le téléphone mais personne ne semblait intéressé.

Patty trouva du travail à l'hôpital et ils commencèrent à s'installer. Annette leur envoyait cinq ou dix dollars par semaine pour les aider à payer les factures, jusqu'au jour où Patty l'appela pour l'informer que Ron utilisait cet argent pour acheter de la bière et qu'elle n'était pas d'accord.

Il y avait des frictions. Annette s'inquiétait parce qu'il s'était remis à boire et elle ne savait pas grand-chose de leur vie de couple. Pudique et réservée par nature, Patty n'était pas à l'aise avec les Williamson. Annette et son mari leur rendirent visite une ou deux fois.

En 1975, quand une promotion lui passa sous le nez, Ron changea d'employeur et commença à vendre des assurances vie pour la compagnie Equitable. Il n'avait toujours pas de contrat de base-ball, pas la moindre demande d'un club à la recherche d'un joueur de talent laissé sur la touche.

La confiance que donne un corps d'athlète et son caractère extraverti faisaient de lui un bon vendeur d'assurances vie. Il prit petit à petit du plaisir à sa réussite professionnelle et à l'argent qu'elle lui rapportait. Et il se remit à sortir le soir. Patty ne supportait ni qu'il boive ni qu'il rentre tard. Quant à l'herbe, à laquelle il était devenu accro, elle ne voulait pas en entendre parler. Ses sautes d'humeur devenaient de plus en plus brutales. Elle ne reconnaissait plus le jeune homme attentionné qu'elle avait épousé.

Un soir du printemps 1976, Ron téléphona à ses parents, en larmes, pour leur annoncer d'une voix hystérique qu'il s'était violemment disputé avec Patty et qu'ils se séparaient. Roy, Juanita et ses sœurs étaient catastrophés mais ils espéraient que Ronnie réussirait à sauver son mariage. Tous les jeunes couples essuient des tempêtes. Ronnie allait bientôt recevoir le coup de fil qu'il attendait, il retrouverait un club et sa carrière serait relancée. Ils repartiraient sur de bonnes bases, après cette brouille passagère.

Mais la situation était sans espoir. Quelle qu'ait été la nature de leur désaccord, les jeunes époux choisirent de ne pas en parler. Ils demandèrent discrètement le divorce pour incompatibilité d'humeur ; leur mariage n'avait pas duré trois ans.

Harry Brecheen, surnommé Harry le Chat, était un ami d'enfance de Roy Williamson. Ils s'étaient connus à Francis, Oklahoma. Harry était devenu recruteur au service des Yankees. Roy réussit à retrouver sa trace et donna son numéro de téléphone à son fils.

Le pouvoir de persuasion de Ron porta ses fruits en juin 1976. Il réussit à convaincre la direction des Yankees que son bras était totalement guéri et qu'il était meilleur que jamais. L'expérience lui ayant prouvé qu'il n'était pas un assez bon batteur, Ron décida d'utiliser le point fort qu'était son bras droit. Il avait toujours retenu l'attention des recruteurs et Oakland avait longtemps envisagé de faire de lui un lanceur.

Après avoir signé un contrat avec les Oneonta Yankees de la division New York-Pennsylvanie, il n'eut plus qu'une idée en tête : quitter Tulsa. Le rêve redevenait réalité.

Il était certes capable de lancer fort mais n'avait pas souvent une idée précise de la trajectoire de sa balle. Les effets n'étaient pas son fort ; il n'avait pas eu le temps de les travailler. La reprise ayant été trop brusque, la douleur au bras revint. Supportable au début, elle devint un handicap insurmontable. Il payait cher les deux années passées sans jouer. À la fin de la saison, on mit fin à son contrat.

Refusant de retourner à Ada, il regagna Tulsa et se remit à vendre des assurances vie. Quand Annette passa le voir, la conversation roula sur le base-ball et sur ses échecs. Il éclata en sanglots et finit par avouer à sa sœur qu'il traversait de longues périodes de dépression.

Il avait repris ses mauvaises habitudes : traîner dans les bars, draguer les filles, descendre bière sur bière. Pour tuer le temps, il rejoignit une équipe de softball où il jouait les vedettes. Par une soirée fraîche, pendant une rencontre, en lançant violemment la balle en direction de la première base, il sentit quelque chose craquer dans son épaule. Il laissa tomber le softball mais le mal était fait. Il vit un médecin et accepta de s'astreindre à une pénible rééducation, sans ressentir beaucoup d'amélioration.

Il ne parla à personne de sa blessure, espérant qu'une longue période de repos lui permettrait de guérir avant le printemps.

La dernière incursion de Ron dans le base-ball professionnel eut lieu au printemps 1977. Il réussit une fois encore à jouer pour le compte des Yankees. Après le stage de printemps effectué au poste de lanceur, on l'envoya à Fort Lauderdale pour jouer dans le championnat de Floride. Il y disputa sa dernière saison – cent quarante rencontres, la moitié en déplacement – et fut utilisé avec parcimonie. Il joua dans quatorze rencontres un total de trente-trois manches. Il avait vingt-quatre ans et une épaule qui ne voulait pas guérir. L'époque glorieuse d'Asher appartenait définitivement au passé.

La plupart des joueurs se soumettent à l'inéluctable. Pas Ron. Il y avait trop de gens à Ada et à Asher qui comptaient sur lui. Sa famille avait fait trop de sacrifices. Il avait renoncé à faire des études supérieures pour devenir un joueur de haut niveau ; il n'était pas question de baisser les bras. Son mariage s'était soldé par un échec et il n'avait pas l'habitude de l'échec. Il portait encore le maillot des Yankees qui lui permettait, jour après jour, de poursuivre son rêve.

Il s'accrocha courageusement jusqu'au terme de la saison mais ses chers Yankees mirent fin à son contrat.

3.

Quelques mois plus tard, Bruce Leba flânait dans le centre commercial de Southroads, à Tulsa, quand il vit un visage familier. Il s'arrêta net. À la porte de Toppers, une boutique de vêtements pour hommes, son vieux copain Ron Williamson, superbement sapé, faisait l'article à un client. Ils se jetèrent dans les bras l'un de l'autre. Après avoir été comme des frères, ils avaient pris des chemins différents et s'étaient perdus de vue. Ils avaient des tas de choses à se raconter.

Bruce avait joué deux ans dans une équipe universitaire, avant de jeter l'éponge, trahi par ses genoux. La carrière de Ron n'avait pas été beaucoup plus étincelante. Tous deux divorcés, ils ignoraient chacun que l'autre avait été marié. Ils apprirent sans surprise qu'ils avaient gardé le même penchant pour la vie nocturne.

Ils étaient jeunes et séduisants, sans attaches et ils avaient de l'argent plein les poches. Ils se mirent à courir ensemble les bars et les filles. Ron avait toujours aimé les femmes et les quelques années consacrées à sa carrière sportive n'avaient pas arrangé les choses.

Bruce vivait à Ada. À chacun de ses passages à Tulsa, il faisait la fête avec Ron et ses amis.

Même si le base-ball avait été pour eux deux une cruelle déception, il demeurait leur sujet de conversation préféré : l'époque glorieuse d'Asher, le coach Bowen, leurs rêves partagés et les copains de l'équipe qui, comme eux, avaient essayé et échoué. Conscient que ses genoux l'avaient définitivement lâché, Bruce avait réussi à tourner la page ou du moins renoncé à toute ambition, mais pas Ron. Il était convaincu qu'il rejouerait un jour, qu'il se passerait quelque chose, que son bras guérirait miraculeusement, qu'on ferait de nouveau appel à lui. Que la vie redeviendrait belle. Au début, Bruce ne le prit pas au sérieux : quelques restes de nostalgie. Comme il l'avait appris à ses dépens, il n'est pas d'étoile qui pâlisse plus vite que celle du sportif scolaire. Certains l'acceptent et passent à autre chose. D'autres continuent de rêver pendant des décennies.

Ron, pour sa part, entretenait l'illusion de son retour. Ses échecs le rongeaient, le dévoraient. Il demandait sans cesse à Bruce ce qu'on disait de lui à Ada. Les gens étaient-ils déçus qu'il ne soit pas devenu le digne successeur de Mickey Mantle ? Parlaient-ils de lui dans les cafés ? Bruce l'assurait que non.

Rien n'y faisait. Ron restait persuadé qu'on le tenait dans sa ville natale pour un raté. Le seul moyen d'y remédier était de décrocher un dernier contrat et de se hisser au meilleur niveau.

« Détends-toi, mon vieux, lui répétait Bruce. Oublie le baseball. Le rêve est terminé. »

La famille de Ron nota un changement radical dans son comportement. Ils le trouvaient nerveux, agité, incapable de se concentrer, sautant d'un sujet à l'autre. Au cours des réunions de famille, il restait muet comme une carpe pendant de longues minutes, puis s'immisçait dans la conversation et parlait de lui. Il supportait mal de ne pas être au centre des discussions. Il trépignait sur sa chaise, il fumait comme un sapeur et prenait l'habitude de quitter la pièce sans crier gare. À l'automne 1977, pour Thanksgiving, Annette invita toute la famille et mit les petits plats dans les grands. À peine étaient-ils assis que Ron sortit de la salle à manger sans un mot et traversa la moitié de la ville à pied pour rejoindre la maison de ses parents. Il ne donna aucune explication.

En d'autres occasions, il se retirait dans une chambre et s'enfermait à double tour. Une situation perturbante pour le reste de la famille, mais qui leur permettait de converser plus agréablement. Puis Ron sortait brusquement de la chambre en tempêtant sur un sujet qui le tracassait, sans rapport avec la discussion en cours. Planté au milieu du salon, il se lançait dans une furieuse diatribe avant de retourner se terrer dans la chambre.

Un jour, il en sortit avec une guitare qu'il se mit à gratter en beuglant, et intima l'ordre au reste de la famille de l'accompagner. Après quelques chansons à la limite du supportable, il tourna les talons et disparut. On poussa de grands soupirs, on leva les yeux au plafond et on passa à autre chose. On s'était habitué.

Ron devenait maussade et renfermé. Il boudait des journées entières à propos de tout et de rien, puis, d'un seul coup, un déclic se faisait et il se montrait chaleureux. Il ne parlait pas de sa carrière ratée, un sujet qui le déprimait. Au téléphone, il était tantôt abattu et pitoyable, tantôt jovial, débordant d'énergie.

Sa famille savait qu'il buvait et le bruit courait avec insistance qu'il touchait aussi à la drogue. L'alcool et la drogue pouvaient expliquer la brusquerie de ses sautes d'humeur. Annette et Juanita lui en parlèrent avec délicatesse, mais sa réaction fut hostile.

Lorsque la famille apprit que Roy souffrait d'un cancer du côlon, les problèmes de Ron passèrent au second plan. Les tumeurs se propageaient rapidement. Ron avait toujours été plus proche de sa mère mais il aimait et respectait son père. Et sa conscience le torturait. Il n'allait plus à l'église et sa foi était de plus en plus chancelante mais il ne s'était pas écarté du dogme pentecôtiste selon lequel le péché doit être puni. Le père, qui avait vécu comme un juste, payait à présent pour les iniquités du fils.

La maladie de Roy aggrava l'état de Ron. Il ressassait ses exigences égoïstement imposées à ses parents : les vêtements, un équipement sportif de la meilleure qualité, les camps d'entraînement, le déménagement à Asher. En échange, il leur avait généreusement offert un téléviseur couleur. Il n'avait pas oublié que son père se privait de vêtements neufs pour permettre à l'enfant gâté qu'il était de se pavaner au lycée. Il le revoyait arpenter en plein soleil les trottoirs d'Ada avec ses encombrantes valises d'échantillons de vanille et d'épices. Et il le revoyait dans les gradins du stade, ne manquant jamais une rencontre.

Au début de l'année 1978, une endoscopie effectuée à Oklahoma City révéla que le cancer de Roy était à un stade avancé et continuait de s'étendre ; les chirurgiens ne pouvaient rien faire. De retour à Ada, il refusa la chimiothérapie et entra dans une agonie douloureuse. Quelques jours avant sa mort, Ron vint au chevet de son père. Éperdu de chagrin, il l'implora en sanglotant de lui pardonner.

Au bout d'un moment, Roy en eut assez. « Arrête ces enfantillages, déclara-t-il. Comporte-toi comme un homme, mon fils. Finies, les larmes et l'hystérie. Il est temps de vivre ta vie. »

Roy mourut le 1er avril 1978.

Ron habitait encore à Tulsa, où il partageait un appartement avec Stan Wilkins, un sidérurgiste de quatre ans son cadet. Ils aimaient tous deux la guitare et la musique pop, et passaient des heures à chanter en grattant de leur instrument. Ron avait une voix puissante, qu'il n'avait jamais travaillée, et se débrouillait bien avec sa guitare, une coûteuse Fender.

Le disco était en vogue à Tulsa et les deux colocataires sortaient beaucoup. Ils buvaient un ou deux verres en sortant du travail, jusqu'à ce que vienne l'heure d'aller en boîte. Ron, toujours amateur de femmes, ne reculait devant rien pour arriver à ses fins. Il fouillait l'assistance du regard, repérait une fille qui lui plaisait et l'invitait à danser. Si elle acceptait, elle terminait le plus souvent la soirée chez lui. Il se donnait pour but d'en avoir une nouvelle chaque soir.

Il aimait boire mais restait vigilant : trop d'alcool risquait de nuire à son numéro de séducteur. Il n'en allait pas de même pour certains stupéfiants. La cocaïne faisait fureur dans le pays, et il était facile de s'en procurer dans les boîtes de Tulsa. On ne se préoccupait guère à l'époque des maladies sexuellement transmissibles. L'inquiétude première concernait l'herpès ; le sida n'avait pas encore fait son apparition. La fin des années 1970, pour ceux qui en avaient le goût, était une époque hédoniste, où tout était permis. Ron Williamson en profitait sans mesure.

Le 30 avril 1978, la police de Tulsa reçut un appel d'une jeune femme du nom de Lyza Lentzch. Elle affirmait avoir été violée par Ron Williamson. Il fut arrêté le 5 mai, versa une caution de dix mille dollars et fut remis en liberté.

Ron consulta John Tanner, avocat chevronné au criminel. Il reconnut sans hésiter avoir eu des relations sexuelles avec Lyza et jura qu'elle était consentante. Ils avaient fait connaissance dans une boîte de nuit, elle l'avait invité à venir chez elle et ils avaient couché ensemble. John Tanner crut son client, ce qui n'arrivait pas souvent.

Pour les amis de Ron, l'accusation de viol était ridicule. Les femmes se jetaient dans ses bras ; il n'avait que l'embarras du choix. Il ne choisissait pas les prix de vertu. Les femmes qu'il rencontrait en boîte étaient prêtes à passer à l'action.

Bien qu'humilié par l'affaire, Ron continua à faire la fête, comme s'il n'y avait pas lieu de s'inquiéter. Il avait un bon avocat. Vivement le procès !

Dans son for intérieur, il en tremblait. Déjà, la simple accusation avait de quoi faire réfléchir, mais s'entendre condamner à des années de prison... la perspective le terrifiait.

Il cacha l'essentiel de l'affaire à sa famille mais devint de plus en plus sombre. Et ses sautes d'humeur se firent encore plus brusques.

Pour lutter contre la dépression où il menaçait de se noyer, Ron utilisa les moyens dont il disposait. Boire encore plus, se coucher encore plus tard, séduire encore plus de femmes, s'éclater pour échapper à ses soucis. L'alcool ne faisait que nourrir la dépression ou bien son état dépressif exigeait toujours plus d'alcool. Quoi qu'il en fût, Ron se montrait toujours plus abattu. Et de plus en plus imprévisible dans ses réactions.

Le 9 septembre, la police de Tulsa fut informée par téléphone d'un autre viol présumé. Amy Dell Ferneyhough, une jeune femme de dix-huit ans, rentrait chez elle vers 4 heures du matin après avoir passé la soirée dans une boîte de nuit. Elle s'était disputée avec son ami qui dormait dans l'appartement. Incapable de trouver sa clé, saisie d'une envie pressante, elle s'était rendue dans une alimentation de nuit toute proche, où elle était tombée sur Ron Williamson. Ils ne se connaissaient pas mais ils engagèrent la conversation. Au bout d'un moment, ils étaient sortis pour passer derrière le bâtiment et s'étaient cachés dans les hautes herbes pour faire l'amour.

Selon la version d'Amy, Ron l'avait frappée d'un coup de poing avant de déchirer ses vêtements et de la violer.

Selon celle de Ron, la jeune femme, furieuse de ne pas avoir pu rentrer chez elle, avait accepté un coup vite fait.

Pour la deuxième fois en cinq mois, Ron versa une caution et appela John Tanner. Après ces deux plaintes pour viol déposées contre lui, il mit un frein à sa vie nocturne et s'enferma chez lui. Il vivait seul et ne parlait pratiquement à personne. Annette, qui lui envoyait de l'argent, était au courant de la situation. Bruce Leba, de son côté, ne savait rien.

L'affaire Ferneyhough fut soumise à la justice en février 1979. Pendant sa déposition, Ron expliqua au jury qu'ils avaient effectivement eu des relations sexuelles, entre adultes consentants. Si étrange que cela puisse paraître, ils avaient décidé d'un commun accord de faire l'amour à 4 heures du matin derrière une alimentation de nuit. Après une heure de délibération, le jury le déclara non coupable.

En mai, un autre jury fut constitué pour se prononcer sur l'accusation de viol portée par Lyza Lentzch. Ron expliqua qu'il avait fait sa connaissance dans un night-club, qu'il avait dansé avec elle. Ils s'étaient plu, assez pour qu'elle l'invite dans son appartement où ils avaient eu des relations sexuelles librement consenties. La victime déclara au jury qu'elle avait décidé de ne pas se donner à lui et qu'elle l'avait clairement fait comprendre avant qu'il soit trop tard, mais elle avait pris peur et avait fini par céder, de crainte qu'il la frappe. Cette fois encore, le jury crut Ron et le déclara non coupable.

Il avait été humilié d'être traité de violeur ; il savait que cette étiquette lui collerait à la peau pendant des années. Comment pouvait-il, lui, le grand Ron Williamson, être catalogué comme tel ? Malgré la décision des jurys, il y aurait des rumeurs malveillantes. On le traînerait dans la boue, on le montrerait du doigt.

Il avait vingt-six ans. Pendant une partie de sa vie, il avait été une vedette du base-ball, un sportif sûr de lui et promis au plus brillant avenir, avant de devenir un joueur blessé en attente de guérison. On ne l'avait pas oublié, ni à Ada ni à Asher. Il avait encore du talent. Tout le monde connaissait son nom.

Les procès avaient tout changé. Le joueur serait oublié, il ne serait plus qu'un homme accusé de viol. Il restait donc seul, s'abandonnant un peu plus chaque jour à ses idées noires. Ses absences au travail se firent plus nombreuses et il finit par ne plus travailler du tout. Quand il eut tout perdu, il boucla ses bagages et quitta discrètement Tulsa. Il perdait pied, tombait dans l'abîme creusé par le mélange de dépression, d'alcool et de drogue.

Juanita l'attendait, pleine d'angoisse. Elle ignorait la nature exacte des ennuis que son fils avait eus à Tulsa mais Annette et elle en savaient assez pour se faire un sang d'encre. Ron était dans un triste état ; il buvait trop, avait des sautes d'humeur extrêmement violentes et un comportement de plus en plus bizarre. Il portait les cheveux longs, une barbe de plusieurs jours et des vêtements crasseux. Dire qu'il avait été si élégant, si fringant, qu'il avait vendu des vêtements chic, avec un vrai talent pour trouver la cravate assortie.

À son arrivée, il s'écroula sur le canapé du salon et s'endormit aussitôt. Dès lors, il dormit vingt heures par jour, toujours sur le canapé. Il avait sa chambre mais refusait d'y mettre les pieds dès la nuit tombée. Il disait qu'il y avait quelque chose dans la pièce, quelque chose qui lui faisait peur. Il dormait d'un sommeil de plomb et, brusquement, se réveillait en hurlant – il voyait des serpents sur le sol, des araignées sur les murs.

Il commença à entendre des voix mais refusa de révéler à sa mère ce qu'elles disaient. Puis il se mit à leur répondre.

Tout le fatiguait. Manger, prendre un bain étaient d'affreuses corvées qu'il faisait toujours suivre d'une longue sieste. Il n'avait aucune énergie, n'avait envie de rien, même pendant les courtes périodes où il ne buvait pas. Juanita n'avait jamais toléré l'alcool ni la cigarette chez elle ; elle avait ça en horreur. Un compromis fut trouvé : elle proposa à Ron de s'installer dans un débarras, à côté de la cuisine. Il pouvait fumer, boire et jouer de la guitare sans offenser sa mère. Quand il voulait dormir, il revenait dans le salon et s'écroulait sur le canapé. Quand il était réveillé, il restait dans son domaine.

De loin en loin, il retrouvait son énergie, et son envie de sortir le soir. Alcool, drogue, drague mais avec un peu plus de prudence. Il disparaissait pendant plusieurs jours, dormait chez des copains, tapait tout le monde. Puis le vent tournait et il retrouvait sa mère, le canapé, l'apathie.

Juanita ne pouvait qu'attendre, rongée d'inquiétude. Il n'y avait jamais eu de maladie mentale dans la famille ; elle ne savait comment s'y prendre. Elle priait. Discrète par nature, elle s'efforçait de ne pas alarmer Annette et Renee avec les problèmes de Ron. C'était à elle de porter le fardeau de son fils.

Ron émettait de temps en temps l'idée de trouver du travail. Il s'en voulait de ne pas être capable de subvenir à ses besoins. Un de ses amis connaissait quelqu'un en Californie, qui cherchait des employés. Au grand soulagement de sa famille, Ron prit la route de la côte Ouest.

Quelques jours plus tard, il téléphona à sa mère pour raconter en sanglotant qu'il vivait avec des adorateurs du diable, qui le terrifiaient et refusaient de le laisser partir. Juanita lui envoya un billet d'avion et il réussit à s'échapper.

Il partit ensuite chercher du travail en Floride, au Nouveau-Mexique et au Texas, mais ne tenait jamais plus d'un mois. Chaque retour le conduisait droit sur le canapé, épuisé.

Juanita finit par le convaincre de voir un psychologue, qui diagnostiqua une psychose maniacodépressive. Il prescrivit du lithium que Ron ne prit qu'irrégulièrement. Il trouvait des petits boulots à mi-temps, qui ne duraient jamais longtemps. Il avait été un bon vendeur mais, dans l'état où il se trouvait, il était incapable de jouer de son charme. Il se présentait toujours comme joueur de base-ball professionnel, un ami intime de Reggie Jackson, mais les habitants d'Ada savaient à quoi s'en tenir.

Fin 1979, Annette prit rendez-vous avec Ronald Jones, juge au tribunal d'instance du comté de Pontotoc, pour lui parler de son frère et savoir si le système judiciaire fédéral ou de l'Oklahoma pouvait faire quelque chose pour lui. Le juge répondit que non, pas tant que Ron ne représentait pas un danger pour lui-même ou pour la société.

Un jour où il se trouvait dans de bonnes dispositions, Ron se présenta dans un centre d'adaptation professionnelle. Le conseiller qui le reçut, alarmé par son état, l'adressa au Dr M. P. Prosser, à l'hôpital St. Anthony d'Oklahoma City, où il fut admis le 3 décembre.

Les choses se compliquèrent quand Ron exigea un traitement privilégié que le personnel ne pouvait lui accorder. Il voulait bien plus que sa part de temps et d'attention, comme s'il avait été le seul patient. Voyant qu'on ne se conformait pas à ses désirs, il quitta l'établissement. Quelques heures plus tard, il demandait à y être réadmis.

Notes du Dr Prosser, en date du 8 janvier 1980 : « Ce jeune homme a manifesté un comportement bizarre, voire psychopathique, qu'il soit maniacodépressif, comme le pense le conseiller d'Ada, ou schizoïde à tendances sociopathes ou encore l'inverse : un individu sociopathe à tendances schizoïdes... Un traitement de longue durée pourrait être nécessaire mais le sujet n'a pas le sentiment de devoir être traité pour schizophrénie. »

Ron avait vécu dans un rêve depuis le début de son adolescence, de son époque glorieuse sur les terrains de base-ball ; il n'avait jamais accepté la réalité, à savoir le fait que sa carrière était terminée. Il demeurait convaincu qu'on – les instances dirigeantes du base-ball – viendrait le chercher, qu'on l'intégrerait à une équipe et qu'il deviendrait célèbre. « Tel est l'aspect schizophrénique de ses troubles psychiques, nota le Dr Prosser. Il veut retourner sur le terrain, de préférence en tant que vedette. »

Ron ne voulut pas entendre parler d'un traitement de longue durée de la schizophrénie. Les examens médicaux ne purent aller à leur terme, tellement il se montra peu coopératif. Le Dr Prosser observa que le patient était « jeune, musclé, actif, ambulatoire... en meilleure forme que la plupart des personnes de son âge ».

Quand il était en état de travailler, Ron faisait du porte-à-porte pour vendre les produits Rawleigh, dans les mêmes quartiers d'Ada que son père. Le travail était fastidieux, les commissions modestes et la paperasse l'exaspérait. Comment le grand Ron Williamson, la vedette du base-ball, pouvait-il passer de logement en logement pour fourguer des épices ?

Refusant de se faire soigner et continuant à boire, Ron devint un ivrogne négligé et fort en gueule, qui se vantait de sa carrière sportive et importunait les femmes. Il faisait peur à beaucoup de gens ; il était bien connu des barmen et des videurs. Quand Ron arrivait quelque part pour picoler, tout le monde le savait. Une de ses boîtes préférées était le *Coachlight*, où les videurs l'avaient à l'œil.

Il ne fallut pas longtemps pour qu'il soit rattrapé par les deux affaires de Tulsa. La police se mit à le surveiller, parfois même à le suivre. Un soir où il faisait la tournée des bars avec Bruce Leba, il s'arrêta pour prendre de l'essence. Un policier les suivit en voiture sur plusieurs centaines de mètres avant de contrôler leurs papiers en les accusant d'avoir volé l'essence. Rien d'autre que du harcèlement mais ils faillirent passer la nuit au poste.

Ce n'était que partie remise. En avril 1980, deux ans après la mort de son père, Ron fut arrêté pour conduite en état d'ivresse.

En novembre de la même année, Juanita réussit à convaincre son fils de se faire aider pour arrêter de boire. Sur ses instances, il se rendit au service de psychiatrie de l'Oklahoma sud, où il fut reçu par Duane Logue, un conseiller spécialisé. Il parla librement de ses problèmes de dépendance, reconnut qu'il buvait depuis onze ans et se droguait depuis au moins sept ans. Il avoua que sa consommation d'alcool avait fortement augmenté quand les Yankees avaient mis fin à son contrat. Il ne parla pas des accusations de viol.

Logue l'adressa au Bridge House, un centre de désintoxication situé à Ardmore, à quatre-vingts kilomètres d'Ada. Ron s'y présenta le lendemain et s'engagea à suivre une cure de vingt-huit jours dans cet établissement fermé. Très nerveux, il répéta plusieurs fois au conseiller qu'il avait fait « des choses terribles ». Il se replia sur lui-même, dormant une grande partie de la journée et sautant des repas. Une semaine après son arrivée, on le surprit en train de fumer dans sa chambre, en violation du règlement. Il déclara qu'il ne resterait pas une minute de plus et partit avec Annette qui, ce jour-là, était venue lui rendre visite. Il revint le lendemain pour demander à être réadmis dans l'établissement. On lui dit de retourner à Ada où il pourrait faire une nouvelle demande quinze jours plus tard. Craignant la colère de sa mère, il préféra ne pas rentrer chez elle et traîna pendant quelques semaines sans dire à personne où il était.

Dans une lettre datée du 25 novembre, Duane Logue fixait un rendez-vous à Ron, le 4 décembre. Il écrivait : « Je m'inquiète pour votre bien-être et j'espère vous voir la semaine prochaine. »

Le 4 décembre, Juanita informa Logue que Ron avait trouvé du travail et qu'il vivait à Ardmore. Il s'était fait de nouveaux amis, recommençait à fréquenter l'église et n'avait plus besoin de l'aide de son service. Le dossier de Ron fut classé.

Duane Logue le rouvrit dix jours plus tard, à l'issue d'un nouvel entretien avec Ron. Il avait besoin d'un traitement de longue durée mais refusait de le suivre. Il ne voulait pas prendre régulièrement les médicaments prescrits, principalement du lithium. Tantôt il reconnaissait abuser de la boisson et prendre des stupéfiants, tantôt il le niait catégoriquement, ne reconnaissant que quelques bières par jour.

Incapable de garder un boulot, il était toujours fauché. Quand Juanita refusait de lui « prêter » de l'argent, il parcourait la ville pour trouver quelqu'un à taper. En conséquence, le cercle de ses amis se rétrécissait ; on l'évitait de plus en plus. De temps en temps, il filait à Asher, sur le terrain de base-ball, où il était sûr de trouver Murl Bowen. Ils discutaient le bout de gras, Ron lui faisait part d'une nouvelle tuile qui venait de lui arriver et le coach allongeait un billet de vingt dollars. Ron promettait de le rembourser ; Murl le chapitrait et lui recommandait de mettre de l'ordre dans sa vie.

Bruce Leba était le dernier recours de Ron. Remarié, il menait une vie plus tranquille, à quelques kilomètres d'Ada. Ron débarquait à peu près deux fois par mois, titubant, débraillé, pour implorer Bruce de le laisser dormir chez lui. Bruce acceptait toujours, lui donnait le temps de dessoûler, le nourrissait et lui filait le plus souvent dix dollars.

En février 1981, arrêté de nouveau pour conduite en état d'ivresse, Ron plaida coupable. Après quelques jours passés derrière les barreaux, il se rendit à Chickasha pour voir Renee et son mari, Gary. Ils le trouvèrent dans le jardin un dimanche, en revenant de l'église. Il expliqua qu'il dormait sous une tente, derrière leur jardin. Il ajouta qu'il venait d'échapper à des soldats qui entreposaient des armes et des explosifs dans leurs maisons, à Lawton, et projetaient de prendre la base d'assaut. Par bonheur, il avait pu s'enfuir à temps et cherchait quelqu'un pour l'héberger.

Renee et Gary lui proposèrent la chambre de leur fils. Gary lui trouva du travail dans une ferme, pour rentrer les foins. Au bout de deux jours, il arrêta, prétendant avoir trouvé une équipe de softball qui avait besoin de lui. Le fermier appela Gary pour dire qu'il était inutile que Ron revienne et qu'à son avis, le jeune homme avait de graves problèmes affectifs.

Quand l'intérêt de Ron pour les présidents américains se ranima brusquement, il ne parla de rien d'autre pendant plusieurs jours. Il était non seulement capable d'en réciter la liste par ordre chronologique et selon l'ordre inverse mais il savait tout sur eux – date et lieu de naissance, nom des vice-présidents, prénom des femmes et des enfants, faits marquants de leurs mandats. Chez les Simmons toutes les conversations devaient rouler sur les présidents.

Il aurait bien voulu dormir la nuit mais il n'y arrivait pas. Et il aimait regarder la télévision avec le volume à fond. Aux premières lueurs du jour, la fatigue le gagnait et il s'endormait. Les Simmons, épuisés, avaient juste le temps de prendre un petit déjeuner tranquille avant de partir au travail.

Ron se plaignait souvent de maux de tête. Une nuit, Gary entendit des bruits. Il se leva et trouva Ron en train de fouiller dans l'armoire à pharmacie, cherchant quelque chose pour calmer la douleur.

À bout de nerfs, Gary lui exposa clairement qu'il pouvait rester à condition de s'adapter à leurs horaires. Ron ne comprenait pas qu'il avait un problème, apparemment. Il retourna tranquillement chez sa mère où il passa son temps écroulé sur le canapé ou terré dans sa chambre, toujours incapable, à vingt-huit ans, de reconnaître qu'il avait besoin d'aide.

Annette et Renee s'inquiétaient pour leur frère mais elles étaient impuissantes. Toujours aussi têtu, il semblait se satisfaire de vivre comme une épave. Son comportement devenait de plus en plus étrange ; il ne faisait aucun doute que son état mental se dégradait. Mais le sujet était tabou. Juanita réussissait par la douceur à le persuader de voir un conseiller ou de se faire soigner pour l'alcool mais il lui était impossible de suivre une thérapie de longue durée. Chaque courte période de sobriété était suivie de longues semaines d'incertitude sur l'endroit où il était ou ce qu'il faisait.

Pour se distraire, il jouait de la guitare, le plus souvent sur le porche de la maison de sa mère. Il pouvait racler l'instrument en chantant pendant des heures. Quand il en avait assez d'être là, il partait. Sans voiture ou sans argent pour acheter de l'essence. Il allait traîner en ville où on le voyait en tout lieu et à toute heure avec sa guitare.

Rick Carson, son ami d'enfance, était policier à Ada. Pendant ses rondes de nuit, il lui arrivait souvent de voir Ron déambuler sur les trottoirs, parfois entre les maisons, chantant et s'accompagnant à la guitare. Rick lui demandait où il allait. Nulle part. Rick proposait de le ramener chez lui. Parfois, Ron acceptait, parfois, il répondait qu'il préférait marcher.

Arrêté le 4 juillet 1981 pour ivresse sur la voie publique, il plaida coupable. Hors d'elle, Juanita le somma de se faire aider. Il fut admis à l'hôpital Central State, à Norman, où il eut un entretien avec un psychiatre, le Dr Sambajon. Selon lui, Ron n'avait qu'une demande : de l'aide. Il se montrait sans énergie, avait une mauvaise opinion de lui-même et luttait contre un sentiment d'inutilité allant jusqu'au désespoir et à des envies de suicide. « Je n'apporte rien ni à moi-même ni à ceux qui m'entourent. Je suis incapable de garder un travail et j'ai une attitude négative. » Il confia au psychiatre que son premier accès de dépression remontait à quatre ans, date à laquelle sa carrière de joueur de base-ball s'était achevée, à peu près à l'époque où son mariage avait capoté. Il reconnaissait l'abus d'alcool et de drogue mais ne croyait pas que ce comportement contribuait à ses problèmes.

Le Dr Sambajon trouva son patient « négligé, sale... très peu soigné de sa personne ». Son jugement n'était pas gravement altéré ; il était lucide sur son état. Il diagnostiqua des troubles dysthymiques, une forme chronique de dépression. Le psychiatre recommanda une médication, une assistance psychologique, une thérapie de groupe et un soutien suivi de la famille.

Au bout de trois jours, Ron demanda à quitter l'hôpital et signa une décharge. Une semaine plus tard, il retournait à la clinique de psychiatrie d'Ada, où il eut un entretien avec Charles Amos, un assistant en psychologie. Il se décrivit comme un ancien joueur de base-ball professionnel, déprimé depuis que sa carrière sportive avait pris fin. Il attribuait aussi son état dépressif à la religion. Amos l'adressa au Dr Marie Snow, la seule psychiatre d'Ada, qui le vit une fois par semaine. Elle prescrivit de l'Asendin, un antidépresseur couramment utilisé ; l'état de Ron s'améliora légèrement. La psychiatre essaya de convaincre son patient qu'il avait besoin d'une psychothérapie plus poussée, mais Ron laissa tomber au bout de trois mois.

Le 30 septembre 1982, il fut de nouveau arrêté pour conduite d'un véhicule automobile sous l'empire de l'alcool. Emprisonné, il plaida coupable.

4.

Trois mois après le meurtre de Debbie Carter, les inspecteurs Dennis Smith et Mike Kieswetter se rendirent chez les Williamson pour poser des questions à Ron. Juanita était présente ; elle assista à l'entretien. Quand on lui demanda où il se trouvait la nuit du 7 décembre, Ron répondit qu'il ne s'en souvenait pas – cela remontait à trois mois. Oui, il fréquentait le *Coachlight*, comme toutes les autres boîtes de nuit d'Ada. Juanita alla chercher son agenda, chercha la date et annonça aux inspecteurs que ce soir-là son fils était rentré à 22 heures. Elle leur montra ce qu'elle avait inscrit à la date du 7 décembre.

Les policiers demandèrent ensuite à Ron s'il connaissait Debbie Carter. Il répondit qu'il n'en était pas sûr. Il connaissait le nom, bien sûr : on ne parlait que de ça, à Ada. Smith lui présenta une photographie de la victime, qu'il étudia attentivement. Peut-être l'avait-il déjà vue, mais il n'en était pas sûr. Il demanda un peu plus tard à revoir la photographie : le visage lui était vaguement familier. Il nia avec véhémence être au courant de quoi que ce soit à propos du meurtre mais émit l'opinion que le tueur était probablement un psychopathe qui avait suivi la jeune femme jusque chez elle, s'était introduit dans son appartement et avait quitté la ville après avoir commis son forfait.

Au bout d'une demi-heure, les inspecteurs demandèrent à Ron s'il était d'accord pour qu'on prenne ses empreintes digitales et pour fournir des échantillons de poils. Il accepta et les suivit au commissariat quand l'entretien fut terminé.

Trois jours plus tard, le 17 mars, les inspecteurs revinrent pour lui poser les mêmes questions. Ron déclara de nouveau qu'il n'avait rien à voir avec le meurtre et qu'il était chez sa mère le soir du 7 décembre.

Les enquêteurs interrogèrent également un dénommé Dennis Fritz dont le seul lien avec le meurtre était son amitié avec Ron Williamson. Un rapport de police indiquait que Dennis était « un suspect, ou du moins une connaissance d'un suspect dans l'affaire Carter ».

Dennis allait rarement au *Coachlight* ; personne ne l'y avait vu au cours des mois précédant le meurtre. À l'époque, en mars 1983, pas un seul témoin n'avait cité son nom. Il ne vivait pas depuis longtemps à Ada et ne fréquentait pas grand monde. Il n'avait jamais conduit Ron Williamson au *Coachlight.* Il ne connaissait pas Debbie Carter, n'était même pas sûr de l'avoir jamais vue et ne savait pas où elle habitait. Les enquêteurs étaient sur la piste de Ron Williamson. Étant donné qu'ils semblaient croire dur comme fer qu'il y avait deux tueurs, il leur fallait un autre suspect. Dennis faisait l'affaire.

Dennis Fritz avait passé son enfance et fait ses études secondaires à Kansas City. Il était sorti en 1971 de l'université du sud-est de l'Oklahoma avec un diplôme de biologie. Deux ans plus tard, sa femme, Mary, avait donné naissance à une fille prénommée Élizabeth. Ils vivaient à Durant, Oklahoma. Mary travaillait dans un établissement d'enseignement supérieur et Dennis était employé des chemins de fer.

Le 25 décembre 1975, pendant que Dennis était en déplacement, Mary fut assassinée par un voisin, un gamin de dix-sept ans, d'une balle dans la tête, dans le rocking-chair de son salon.

Pendant les deux années qui suivirent, Dennis fut incapable de travailler. En état de choc, il se consacra totalement à sa fille. Il se ressaisit en 1981, quand Élizabeth entra à l'école, et trouva un poste de professeur de sciences dans un collège de Konawa. Quelques mois plus tard, il emménagea à Ada, pas très loin de chez les Williamson ni de l'appartement où habiterait Debbie Carter. Sa mère, Wanda, le rejoignit pour s'occuper d'Élizabeth.

Il trouva un autre poste dans un collège de Noble, à une heure de route d'Ada, où il enseignait la biologie et entraînait l'équipe de basket-ball. La direction de l'établissement l'avait autorisé à dormir dans une caravane, derrière les bâtiments. Le week-end, il faisait l'aller et retour pour voir sa mère et Élizabeth à Ada. Comme il n'y avait pas de vie nocturne à Noble, Dennis se rendait de temps en temps, un soir de semaine, à Ada. Il voyait sa fille avant d'aller prendre un verre dans une boîte, où il lui arrivait de rencontrer une fille.

Un soir de novembre 1981, Dennis se trouvait à Ada. Désœuvré, il alla acheter de la bière dans une alimentation de nuit. Dans la vieille Buick de sa mère garée devant la boutique, Ron Williamson grattait de la guitare en bayant aux corneilles. Dennis jouait aussi de la guitare et, ce soir-là, il en avait une à l'arrière de sa voiture. Ils engagèrent la conversation et parlèrent musique. Ron dit à Dennis qu'il habitait tout près et l'invita pour faire un bœuf. Les deux hommes étaient en manque d'amitié.

Dennis trouva le logement sale, exigu, tristounet. Ron expliqua qu'il vivait chez sa mère qui ne tolérait ni l'alcool ni le tabac et qu'il n'avait pas de travail. Quand Dennis lui demanda ce qu'il faisait de ses journées, il répondit qu'il passait la majeure partie du temps à dormir. Il était amical, parlait avec aisance et avait un rire spontané mais Dennis remarqua qu'il avait parfois l'air absent. Il regardait dans le vide pendant de longues périodes, puis ses yeux se fixaient sur Dennis comme s'il n'était pas là. Un drôle de type.

Ils aimaient jouer de la guitare et parler musique ensemble. Cependant, après quelques visites chez Ron, Dennis fut frappé par la quantité d'alcool qu'il ingurgitait et par ses sautes d'humeur. Ron aimait la bière et la vodka. Il se mettait à boire en fin d'après-midi, quand il était bien réveillé et loin de sa mère. Mou et déprimé jusqu'à ce que l'alcool fasse son effet, il commençait alors à s'animer. Les deux hommes prirent l'habitude de fréquenter ensemble les bars et les boîtes de nuit.

Un après-midi, Dennis passa plus tôt que de coutume, avant que Ron se soit mis à boire. Il discuta avec Juanita, une femme agréable qui avait visiblement beaucoup souffert, ne parlait guère et semblait en avoir par-dessus la tête de son fils. Quand elle sortit, Dennis alla voir Ron dans sa chambre et le trouva, les yeux fixés sur le mur. Dennis ne se sentait pas à l'aise dans cette pièce et y entrait aussi peu que possible.

Le mur était tapissé de photographies en grand format de Patty, son ex-femme, et de Ron dans diverses tenues de base-ball.

— Elle était belle, murmura Dennis en admirant les photos de Patty.

— J'ai eu tout ça, fit Ron d'une voix où se mêlaient la tristesse et l'amertume.

Il avait vingt-huit ans et il n'y croyait plus.

Faire la tournée des bars avec Ron était toujours une aventure. Quand il faisait son entrée, il s'attendait à être le centre de l'attention générale. Un de ses numéros préférés consistait à se faire passer pour un riche et élégant avocat de Dallas. En 1981, il avait assez fréquenté les tribunaux pour connaître le langage et les tics. Il jouait ce rôle à Norman et à Oklahoma City.

Dennis se faisait tout petit et profitait du spectacle. Il laissait le champ libre à Ron. Mais il commençait à se lasser de ces sorties ; une soirée avec Ron ne pouvait se passer sans un conflit quelconque et une fin inattendue.

Un soir de l'été 1982, ils revenaient à Ada après une tournée des bars quand Ron décréta qu'il voulait aller à Galveston. Dennis ayant commis l'erreur de raconter une histoire de pêche sous-marine à Galveston, Ron avait affirmé qu'il en rêvait. Ils étaient assez ivres pour que l'idée de faire huit heures de route dans le pick-up de Dennis ne paraisse pas aberrante. Comme à son habitude, Ron n'avait ni voiture, ni permis, ni argent pour l'essence.

C'étaient les vacances scolaires et Dennis avait du liquide sur lui. Pourquoi ne pas aller pêcher ? Ils achetèrent de la bière et prirent la direction du sud.

Pendant la traversée du Texas, Dennis eut besoin de se reposer et laissa le volant à Ron. Quand il rouvrit les yeux, il y avait un homme, un Noir, à l'arrière du pick-up. Ron expliqua fièrement qu'il avait pris un auto-stoppeur. Dans les faubourgs de Houston, juste avant l'aube, ils s'arrêtèrent à une station-service pour acheter de la bière et quelque chose à manger. En ressortant, ils virent que le pick-up avait disparu, volé par l'auto-stoppeur. Ron avait laissé les clés sur le contact. Après réflexion, il reconnut que non seulement il avait laissé les clés sur le contact mais qu'il avait laissé tourner le moteur. Ils burent quelques bières en méditant sur leur malchance. Dennis voulait avertir la police ; Ron n'était pas très chaud. Après une brève dispute, Dennis alla téléphoner. Quand ils racontèrent leur histoire, les policiers éclatèrent de rire.

Ils mangèrent une pizza, descendirent quelques bières et commencèrent à errer dans les rues du quartier chaud de Houston où ils avaient échoué. Au lever du jour, il passèrent devant une boîte fréquentée par des Noirs. Ron décida d'entrer et de poursuivre la fête. C'était une idée délirante mais Dennis comprit qu'ils étaient probablement plus en sécurité à l'intérieur de la boîte que dans la rue. Dennis but une bière au bar en priant pour passer inaperçu. Comme à son habitude, Ron attira aussitôt l'attention dans son rôle préféré, celui de l'avocat de Dallas. Tandis que Dennis s'inquiétait pour son pick-up et priait pour que les couteaux restent dans les poches, son camarade se lançait dans de longues histoires sur Reggie Jackson, un ami très proche.

Ron se lia avec un caïd dénommé Cortez. Quand il raconta l'histoire du pick-up volé, Cortez se tordit de rire. À l'heure de la fermeture, Cortez les invita chez lui. Comme il n'y avait pas assez de lits, Ron et Dennis dormirent par terre. Dennis se réveilla avec une méchante gueule de bois. Il était furieux et voulait rentrer à Ada. Il réussit à sortir Ron d'un sommeil comateux et à convaincre Cortez de les conduire, moyennant quelques dollars, à une banque où il pourrait tirer de l'argent. Arrivé à la banque, Cortez resta dans la voiture pendant que Ron et Dennis entraient dans l'établissement. Au moment où ils ressortaient, une dizaine de voitures de police déboulèrent, toutes sirènes hurlantes, et entourèrent le véhicule de Cortez. Des policiers fortement armés le sortirent sans ménagement de sa voiture et le poussèrent à l'arrière d'une des leurs.

Ron et Dennis reculèrent sous le porche de la banque, comprirent ce qui se passait et sortirent précipitamment de l'autre côté. Ils achetèrent des billets de car. Le trajet fut long et pénible. Dennis en avait marre de Ron ; à cause de lui, il s'était fait voler son pick-up. Il se promit de ne plus le voir pendant un bon bout de temps.

Un mois plus tard, Ron appela Dennis pour lui proposer une virée. Depuis leur mésaventure à Houston, les liens s'étaient considérablement distendus. Dennis aimait sortir pour boire quelques bières et danser un peu mais sans plus. Quand ils buvaient un coup en jouant de la guitare chez Ron, tout allait bien, mais dès qu'ils commençaient à faire les bars, il fallait s'attendre au pire.

Dennis passa le prendre chez lui en expliquant qu'il ne rentrerait pas tard, car il avait rendez-vous avec une jeune femme en fin de soirée. Il était en quête de l'âme sœur. Sa femme était morte depuis sept ans et il avait envie d'une relation stable. Il n'en allait pas de même pour Ron. Les femmes étaient là pour le sexe et rien d'autre.

Dennis eut pourtant du mal à se débarrasser de lui. Ron l'accompagna chez son amie et quand, enfin, il prit conscience que sa présence n'était pas souhaitée, il entra dans une colère folle et partit en claquant la porte. Mais pas à pied. Il « emprunta » la voiture de Dennis pour se rendre chez Bruce Leba. Dennis passa la nuit chez son amie. Au réveil, il se rendit compte que sa voiture avait disparu. Il avertit la police et porta plainte, puis il téléphona chez Bruce pour savoir s'il avait vu Ron. Bruce accepta de reconduire Ron dans la voiture volée jusqu'à Ada, où la police les attendait. La plainte fut retirée mais Dennis et Ron ne se parlèrent plus pendant plusieurs mois.

Dennis reçut chez lui un coup de téléphone de l'inspecteur Smith. Le policier lui demandait de passer le voir pour répondre à quelques questions. « À quel propos ? » demanda Dennis. « Vous le saurez quand vous serez là », répondit l'inspecteur.

Dennis se rendit au commissariat, perplexe. Il n'avait rien à cacher mais ce n'en était pas moins perturbant. Les inspecteurs Smith et Rogers l'interrogèrent sur ses relations avec Ron Williamson, cet ami qu'il n'avait pas vu depuis plusieurs mois. Ils commencèrent par des questions de routine qui se firent peu à peu accusatrices. Où était-il le soir du 7 décembre ? Dennis ne savait pas ; il lui fallait réfléchir. Connaissait-il Debbie Carter ? Non. Au bout d'une heure, Dennis repartit, vaguement inquiet.

L'inspecteur Smith rappela pour demander à Dennis s'il accepterait de se soumettre au détecteur de mensonge. Scientifique de formation, Dennis savait que cet appareil est très peu fiable, et il n'avait pas envie de subir cet examen. Mais il ne connaissait pas Debbie Carter et il voulait en apporter la preuve aux enquêteurs. Il finit par accepter et on lui fixa un rendez-vous à l'OSBI, à Oklahoma City. Plus le jour fatidique approchait, plus Dennis se sentait nerveux. Pour se calmer, il prit un Valium juste avant d'arriver sur les lieux.

L'examen fut effectué par l'agent Rusty Featherstone, sous le regard de Smith et de Rogers qui se tenaient en retrait. À la fin, penchés sur l'appareil, les policiers secouèrent la tête d'un air navré.

Ils informèrent Dennis qu'il avait « lamentablement échoué ». Il répondit que c'était impossible. Ils affirmèrent qu'il cachait quelque chose. Dennis reconnut qu'il avait été nerveux et finit par avouer qu'il avait pris un Valium. Contrariés, les inspecteur lui demandèrent avec insistance de se soumettre à un nouvel examen. Dennis eut l'impression qu'on ne lui laissait pas le choix.

La semaine suivante, l'agent Featherstone apporta son appareil à Ada et l'installa dans le sous-sol du commissariat. Encore plus nerveux que la première fois, Dennis répondit avec aisance et sincérité aux questions qu'on lui posait.

Cette fois encore, échec sur toute la ligne. À en croire les policiers, c'était pire. Un interrogatoire suivit. Rogers, dans le rôle du méchant flic, jurait, menaçait et ne cessait de répéter : « Vous nous cachez quelque chose. » Smith, dans le rôle du gentil, essayait d'aider Dennis mais l'échange était convenu.

Habillé en cow-boy, Rogers allait et venait à grands pas en crachant des jurons et des menaces, en parlant de couloir de la mort et d'injection mortelle, puis il s'approchait de Dennis et lui donnait de petits coups sur la poitrine. « Tu vas avouer », disait-il. C'était effrayant mais pas très efficace. Dennis lui répétait de s'écarter.

Rogers finit par l'accuser du meurtre. Il se laissait emporter par la colère, devenait de plus en plus grossier. Il affirmait que Dennis et son complice, Ron Williamson, avaient forcé la porte de la jeune femme, l'avaient violée et assassinée, et il exigeait des aveux.

Faute de preuve, seuls des aveux permettraient de boucler l'affaire ; les policiers faisaient tout pour obtenir ceux de Dennis, qui ne craquait pas. Il n'avait rien à avouer mais, après deux heures de violence verbale, il décida de leur donner un os à ronger. Il leur raconta une virée à Norman avec Ron, l'été précédent, une folle soirée passée à boire et à draguer. Une fille qui avait accepté de monter dans la voiture de Dennis était devenue hystérique quand il avait refusé de la laisser descendre. Elle avait fini par sauter et s'était enfuie avant d'avertir la police. Ils avaient dormi sur un parking, pour ne pas se faire repérer. La fille n'avait pas porté plainte.

L'histoire sembla calmer les flics, au moins provisoirement. Leur cible était manifestement Williamson, et Dennis venait de confirmer qu'ils étaient amis et faisaient la bringue ensemble. Dennis ne voyait toujours pas le rapport avec le meurtre de Debbie Carter ; de toute façon, il ne comprenait pas grand-chose à ce que disaient les policiers. Il se savait innocent ; si Smith et Rogers continuaient comme ça, le tueur pouvait dormir tranquille.

Après s'être acharnés sur lui pendant trois heures, les inspecteurs le laissèrent repartir. Ils étaient convaincus que Dennis trempait dans cette affaire mais des aveux ne suffiraient pas. Il leur fallait des faits. Ils le placèrent sous surveillance, le firent prendre en filature, l'interpellaient pour un oui ou pour un non. Il découvrit plusieurs fois à son réveil une voiture de police en stationnement devant son domicile.

Dennis fournit sans se faire prier des échantillons de poils, de sang et de salive. Pourquoi ne pas leur donner tout ce qu'ils voulaient ? Il n'avait rien à craindre. L'idée de consulter un avocat lui traversa l'esprit mais il se dit que ce n'était pas la peine. Il était totalement innocent ; la police allait s'en rendre compte.

En fouillant dans le passé de Dennis, l'inspecteur Smith découvrit qu'il avait été condamné en 1973, à Durant, pour culture de marijuana. Un policier d'Ada téléphona au collège de Noble où enseignait Dennis et informa la direction que non seulement il était suspect dans une enquête criminelle mais qu'il avait eu une condamnation pour usage de stupéfiants, qu'il avait omis de mentionner en sollicitant son poste. Dennis fut licencié séance tenante.

Le 17 mars, Susan Land, de l'OSBI, reçut de Dennis Smith « des poils du cuir chevelu et du pubis de Dennis Fritz et de Ron Williamson ».

Quatre jours plus tard, Ron se rendit au commissariat pour se soumettre au détecteur de mensonge. L'opération effectuée par B. G. Jones, un agent de l'OSBI, ne donna pas de résultats concluants. Ron fournit aussi un échantillon de salive qui fut transmis à l'OSBI avec l'échantillon remis par Dennis Fritz.

Le 28 mars, Jerry Peters, de l'OSBI, acheva son analyse des empreintes digitales. Il déclara dans son rapport – sans réserves ni équivoque – que l'empreinte de paume découverte sur l'échantillon de placoplâtre n'appartenait ni à Debbie Carter ni à Dennis Fritz ni à Ron Williamson. La police aurait dû s'en réjouir. Il suffisait de trouver l'empreinte correspondante pour tenir le tueur.

Au lieu de ça, les policiers informèrent sans cérémonie la famille Carter que Ron Williamson était le suspect numéro un. Ils n'avaient pas encore de preuves mais suivaient toutes les pistes, faisaient avancer lentement et méthodiquement leur enquête. Ron Williamson était un suspect de choix ; il avait un comportement étrange et des horaires bizarres, vivait chez sa mère, n'avait pas de travail, importunait les femmes, fréquentait les boîtes et, plus grave encore, habitait tout près du lieu du meurtre. En coupant par une ruelle, il n'était qu'à quelques minutes à pied de chez Debbie !

Sans parler des deux plaintes déposées contre lui à Tulsa. C'était assurément un violeur, malgré les conclusions des jurys.

Peu après le meurtre, Glenna Lucas, la tante de Debbie, avait reçu un coup de téléphone anonyme. Une voix masculine lui avait dit : « Debbie est morte. Vous serez la prochaine. » Horrifiée, Glenna s'était souvenue des mots écrits au vernis à ongles : « Jim Smith sera le prochain ». Sous le coup de la panique, au lieu de prévenir la police, elle téléphona au procureur.

Bill Peterson, un grand jeune homme costaud issu d'une bonne famille d'Ada, était le représentant du ministère public depuis trois ans. Sa juridiction couvrait trois comtés – Pontotoc, Seminole, Hughes – et son bureau se trouvait au tribunal du comté de Pontotoc. Il connaissait la famille Carter et était impatient de mettre la main sur un suspect. Dennis Smith et Gary Rogers tenaient Peterson au courant des progrès de l'enquête.

Glenna fit part à Peterson de l'appel anonyme ; ils conclurent que Ron Williamson devait en être l'auteur et que donc il était le tueur. En parcourant les quelques pas qui séparaient son logement de la ruelle, il apercevait les fenêtres de Debbie et, depuis l'allée de sa mère, il pouvait voir la maison de Glenna. Il habitait là, ce type bizarre qui ne travaillait pas et se couchait au petit matin.

Bill Peterson fit brancher un magnétophone sur le téléphone de Glenna, mais il n'y eut pas d'autre appel.

Celle-ci avait une fille de huit ans, Christy, qui était consciente de la pénible épreuve traversée par sa famille. Glenna ne la laissait jamais seule, ne lui permettait pas de se servir du téléphone et avait demandé à l'école qu'elle soit étroitement surveillée.

Des bruits couraient au sujet de Williamson. Pourquoi aurait-il tué Debbie ? Qu'attendait la police pour agir ?

La rumeur s'amplifia. La peur gagna le quartier, puis toute la ville. Le meurtrier était en liberté, tout le monde pouvait le voir et connaissait son nom. Que faisait la police ?

Un an et demi après sa dernière séance avec le Dr Snow, Ron avait grand besoin de recevoir des soins prolongés dans un établissement spécialisé. En juin 1983, sous la pression de sa mère, il se rendit à pied à la clinique psychiatrique d'Ada. Il y demanda de l'aide, répétant qu'il était dépressif, incapable de vivre normalement. On l'adressa à un autre établissement, à Cushing, où il eut un entretien avec Al Roberts, un conseiller en réadaptation. Roberts nota qu'il avait un Q.I. de 114, « des facultés intellectuelles légèrement supérieures à la normale », mais indiqua qu'il pouvait souffrir de déficiences dues à l'abus d'alcool. « Il se peut que cet homme lance un appel à l'aide. » Ron était angoissé, tendu, nerveux et déprimé.

> C'est un non-conformiste qui accepte mal l'autorité. Son comportement deviendra fantasque, imprévisible. Il a des difficultés à contrôler ses impulsions. Il est très soupçonneux et se méfie de ceux qui l'entourent. Il se sent mal à l'aise. Il n'est pas homme à assumer la responsabilité de son comportement et il est enclin à manifester de la colère ou de l'hostilité afin de se protéger. Il voit le monde comme un endroit menaçant et effrayant et il se défend en se montrant hostile ou renfermé. Ron semble très immature et cherchera à donner l'image de quelqu'un d'insouciant.

Ron fit une demande de formation professionnelle à l'université East Central d'Ada en indiquant qu'il souhaitait obtenir un diplôme de chimie ou bien d'éducation physique, qui lui permettrait de devenir entraîneur. Il accepta de se soumettre à une évaluation psychologique plus poussée, reposant sur une série de tests conduits par un assistant psychologue, Melvin Brooking.

Brooking connaissait bien Ron et sa famille, trop bien peut-être. Ses observations sur le comportement de Ron étaient truffées d'anecdotes et il l'appelait « Ronnie ».

Sur sa carrière sportive, Brooking écrivait : « J'ignore quel genre d'élève Ronnie était au lycée mais je sais qu'il était un sportif aux qualités exceptionnelles. Sur le terrain, il était handicapé par des accès de colère, et en dehors, par un comportement grossier et immature, arrogant et égocentrique. Ses caprices de vedette, son incapacité à s'entendre avec les autres et son mépris des règles et des règlements faisaient de lui un joueur insupportable. »

Sur la famille Williamson, il ajoutait : « La mère de Ronnie a travaillé dur toute sa vie. Elle a été longtemps propriétaire d'un salon de coiffure. Ses parents ont aidé Ronnie à chacune de ses nombreuses crises, et sa mère lui apporte encore un soutien financier bien qu'elle soit émotionnellement, physiquement et matériellement à bout de ressources. »

Sur l'échec du mariage de Ron, il écrivait : « Il a épousé une très jolie fille, ex-Miss Ada, mais elle n'a supporté ni ses sautes d'humeur ni son incapacité à gagner sa vie et elle a fini par demander le divorce. »

À l'évidence, Ron n'avait pas caché son attirance pour l'alcool et la drogue. « Ronnie a eu de sérieux problèmes avec l'alcool et la drogue, observait Brooking... il se gavait de pilules. Une grande partie des médicaments qu'il prend semble être une tentative d'automédication pour soigner une dépression. Il affirme qu'il ne boit plus et ne se drogue plus. »

Brooking diagnostiquait une cyclothymie qu'il décrivait comme suit : « La cyclothymie signifie que ce jeune homme souffre d'une alternance de périodes d'excitation et d'apathie. Je penche pour une psychose de type dépressif, car il se trouve le plus souvent dans cet état. Ses périodes d'excitation sont fréquemment provoquées par la drogue et de courte durée. Depuis trois ou quatre ans, Ronnie souffre d'une grave dépression. Il vit dans une pièce, à l'arrière de la maison de sa mère, passe la majeure partie du temps à dormir, travaille très très peu et dépend de son entourage pour son entretien. Il a montré à trois ou quatre reprises une volonté de se réinsérer mais ces tentatives n'ont pas abouti. »

Brooking diagnostiquait aussi des troubles caractériels dus à « une méfiance et une susceptibilité injustifiées, une hypersensibilité et une affectivité réprimée ».

Pour faire bonne mesure, il ajoutait la dépendance à l'alcool et aux substances toxiques. Son pronostic était réservé. Il concluait ainsi : « Ce jeune homme n'a jamais réussi, depuis son départ du domicile familial, il y a plus de dix ans, à maîtriser sa vie qui n'a été qu'une suite de problèmes et de crises dévastatrices. Il continue d'essayer de reprendre pied mais n'y est pas encore parvenu. »

Le rôle de Brooking était d'évaluer l'état de Ron, pas de le soigner. Nous étions à la fin de l'été 1983, son état se dégradait et il n'obtenait pas l'aide dont il aurait eu besoin. Il lui aurait fallu une psychothérapie de longue durée, en établissement spécialisé, mais sa famille ne pouvait en assumer le coût, l'État ne pouvait l'en faire bénéficier et Ron, de toute façon, ne s'y serait jamais soumis.

Il fit également une demande d'aide financière auprès de l'université. Elle fut acceptée : on avisa Ron qu'un chèque l'attendait à la comptabilité de l'établissement. Il s'y présenta aussi négligé qu'à son habitude, les cheveux longs, flanqué de deux individus louches qui paraissaient très intéressés par l'argent qu'il allait toucher. Le chèque, qui était à l'ordre de Ron, devait être contresigné par un représentant de l'établissement. On lui demanda de prendre sa place dans une longue file d'attente mais Ron était pressé. L'argent lui appartenait, il n'avait pas envie de faire la queue et ses deux acolytes étaient impatients de palper les billets. Ron falsifia prestement le chèque.

Et repartit avec trois cents dollars.

Nancy Carson, la femme de Rick, l'ami d'enfance de Ron devenu policier à Ada, avait assisté à la scène. Elle travaillait au service de la comptabilité et connaissait bien Ron. Horrifiée par ce qu'elle venait de voir, elle téléphona à son mari.

Un employé de l'université qui connaissait les Williamson sauta dans sa voiture pour se rendre au salon de coiffure de Juanita et lui faire part de la falsification à laquelle Ron s'était livré. Si elle acceptait de rembourser les trois cents dollars, l'université ne porterait pas plainte. Juanita fit un chèque et alla dire deux mots à son fils.

Le lendemain, Ron fut arrêté pour utilisation frauduleuse d'un instrument de paiement, un délit passible d'une peine maximale de huit ans de réclusion. Il fut enfermé dans la prison du comté. Il n'était pas en mesure de déposer une caution et sa famille n'avait pas les moyens de l'aider.

L'enquête avançait lentement. Il n'y avait toujours aucune nouvelle du laboratoire de l'OSBI au sujet des empreintes digitales relevées sur le lieu du crime, pas plus que sur les échantillons de poils et de salive. Ceux de trente-trois hommes d'Ada, y compris Ron Williamson et Dennis Fritz, étaient en cours d'analyse. Personne n'avait encore rien demandé à Glen Gore.

En septembre 1983, les échantillons se trouvaient sur le bureau de Melvin Hett, un spécialiste de l'OSBI, où s'accumulait le travail en retard.

Le 9 novembre, Ron, toujours en détention, accepta de se soumettre de nouveau au détecteur de mensonge, cette fois encore sous la conduite de l'agent Rusty Featherstone. Avant le test proprement dit, Ron dut répondre à quantité de questions. Il nia continuellement et avec véhémence toute implication dans le meurtre de Debbie Carter. L'ensemble de l'entretien fut filmé et le test jugé encore une fois non concluant.

Ron apprenait tant bien que mal à vivre derrière les barreaux. Sevré d'alcool et de drogue, il reprit son habitude de dormir vingt heures par jour. Sans médicaments, sans traitement, son état mental allait en déclinant.

Vers la fin du même mois, une détenue du nom de Vicki Michelle Owens Smith raconta à l'inspecteur Smith une drôle d'histoire au sujet de Ron. On pouvait lire dans le rapport du policier :

> *Samedi, vers 3 ou 4 heures du matin, en regardant par la fenêtre de sa cellule, Williamson a vu Vicki. Il s'est mis à hurler qu'elle était une sorcière, que c'était elle qui l'avait emmené chez Debbie Carter et qu'elle*

avait fait entrer l'esprit de Debbie dans sa cellule pour le tourmenter. Williamson implorait aussi sa mère de lui pardonner.

En décembre, un an après le meurtre, Glen Gore fut convoqué au commissariat pour faire une déposition. Il nia toute implication dans la mort de Debbie Carter. Il déclara l'avoir vue au *Coachlight* quelques heures avant le drame et précisa qu'elle lui avait demandé de danser avec lui, car Ron Williamson la mettait mal à l'aise. Le fait qu'aucun autre témoin n'eût mentionné la présence de Ron au *Coachlight* ne retint pas l'attention des enquêteurs.

Si pressés fussent-ils de lui coller l'affaire sur le dos, les preuves étaient très insuffisantes. Aucune des empreintes relevées chez Debbie ne correspondait à celles de Ron et de Dennis, ce qui aurait dû mettre à mal la théorie selon laquelle ils étaient tous deux présents au moment de l'agression. Il n'y avait pas de témoin oculaire ; personne n'avait entendu de bruit cette nuit-là. L'analyse des poils, dont la fiabilité demeurait douteuse, était toujours en attente sur le bureau de Melvin Hett.

Le dossier monté contre Ron consistait en deux résultats « peu concluants » du détecteur de mensonge, une mauvaise réputation, la proximité de son domicile avec celui de la victime, et le témoignage tardif et suspect de Glen Gore.

Les éléments de preuve contre Dennis Fritz étaient encore plus maigres. Un an après le drame, le seul résultat tangible de l'enquête était son licenciement du collège où il enseignait.

En janvier 1984, Ron plaida coupable pour l'accusation d'utilisation frauduleuse de chèque ; il fut condamné à trois ans de réclusion dans un pénitencier, près de Tulsa. L'attention du personnel ayant rapidement été attirée par son comportement, il fut transféré et mis en observation dans une clinique psychiatrique. Le matin du 13 février, il eut un entretien avec le Dr Robert Briody, qui nota : « Il est calme et semble conscient de ses actes. » Au cours d'un second entretien, dans l'après-midi du même jour, le psychiatre vit une personne très différente. Ron était « dans un état maniaque, bruyant, irritable, facilement excité, avec des associations peu structurées, des idées folles, des pensées irrationnelles et des idéations paranoïaques ». Il recommandait une évaluation plus approfondie.

La surveillance de l'établissement n'était pas rigoureuse. Ayant découvert un terrain de base-ball tout proche, Ron faisait le mur pendant la nuit en quête de solitude. Un soir, un policier le trouva endormi sur le terrain et le reconduisit à la clinique. On lui passa un savon et on lui demanda de faire par écrit le récit de ce qui s'était passé.

Je ne me sentais pas bien l'autre soir et j'avais besoin d'un peu de temps pour réfléchir. J'ai toujours trouvé la tranquillité sur un terrain de base-ball. J'ai marché jusqu'à l'angle du terrain et, comme un vieux chien, je me suis couché en rond sous un arbre. Quelques minutes plus tard, un policier m'a demandé de regagner la clinique. J'ai rencontré Brents sur la route et nous sommes rentrés ensemble. Il a dit qu'il avait vu que je ne pensais pas à mal et que je ne serais pas puni. Comme cette lettre l'atteste, j'ai pourtant eu un compte rendu à faire.

Le suspect numéro un étant en prison, l'enquête sur le meurtre de Debbie Carter faisait du surplace. Les semaines s'écoulaient sans que rien avance. Dennis Fritz travailla quelque temps dans une maison de retraite, puis dans une usine. La police le harcelait par accès mais finit par se lasser. Glen Gore était toujours à Ada mais personne ne s'intéressait à lui.

La police restait sur sa faim, la tension était vive. Elle allait encore monter de plusieurs crans.

En avril 1984, une autre jeune femme fut assassinée à Ada. Sa mort n'avait aucun lien avec celle de Debbie Carter mais elle devait avoir de profondes répercussions sur la vie de Ron Williamson et de Dennis Fritz.

Denice Haraway, vingt-quatre ans, étudiante à l'université East Central, travaillait à mi-temps au magasin d'alimentation McAnally, à la limite est de la ville. Elle était mariée depuis huit mois avec Steve Haraway, étudiant lui aussi et fils d'un dentiste en vue. Les jeunes mariés vivaient dans un petit appartement appartenant au Dr Haraway.

Le samedi 28 avril au soir, vers 20 h 30, un client s'approchant du magasin d'alimentation croisa une jolie jeune femme qui en sortait. Elle était en compagnie d'un jeune homme, lui aussi âgé d'une vingtaine d'années, qui la tenait par la taille. Un couple d'amoureux, semblait-il.

Ils s'arrêtèrent devant un pick-up. La jeune femme monta la première, côté passager. Le jeune homme s'installa au volant, claqua sa portière et mit aussitôt le moteur en marche. Le véhicule prit la direction de l'est, vers la sortie de la ville. C'était un vieux pick-up Chevrolet à la peinture grise écaillée.

Le client entra dans le magasin. Il n'y avait personne. Le tiroir de la caisse enregistreuse était ouvert, vidé. Une cigarette finissait de se consumer dans un cendrier, près d'une canette de bière entamée. Il y avait un sac à main marron et un livre de cours ouvert derrière le comptoir. Le client chercha un vendeur, en vain. Soupçonnant un braquage, il avertit la police.

Dans le sac à main, un policier trouva un permis de conduire au nom de Denice Haraway. Le client reconnut sur la photo la jeune femme croisée devant le magasin moins d'une demi-heure auparavant. Il était formel : il venait souvent dans ce magasin et connaissait son visage.

L'inspecteur Dennis Smith était déjà au lit quand on l'informa de l'affaire. « Faites comme pour une scène de crime », ordonna-t-il avant de se recoucher. Ses instructions ne furent pas suivies. Le gérant du magasin habitait tout près des lieux. Dès son arrivée, il s'assura que le coffre n'avait pas été ouvert. Sous le comptoir une somme de quatre cents dollars en espèces attendait d'être déposée dans le coffre. Il trouva encore cent cinquante dollars dans un autre tiroir-caisse. En attendant l'arrivée d'un inspecteur, le gérant fit un peu de ménage. Il vida le cendrier contenant le mégot de cigarette et jeta la canette de bière ; personne ne l'en empêcha. Trop tard pour les empreintes digitales.

Steve Haraway révisait ses cours en attendant le retour de sa femme. Le coup de téléphone de la police lui fit l'effet d'une bombe. Il se rendit en toute hâte au magasin où il confirma que la voiture, les livres de cours et le sac à main étaient bien ceux de sa femme. Il donna son signalement à la police en faisant de son mieux pour se souvenir de ce qu'elle portait : un jean, des tennis, un chemisier dont il n'était pas sûr de la couleur.

Le dimanche matin, les trente-trois hommes de la police d'Ada étaient sur le pied de guerre. Des gendarmes arrivèrent des comtés voisins. Des dizaines de volontaires, au nombre desquels figurait l'association d'étudiants de Steve Haraway, vinrent proposer leurs services pour participer aux recherches. Gary

Rogers, l'agent de l'OSBI, fut chargé de diriger l'enquête au niveau de l'État, Dennis Smith restant à la tête de la police locale. Ils divisèrent le comté en secteurs et désignèrent des équipes pour fouiller chaque rue, le bas-côté des routes, les rivières, les fossés et les champs.

Une vendeuse d'un autre magasin d'alimentation proche de McAnally signala à la police que deux jeunes gens bizarres étaient passés et lui avaient fait peur, peu avant l'heure où Denice avait été vue pour la dernière fois. Âgés d'une vingtaine d'années, ils portaient les cheveux longs et avaient un drôle de comportement. Ils avaient fait une partie de billard avant de repartir dans un vieux pick-up.

Le témoin oculaire n'avait vu qu'un seul homme partir avec Denice, qui ne donnait pas l'impression d'être effrayée. Le signalement de l'inconnu correspondait plus ou moins à celui des deux types bizarres, un début de piste pour la police. Elle recherchait deux Blancs, âgés de vingt-deux à vingt-quatre ans. Un mètre soixante-douze à un mètre soixante-quinze, cheveux blonds tombant sur les oreilles et teint clair pour l'un, cheveux châtain clair jusqu'aux épaules pour l'autre, plus mince.

La chasse à l'homme du dimanche ne donna rien, pas le plus petit indice. Dennis Smith et Gary Rogers rassemblèrent leurs troupes à la tombée de la nuit et prirent des dispositions pour recommencer le lendemain matin.

Le lundi, ils reçurent de l'université une photographie de Denice et firent imprimer des affichettes. On y découvrait son joli visage et son signalement : un mètre soixante-trois, cinquante kilos, yeux noisette, cheveux blond foncé, teint clair. Les affichettes donnaient aussi le signalement des deux jeunes gens recherchés et celui du vieux pick-up. Elles furent placardées sur toutes les vitrines d'Ada et des environs par des policiers et des volontaires.

Avec l'aide de la vendeuse de l'autre magasin, un dessinateur de la police fit deux portraits-robots. Quand on les montra au témoin oculaire, il déclara que l'un d'eux était « assez ressemblant ». Le tout fut remis à la chaîne de télévision locale ; dès la première diffusion, les coups de téléphone affluèrent au commissariat.

Il y avait à l'époque quatre inspecteurs à Ada – Dennis Smith, Mike Baskin, D. W. Barrett et James Fox –, qui furent rapidement submergés. Plus d'une centaine d'appels et vingt-cinq noms de suspects potentiels.

Deux d'entre eux se détachaient du lot. Cité par une trentaine de personnes, Billy Charley fut convoqué par la police. Il arriva accompagné de ses parents qui déclarèrent qu'il avait passé avec eux toute la soirée du samedi.

L'autre nom, suggéré lui aussi par une trentaine d'habitants, était celui de Tommy Ward, un jeune homme bien connu de la police d'Ada. Tommy avait été arrêté plusieurs fois pour de petits délits – ivresse publique et vol –, mais rien de violent. Toute sa famille habitait à Ada et les Ward étaient considérés comme des gens honnêtes et travailleurs, qui ne demandaient rien à personne. Tommy avait vingt-quatre ans. Septième d'une famille de huit enfants, il n'avait pas terminé ses études secondaires.

Quand il se présenta au commissariat, les inspecteurs Smith et Baskin l'interrogèrent sur son emploi du temps du samedi. Après une partie de pêche, lui et un ami, Karl Fontenot, étaient allés à une soirée ; ils étaient rentrés chez eux à pied, à 4 heures du matin. Tommy n'avait pas de voiture. Les inspecteurs remarquèrent que ses cheveux blonds venaient d'être coupés très court, un travail d'amateur. Ils prirent un polaroïd de l'arrière de sa tête et le datèrent du 1er mai.

Sur les portraits-robots les suspects avaient tous deux des cheveux longs de couleur claire.

L'inspecteur Baskin se rendit chez Karl Fontenot et lui demanda de passer au commissariat pour répondre à quelques questions. Karl accepta mais ne se présenta pas. Baskin ne donna pas suite : Karl avait des cheveux longs et bruns.

Tandis que les recherches se poursuivaient fébrilement dans le comté de Pontotoc et aux alentours, le nom et le signalement de Denice Haraway étaient transmis aux services de police de tout le pays. Les appels arrivaient de partout mais ils ne furent d'aucune utilité. Denice avait disparu sans laisser la moindre trace.

Quand Steve Haraway ne distribuait pas des affichettes ou ne sillonnait pas les routes de campagne, il restait chez lui, entouré de quelques amis. Le téléphone sonnait constamment et chaque sonnerie éveillait une lueur d'espoir.

Denice n'avait eu aucune raison de s'enfuir. Mariés depuis moins d'un an et toujours très amoureux, les jeunes gens étaient en année de licence à l'université East Central ; ils attendaient d'être diplômés pour quitter Ada. Denice n'était pas partie de son plein gré, Steve en aurait donné sa tête à couper.

Chaque jour qui passait réduisait les chances de retrouver la jeune femme vivante. Si elle avait été victime d'un violeur, celui-ci l'aurait relâchée après avoir obtenu ce qu'il voulait. Si elle avait été enlevée pour des motifs crapuleux, on aurait demandé une rançon. Des bruits couraient sur un ex qui vivait au Texas, mais on ne pouvait y accorder foi. D'autres rumeurs parlaient de trafiquants de drogue, mais que ne raconte-t-on à propos d'une disparition.

L'émotion était vive, à Ada. Debbie Carter avait été assassinée dix-sept mois auparavant et les habitants venaient tout juste de se remettre de ce cauchemar. Les portes étaient fermées à double tour, les adolescents n'étaient plus autorisés à sortir le soir et les ventes d'armes à feu explosaient. Qu'arrivait-il à cette petite ville universitaire où se dressaient fièrement deux églises à chaque carrefour ?

Les semaines s'écoulèrent, la vie revint lentement à la normale. Avec l'été, arrivèrent les vacances scolaires. Les rumeurs s'estompèrent sans cesser totalement. Au Texas, un homme se vantait d'avoir tué dix femmes ; des policiers d'Ada s'empressèrent d'aller l'interroger. On découvrit dans le Missouri le corps d'une femme ; elle portait des tatouages sur les jambes. Denice n'avait jamais eu de tatouages.

L'automne arriva sans que la moindre piste, le moindre indice permette à la police de retrouver le corps de Denice Haraway.

Aucun progrès non plus dans l'enquête sur le meurtre de Debbie Carter. Avec ces deux crimes non élucidés, l'atmosphère devenait de plus en plus tendue dans les bureaux de la police. On travaillait d'arrache-pied, sans résultat. On reprenait des pistes abandonnées, en pure perte. Leur impuissance à résoudre les deux affaires rongeait Dennis Smith et Gary Rogers. Surtout Rogers.

Un an avant la disparition de Denice Haraway, une affaire semblable avait secoué la ville de Seminole, à cinquante kilomètres au nord d'Ada. Patty Hamilton, une jeune fille de dix-huit ans qui travaillait dans une alimentation de nuit, avait disparu. Un client avait trouvé le magasin vide, le tiroir-caisse ouvert et deux canettes de boisson gazeuse sur le comptoir. Il n'y avait aucune trace de lutte et la voiture de Patty était garée devant le magasin. La police, qui ne disposait d'aucune piste, supposait qu'elle avait été enlevée et assassinée.

L'agent de l'OSBI en charge de l'affaire Hamilton était Gary Rogers. Debbie Carter, Denice Haraway, Patty Hamilton, trois jeunes femmes disparues ou assassinées. Rogers avait ces trois affaires non élucidées sur les bras.

Au temps où l'Oklahoma n'était encore qu'un territoire, Ada avait la réputation justifiée d'être un refuge pour hors-la-loi et gibier de potence. Les querelles se réglaient au six-coups et celui qui avait dégainé le plus vite n'avait rien à craindre des autorités. Les voleurs de banque et de bétail s'y retrouvaient en toute impunité car la région avait encore le statut de Territoire indien, et non celui d'État. Les shérifs, quand on parvenait à en trouver, n'étaient pas de taille contre les criminels endurcis qui s'établissaient à Ada et dans les environs.

En 1909, la population s'en mêla. Un éleveur respecté du nom de Gus Bobbit avait été abattu par un tueur professionnel à la solde d'un fermier rival. Le tueur et ses trois complices avaient été arrêtés quand la fièvre de la pendaison se propagea dans la ville. Au matin du 19 avril, sous la conduite des Mason, la famille la plus respectable d'Ada, un groupe de lyncheurs se rassembla, descendit solennellement la rue principale et arriva à la prison. Ils neutralisèrent le shérif, sortirent les quatre bandits de leur cellule et les traînèrent dans la rue, jusqu'à l'écurie choisie pour l'occasion. Ils leur attachèrent les poignets et les chevilles avec du fil métallique avant de les pendre cérémonieusement.

Le lendemain matin, à la première heure, un photographe vint installer son appareil dans l'écurie et prit plusieurs clichés. L'un d'eux a traversé le temps. L'image passée, en noir et blanc, montre distinctement les quatre hommes pendus au bout d'une corde, immobiles, sans vie. La photographie reproduite sur une carte postale fut distribuée par la chambre de commerce.

Ce lynchage resta longtemps l'événement le plus glorieux de l'histoire de la ville d'Ada.

5.

Dans l'affaire Carter, Dennis Smith et Gary Rogers pouvaient s'appuyer sur une autopsie, des échantillons de poils, des résultats « suspects » du détecteur de mensonge, et, surtout, ils avaient l'intime conviction de tenir leur tueur. Ron Williamson était à l'ombre pour un certain temps mais il reviendrait. Tôt ou tard, ils le coinceraient.

Dans l'affaire Haraway, ils n'avaient rien – pas de corps, pas le plus petit indice. Les portraits-robots du dessinateur de la police pouvaient désigner la moitié des jeunes gens d'Ada. Les enquêteurs n'espéraient plus qu'un coup de chance.

Il se produisit au début du mois d'octobre 1984. Un jeune homme se présenta au commissariat et demanda à parler à l'inspecteur Smith. Il prétendait avoir des informations sur l'affaire Haraway.

Jeff Miller habitait à Ada. Il n'avait pas de casier judiciaire mais la police le connaissait vaguement. Il faisait partie de ces nombreux jeunes qui sortaient le soir, vivaient de petits boulots ou travaillaient épisodiquement dans les usines de la ville. Miller prit place sur une chaise et raconta son histoire.

Le soir où Denice Haraway avait disparu, il y avait une fête près de la Blue River, à quarante kilomètres au sud d'Ada. Jeff n'était pas invité à la soirée mais il connaissait deux filles qui y étaient allées. Ces deux filles, dont il donna le nom à Smith, lui avaient raconté qu'elles avaient vu Tommy Ward à la soirée.

Quand l'alcool était venu à manquer, Tommy s'était porté volontaire pour aller acheter de la bière. Sans voiture, il avait emprunté le pick-up d'une certaine Janette Roberts. Il était parti seul et s'était absenté plusieurs heures. À son retour – sans la bière – il avait paru égaré et s'était mis à pleurer. Quand on lui avait demandé pourquoi, il avait répondu qu'il avait fait quelque chose de terrible. Quoi donc ? Tommy aurait alors raconté qu'il était allé jusqu'à Ada en négligeant sur la route plusieurs magasins ouverts, qu'il s'était retrouvé au McAnally, qu'il avait embarqué la vendeuse, l'avait violée, tuée, qu'il avait caché son corps et qu'il était atterré par ce qu'il avait fait.

Comme s'il n'y avait rien de plus naturel que de confesser un crime hideux à une bande de soiffards et d'habitués de la fumette.

Jeff Miller n'avait pas la moindre idée de ce qui avait poussé les deux filles à lui raconter cette histoire plutôt qu'à la police ni de la raison pour laquelle elles avaient attendu cinq mois pour le faire.

Si absurde que fût ce témoignage, Dennis Smith s'empressa de suivre la piste. Il se mit à la recherche des deux filles mais elles avaient quitté Ada. Quand il finit par les retrouver, un mois plus tard, elles nièrent avoir participé à la soirée, y avoir vu Tommy Ward, avoir entendu parler d'une jeune vendeuse – ou de n'importe quelle jeune femme – enlevée et tuée, en un mot tout ce qui faisait la substance du récit de Jeff Miller.

Janette Roberts vivait à Norman avec son mari, Mike. Le 12 octobre, les inspecteurs Smith et Baskin débarquèrent chez elle. Ils lui demandèrent de les accompagner au commissariat où ils auraient quelques questions à lui poser. Elle les suivit de mauvaise grâce.

Janette reconnut dans le courant de l'interrogatoire qu'avec son mari, Tommy Ward, Karl Fontenot et beaucoup d'autres, il lui arrivait souvent de faire la fête au bord de la Blue River, mais elle était presque sûre que ce n'était pas le cas le soir de la disparition de Denice Haraway. Elle prêtait souvent son pick-up à Tommy mais il n'était jamais parti au volant du véhicule pendant une soirée au bord de la rivière ni ailleurs. Elle ne l'avait jamais vu bouleversé ni en pleurs, elle ne l'avait jamais entendu raconter qu'il avait violé et tué une jeune femme. C'était une histoire à dormir debout.

Les inspecteurs furent agréablement surpris d'apprendre que Tommy Ward vivait chez les Roberts et travaillait avec Mike. Les deux hommes étaient employés dans une entreprise de revêtements extérieurs ; ils travaillaient beaucoup, le plus souvent du lever au coucher du soleil. Smith et Baskin décidèrent de rester à Norman jusqu'au retour de Tommy. Ils l'attendraient au poste de police pour lui poser quelques questions.

Tommy et Mike s'étaient arrêtés sur la route pour acheter un pack de bières. Une fois à la maison, ils prirent le temps de boire – une raison pour ne pas répondre à l'invitation des flics. Tommy n'aimait pas les flics et ne voulait pas aller au commissariat. Ceux d'Ada l'avaient cuisiné quelques mois auparavant pour l'affaire Haraway ; il croyait en avoir fini avec eux. Une des raisons pour lesquelles il avait quitté Ada était que trop de gens lui faisaient remarquer qu'il ressemblait à un des portraits-robots. Il en avait eu ras le bol. Ce n'était qu'un truc dessiné par un type qui n'avait jamais vu le suspect et ne le verrait jamais, et diffusé dans une ville avide de trouver une ressemblance avec un visage connu. Tout le monde voulait aider la police. La disparition de Denice avait fait du bruit. Tous les gens que Tommy connaissait avaient à un moment ou à un autre donné leur avis sur l'identité des suspects.

Tommy avait déjà eu maille à partir avec la police d'Ada. Rien de bien méchant, rien de violent mais ils le connaissaient et il les connaissait. Il préférait éviter Smith et Rogers.

Janette estimait que, si Tommy n'avait rien à cacher, il ne risquait rien à répondre aux questions des inspecteurs. Il n'avait rien à voir avec l'affaire Haraway. Après avoir pesé le pour et le contre pendant une heure, Tommy demanda à Mike de le conduire au commissariat.

Smith et Baskin le firent entrer dans une pièce où était installé un équipement vidéo et expliquèrent qu'ils voulaient filmer l'entretien. Tommy était nerveux, mais il accepta. Ils mirent la caméra en marche, ils lui lurent ses droits et il signa.

Les inspecteurs se montrèrent polis : c'était un interrogatoire de routine, rien d'important. Ils demandèrent à Tommy s'il se souvenait de leur dernier entretien, qui remontait à cinq mois. Bien sûr qu'il s'en souvenait. Leur avait-il dit la vérité, ce jour-là ? Oui. Disait-il la vérité maintenant ? Oui.

Au bout de quelques minutes, sous le feu croisé des questions des inspecteurs, Tommy mélangeait les dates. Le jour de la disparition de Denice Haraway, il avait fait de la plomberie chez sa mère et s'était douché avant de partir à une soirée chez les Roberts qui, à l'époque, habitaient à Ada. Il en était reparti à 4 heures du matin et était rentré chez lui à pied. Lors du premier interrogatoire, il avait déclaré aux policiers que cela s'était passé la veille de la disparition. « Je mélange les dates », déclara-t-il pour se justifier, sans convaincre les inspecteurs.

Les questions reprirent de plus belle.

— Quand vous êtes-vous rendu compte que vous ne nous aviez pas dit la vérité ?

— Dites-vous la vérité maintenant ?

— Savez-vous que vous vous mettez dans de sales draps ?

Leur ton se fit plus dur, accusateur. Smith et Baskin n'hésitèrent pas à mentir en prétendant que plusieurs témoins déclaraient que Tommy se trouvait au bord de la Blue River le soir de la disparition de Denice et qu'il était parti au volant d'un pick-up.

Tommy s'en tint à sa version, affirmant qu'ils se trompaient de jour. Il avait fait une partie de pêche le vendredi, avait passé la soirée chez les Roberts le samedi et était allé à la fête au bord de la Blue River le dimanche.

Il se demanda pourquoi les flics mentaient. Il savait ce qui était vrai ou non.

Les mensonges continuèrent.

— N'est-il pas vrai que vous étiez parti dévaliser le McAnally ? Plusieurs personnes sont prêtes à en témoigner.

Tommy nia farouchement mais il était profondément troublé. Si les inspecteurs mentaient de façon aussi grossière, de quoi étaient-ils capables ?

Dennis Smith prit une photographie de grand format de Denice Haraway et la colla sous le nez de Tommy.

— Connaissez-vous cette jeune femme ?

— Je ne la connais pas. Je l'ai déjà vue, c'est tout.

— L'avez-vous tuée ?

— Non. Je n'ai jamais tué personne.

— Qui l'a tuée ?

— Je ne sais pas.

Smith continua d'agiter la photo en demandant s'il la trouvait jolie.

— Sa famille voudrait l'inhumer. Ils voudraient savoir où est le corps pour pouvoir l'enterrer au cimetière.

— Je ne sais pas où elle est, déclara Tommy, les yeux fixés sur la photo, en se demandant pourquoi on l'accusait.

— Voulez-vous me dire où elle est, pour que sa famille puisse l'enterrer ?

— Je ne le sais pas.

— Servez-vous de votre imagination, poursuivit Smith. Deux types l'ont enlevée, l'ont embarquée dans un pick-up et ont disparu. Qu'ont-ils fait du corps, à votre avis ?

— Aucune idée.

— Servez-vous de votre imagination. Dites-moi ce que vous en pensez.

— Autant que je sache, elle est peut-être encore vivante. Personne n'en sait rien.

La photo à la main, Smith poursuivit son interrogatoire. Les enquêteurs ne faisaient aucun cas des réponses de Tommy, comme s'il mentait ou comme s'ils n'avaient pas entendu. Ils continuèrent de lui demander s'il la trouvait jolie. Croyait-il qu'elle avait crié pendant le viol ? Ne pensait-il pas que sa famille devrait pouvoir l'enterrer ?

— Avez-vous prié, Tommy ? demanda Smith.

Il finit par reposer la photo et interrogea Tommy sur sa santé mentale, les portraits-robots et son éducation. Puis il reprit la photo et l'agita sous le nez de Tommy. La litanie de questions recommença. Avait-il tué la jeune femme ? Sa famille pouvait-elle l'enterrer ? Ne la trouvait-il pas jolie ?

Mike Baskin entreprit de lui tirer des larmes en parlant de ce que subissait la famille de Denice.

— Il suffirait pour mettre fin à leurs souffrances de dire où est le corps.

Tommy acquiesça mais il répéta qu'il n'en avait pas la moindre idée.

Les enquêteurs finirent par arrêter la caméra ; l'interrogatoire avait duré une heure et quarante-cinq minutes. Tommy Ward n'avait pas dévié de sa première déposition : il ne savait rien sur la disparition de Denice Haraway. Il sortit secoué de l'interrogatoire mais accepta de se soumettre quelques jours plus tard au détecteur de mensonge.

Les Roberts n'habitaient qu'à quelques centaines de mètres du commissariat ; Tommy décida de rentrer à pied. Le bon air lui fit du bien mais il enrageait. Les flics l'avaient accusé d'avoir tué la jeune femme. Ils n'avaient cessé de mentir pour le piéger.

Smith et Baskin prirent la route d'Ada, convaincus de tenir leur coupable. Tommy Ward avait une forte ressemblance avec le portrait-robot d'un des deux jeunes types bizarres qui étaient passés dans l'autre magasin d'alimentation le soir de la disparition de Denice. Il avait modifié sa version de son emploi du temps ce soir-là. Et il leur avait semblé nerveux tout au long de l'interrogatoire.

Au début, Tommy se sentit soulagé à l'idée de passer au détecteur de mensonge. Il dirait la vérité, l'appareil le prouverait et les flics lui ficheraient la paix. Puis il commença à faire des cauchemars. Les accusations des policiers, sa ressemblance avec le portrait-robot du suspect, le joli visage de Denice Haraway, la douleur de sa famille. Pourquoi l'accusait-on ?

Les policiers le croyaient coupable. Ils le voulaient coupable ! Pouvait-il leur faire confiance s'il acceptait de se soumettre au détecteur de mensonge ? Devait-il prendre un avocat ?

Il appela sa mère pour lui dire qu'il avait peur de la police et du détecteur de mensonge. « J'ai peur qu'ils me fassent dire quelque chose que je ne devrais pas dire », expliqua-t-il. Elle lui conseilla de s'en tenir à la vérité et tout se passerait bien.

Le jeudi 18 octobre au matin, Mike Roberts conduisit Tommy dans les locaux de l'OSBI, à Oklahoma City. L'opération devait prendre une heure. Mike attendrait sur le parking et ils repartiraient ensemble au travail. Leur patron leur avait donné deux heures. En regardant Tommy entrer dans le bâtiment, Mike Roberts ne pouvait imaginer que son ami faisait ses derniers pas d'homme libre. Qu'il passerait le reste de sa vie derrière les barreaux.

Dennis Smith accueillit Tommy avec un grand sourire et une chaleureuse poignée de main. Puis il le fit attendre une demi-heure dans un bureau – un truc de la police pour rendre le suspect encore plus nerveux. À 10 h 30, il l'installa dans une autre pièce où attendaient l'agent Rusty Featherstone et son fidèle détecteur de mensonge.

Smith disparut. Featherstone expliqua comment fonctionnait – ou était censé fonctionner – l'appareil tout en tendant les sangles et en appliquant les électrodes. Quand vint le moment des questions, Tommy était déjà en sueur. Les premières étaient faciles : famille, éducation, emplois. Tout le monde savait à quoi s'en tenir ; l'appareil n'indiquait rien. Tommy commençait à se dire que tout allait peut-être bien se passer.

À 11 h 05, Featherstone lui lut ses droits et aborda l'affaire Haraway. Au long des deux heures et demie d'un interrogatoire tortueux, Tommy s'en tint à la vérité : il ne savait rien sur la disparition de Denice.

Le test se poursuivit sans interruption jusqu'à 13 h 30. Featherstone débrancha et quitta la pièce. Tommy se sentit soulagé. Il commençait même à exulter. L'épreuve était terminée, il avait réussi ; les flics allaient le laisser tranquille.

Featherstone revint cinq minutes plus tard, se pencha sur les graphiques, étudia les résultats. Il demanda à Tommy ce qu'il en pensait. Tommy répondit qu'il savait qu'il avait réussi, que l'affaire était réglée et qu'il devait absolument partir travailler.

« Pas si vite, répliqua Featherstone. Vous avez échoué au test. »

Tommy était incrédule. Le policier déclara qu'il sautait aux yeux qu'il avait menti et qu'il était manifestement impliqué dans l'enlèvement de Denice. Voulait-il en parler ?

Parler de quoi ?

« Le détecteur de mensonge ne ment pas, affirma Featherstone en montrant les résultats. Vous savez quelque chose sur cette disparition. » Tout serait plus facile pour Tommy s'il vidait son sac, s'il racontait ce qui s'était passé, s'il disait la vérité. Featherstone ne demandait qu'à l'aider, mais si Tommy refusait la main tendue, il serait obligé de le mettre entre les pattes de Smith et de Rogers, les méchants flics, qui n'attendaient que cela.

« Racontez-moi ce qui s'est passé », demandait Featherstone.

« Il n'y a rien à raconter », répétait Tommy. Il affirma que l'appareil était truqué, qu'il disait la vérité mais Featherstone refusait de le croire.

Tommy reconnut qu'il était nerveux avant de venir et anxieux pendant le test, car il arriverait en retard au travail. Il avoua aussi que l'interrogatoire mené quelques jours plus tôt par Smith et Rogers l'avait profondément perturbé et qu'il avait fait un rêve.

« Quel genre de rêve ? » s'enquit Featherstone.

Tommy raconta son rêve. Il était à une soirée bière au tonneau, assis dans un pick-up avec deux gars et une fille, près de l'ancienne centrale électrique d'Ada. Un des hommes essaya d'embrasser la fille ; elle refusa. Tommy lui demanda de la laisser tranquille, puis il dit qu'il voulait rentrer à la maison. « Tu es déjà à la maison », lança un des hommes. Tommy regarda par la vitre : il était chez lui. Juste avant de se réveiller, il se vit devant le lavabo, essayant vainement de se débarrasser d'un liquide noir qu'il avait sur les mains. Il ne savait pas qui était la fille ni les deux types du pick-up.

« Ce rêve n'a aucun sens, déclara Featherstone.

— Comme la plupart des rêves », observa Tommy.

Sans se départir de son calme, l'agent de l'OSBI continua à presser Tommy de vider son sac, de tout lui dire sur le crime, surtout où était caché le corps. Il le menaça de nouveau de le mettre entre les pattes des « deux flics » qui attendaient dans la pièce voisine, comme si une longue séance de torture était en préparation.

Tommy ne savait plus où il en était et surtout, il avait très peur. Comme il ne passait pas aux aveux, Featherstone l'emmena dans la pièce voisine où Smith et Rogers, visiblement furieux, semblaient disposés à le rouer de coups. Featherstone resta avec eux. La porte à peine fermée, Smith ouvrit le feu.

— Vous avez enlevé cette fille avec l'aide de Karl Fontenot et d'Odell Titsworth, vous l'avez entraînée derrière la centrale électrique, vous l'avez violée et vous l'avez tuée !

— Non, répondit Tommy en s'efforçant de garder les idées claires et de ne pas paniquer.

— Dis la vérité, petit salopard ! gronda Smith. Le détecteur de mensonge montre que tu as menti ! Nous savons que tu as tué cette fille !

Tommy essayait de retrouver qui était Odell Titsworth. Il le connaissait de nom mais ne l'avait jamais rencontré. Titsworth vivait près d'Ada et avait mauvaise réputation mais Tommy ne l'avait jamais vu. Peut-être l'avait-il croisé une ou deux fois, mais il avait de la peine à fouiller dans sa mémoire, à cause de Smith qui lui hurlait dans les oreilles et se faisait menaçant.

Smith reprit sa théorie des trois hommes qui avaient enlevé la jeune femme. Tommy nia.

— Je n'ai rien à voir là-dedans. Je ne connais même pas Odell Titsworth.

— Si, vous le connaissez ! rugit Smith. Arrêtez de mentir !

Le rôle attribué à Karl Fontenot était plus facile à comprendre : il entretenait avec Tommy des rapports d'amitié depuis deux ou trois ans. Tommy était abasourdi par les accusations des policiers et terrifié par le sentiment d'intime conviction qui émanait d'eux. Ils continuaient d'alterner menaces et insultes. Leur langage devenait franchement ordurier.

Tommy était couvert de sueur, la tête lui tournait, il essayait désespérément de réfléchir. Il donnait des réponses succinctes. « Non, je n'ai rien fait. Je n'ai rien à voir avec cette histoire. » La peur le retint deux ou trois fois de lancer des remarques sarcastiques. Smith et Rogers fulminaient et ils étaient armés. Tommy était enfermé dans une pièce avec les trois policiers. L'interrogatoire ne semblait pas près de s'achever.

Après trois heures d'angoisse avec Featherstone et une heure du supplice infligé par Smith et Rogers, Tommy avait besoin de récupérer. D'aller aux toilettes, de griller une cigarette, de s'éclaircir les idées. De trouver de l'aide, de parler à quelqu'un qui lui expliquerait ce qui se passait.

— On peut faire une pause ?

— Quelques minutes, pas plus.

Tommy remarqua que la caméra vidéo posée sur une table était débranchée – la plus sûre façon de ne pas enregistrer le torrent de grossièretés qui s'était déversé sur lui. Il se dit que ce ne devait pas être réglementaire.

Smith et Rogers lui rappelèrent que l'Oklahoma utilisait une injection létale pour exécuter les assassins. Il risquait la mort, une mort certaine, mais il y avait peut-être un moyen d'y échapper. S'il passait aux aveux, s'il leur racontait ce qui s'était passé et les conduisait au corps, ils feraient de leur mieux pour trouver un arrangement.

— Je n'ai rien fait, répétait Tommy.

Featherstone mit ses collègues au courant du rêve du suspect.

Tommy refit le récit de son rêve, qui provoqua le scepticisme des policiers. Ils convinrent qu'il n'avait aucun sens.

« Comme la plupart des rêves », répéta Tommy.

Mais cela leur donna du grain à moudre. Les deux hommes du pick-up étaient certainement Odell Titsworth et Karl Fontenot.

— Non, répondit Tommy. Ils n'avaient pas de nom. Je ne sais pas qui ils étaient.

— Foutaises ! Et la fille, c'était Denice Haraway !

— Non. Je ne sais pas qui était la fille de mon rêve.

— Foutaises !

Pendant une heure, les policiers ajoutèrent au rêve de Tommy tous les détails inventés qui les arrangeaient. Il nia tout. « Ce n'était qu'un rêve, répéta-t-il inlassablement. Rien qu'un rêve.

— Foutaises ! »

Au bout de deux heures de harcèlement ininterrompu, Tommy finit par craquer. À cause de la peur que lui inspiraient les policiers – Smith et Rogers étaient hors d'eux et semblaient parfaitement capables de le tabasser, voire de sortir leur arme – mais aussi à cause de l'horrible perspective du couloir de la mort.

Il devenait évident que les flics ne le laisseraient pas partir s'il ne lâchait pas quelque chose. Après cinq heures d'interrogatoire, il était épuisé, égaré et paralysé par la peur.

Tommy commit une erreur. Une erreur qui allait bel et bien l'envoyer dans le couloir de la mort, puis lui coûter la liberté jusqu'à la fin de ses jours.

Il décida d'entrer dans le jeu des flics. Comme il était totalement innocent et qu'il supposait que Karl et Odell Titsworth devaient l'être, il allait leur dire ce qu'ils voulaient entendre. La vérité serait rapidement découverte. Dès le lendemain, ou le surlendemain, les flics se rendraient compte que cette histoire ne collait pas. Ils interrogeraient Karl qui leur dirait la vérité. Ils interrogeraient Odell Titsworth qui leur rirait au nez.

« Joue leur jeu, se dit-il. La police fera son travail et comprendra. »

Si son rêve tenant lieu d'aveux était vraiment ridicule, qui pourrait y attacher foi ?

C'est bien Odell qui était entré le premier dans le magasin ?

Oui. Pourquoi pas lui ? Ce n'était qu'un rêve.

Les flics avaient enfin quelque chose à se mettre sous la dent. Leur tactique habile faisait enfin craquer le suspect.

Le vol était bien le mobile ?

Oui. Peu importe. Ce n'était qu'un rêve.

Tout au long de l'après-midi, Smith et Rogers ajoutèrent des inventions au rêve de Tommy et il joua leur jeu.

Ce n'était qu'un rêve.

Même durant ces « aveux » absurdes, la police aurait dû comprendre qu'elle se fourvoyait. L'inspecteur Baskin attendait au commissariat d'Ada, près du téléphone, regrettant de ne pas être à l'OSBI, au cœur de l'action. Vers 15 heures, Gary Rogers appela pour annoncer la grande nouvelle : Tommy Ward s'était mis à table ! Il demanda à Baskin de se rendre dare-dare à la centrale électrique, à l'ouest de la ville. Le corps y serait. Baskin sauta dans une voiture, certain que les recherches seraient bientôt terminées.

Il ne trouva rien et comprit qu'il faudrait envoyer plusieurs hommes pour passer les lieux au peigne fin. À son retour au commissariat, nouvel appel de Rogers. La version de Tommy avait changé. Il y avait une vieille maison détruite par un incendie juste avant la centrale électrique, sur la droite. C'est là que le corps se trouvait !

Barkin repartit, trouva la maison et fouilla en vain dans les décombres. Il revint au commissariat.

Troisième appel de Rogers. La version de Tommy avait encore changé. Quelque part entre la centrale électrique et la maison détruite par les flammes se trouvait un blockhaus. C'est là qu'ils avaient caché le corps.

Baskin se mit en route avec deux policiers et des projecteurs. Ils trouvèrent le blockhaus et fouillèrent jusqu'à la tombée de la nuit sans rien trouver.

À chaque coup de téléphone, Smith et Rogers apportaient des modifications au rêve de Tommy. Les heures s'écoulaient, le suspect était épuisé. Ils continuaient de le cuisiner, gentil flic, méchant flic, murmure presque sympathique alternant avec des hurlements, des invectives, des menaces. « Sale petit menteur ! » était leur insulte préférée. Tommy l'entendit mille fois.

— Tu as de la chance que Mike Baskin ne soit pas là ! rugissait Smith. Il t'aurait fait sauter la cervelle !

Tommy n'aurait pas été étonné qu'on lui tire une balle dans la tête.

À la nuit tombée, comprenant qu'ils ne trouveraient pas le corps ce jour-là, Smith et Rogers décidèrent d'enregistrer les aveux. Avant de mettre en marche la caméra vidéo, ils firent répéter son histoire à Tommy, en commençant par la virée des trois tueurs dans le vieux pick-up de Titsworth. Ils étaient partis pour un hold-up mais en se rendant compte que Denice les reconnaîtrait, ils avaient décidé de l'enlever, puis ils l'avaient violée et tuée. L'endroit où se trouvait le corps n'avait pas été révélé avec précision mais les inspecteurs étaient sûrs qu'il était dans les parages de la centrale électrique.

Tommy était complètement abruti, presque incapable d'articuler un mot. Il essaya de répéter le récit fait par les flics mais il mélangeait tout. Smith et Rogers l'interrompaient et le faisaient reprendre. De guerre lasse, après quatre répétitions aussi insatisfaisantes les unes que les autres, ils décidèrent d'enregistrer les aveux de Tommy Ward.

— Vas-y, ordonnèrent-ils. Fais ça bien et laisse tomber ton rêve à la con.

— Mais cette histoire n'est pas vraie, protesta Tommy.

— Ça ne fait rien. Raconte-la quand même. On t'aidera à prouver que ce n'est pas vrai. Et laisse tomber ton rêve à la con.

À 18 h 58, face à la caméra qui tournait, Tommy Ward déclina son nom et ses prénoms. Après avoir été cuisiné pendant huit heures et demie, il n'était plus qu'une loque.

Il fumait une cigarette, sa première de l'après-midi. Devant lui était posée une canette de soda, comme si une petite conversation sympa venait juste de prendre fin.

Il raconta son histoire. Avec Karl Fontenot et Odell Titsworth, ils avaient enlevé Denice Haraway, l'avaient emmenée à la centrale électrique, à l'ouest d'Ada, où ils l'avaient violée et tuée. Puis ils s'étaient débarrassés du corps à proximité d'un blockhaus, à Sandy Creek. L'arme du crime était le couteau à cran d'arrêt de Titsworth.

C'était un rêve, dit Tommy. Ou il voulut le dire. Ou il crut le dire.

Il prononça à plusieurs reprises le nom « Titsdale ». Les inspecteurs l'interrompaient pour rectifier : « Titsworth ». Tommy reprenait le fil de son récit. « Le plus aveugle des flics verrait que je mens », se disait-il.

Trente et une minutes plus tard, l'enregistrement s'acheva. On passa les menottes à Tommy qui fut conduit à Ada pour y être écroué. Mike Roberts attendait toujours sur le parking de l'OSBI. Il y était depuis plus de neuf heures.

Le lendemain matin, Smith et Rogers donnèrent une conférence de presse pour annoncer qu'ils avaient élucidé l'affaire Haraway. Tommy Ward, vingt-quatre ans, originaire d'Ada, avait reconnu les faits et mis en cause deux autres personnes qui n'avaient pas encore été interpellées. Les enquêteurs demandèrent aux journalistes de ne pas ébruiter l'affaire pendant quarante-huit heures, pour leur laisser le temps d'arrêter les autres suspects. Le journal local joua le jeu, pas la chaîne de télévision couvrant le sud-est de l'Oklahoma. La nouvelle fut annoncée peu après.

Quelques heures plus tard, Karl Fontenot fut arrêté près de Tulsa et conduit à Ada. Forts de leur réussite avec Tommy, Smith et Rogers se chargèrent de l'interrogatoire. Une caméra vidéo était prête mais il ne fut pas enregistré.

Karl avait vingt ans et subvenait à ses besoins depuis l'âge de seize ans. Il avait passé son enfance à Ada dans le dénuement et dans le malheur – son père était alcoolique et il avait vu sa mère mourir dans un accident de la circulation. C'était un garçon impressionnable qui avait très peu d'amis.

Il déclara qu'il était innocent et qu'il ne savait rien sur la disparition de Denice.

Karl se révéla bien plus facile à briser que Tommy. En moins de deux heures, Smith et Rogers avaient enregistré d'autres aveux, étrangement semblables à ceux de Tommy.

Dès qu'il fut écroué, Karl revint sur ses aveux. Il déclara par la suite : « Jamais je n'avais fait de prison, jamais je n'avais été condamné, jamais on ne m'avait accusé d'avoir tué une jolie fille et menacé de la peine de mort, alors je leur ai dit ce qu'ils voulaient pour qu'ils me laissent tranquille. C'est ce qu'ils ont fait après avoir filmé ma déposition. Ils ont dit que j'avais le choix : l'écrire ou la filmer. Je ne savais même pas ce que voulaient dire déposition ou aveux avant qu'ils me disent que j'avais avoué. C'est pour ça que j'ai fait une fausse déposition, pour qu'ils me laissent tranquille. »

La police ne perdit pas de temps à informer la presse que Ward et Fontenot avaient fait des aveux complets. Le mystère Haraway était résolu, au moins en majeure partie. Ils étaient à la recherche de Titsworth et pensaient inculper les trois hommes d'homicide dans les jours qui venaient.

À proximité de la maison ravagée par un incendie, la police trouva les restes de ce qui semblait être un maxillaire. L'*Ada Evening News* fit état de cette découverte dès le lendemain.

En dépit du soin apporté par les enquêteurs à lui faire répéter ce qu'il aurait à dire, les aveux de Karl ne valaient pas grand-chose. Il y avait d'énormes divergences entre sa version des faits et celle de Tommy. Elles se contredisaient même sur des points tels que l'ordre dans lequel les trois hommes avaient violé Denice, le fait qu'elle ait été poignardée ou non par ses agresseurs pendant le viol, le nombre de coups de couteau, le fait qu'elle ait réussi ou non à se dégager et à parcourir quelques mètres avant d'être rattrapée et le moment auquel elle était morte. La contradiction la plus flagrante était la manière dont ils l'avaient tuée et ce qu'ils avaient fait du corps.

D'après Tommy, elle avait reçu de nombreux coups de couteau pendant le viol, à l'arrière du pick-up d'Odell. C'est là qu'elle était morte. Ils avaient ensuite balancé son corps dans un fossé, près du blockhaus. Karl n'avait pas les mêmes souvenirs. Selon sa version, ils l'avaient entraînée dans une maison abandonnée, où Odell Titsworth l'avait poignardée et fourrée sous le plancher. Il avait ensuite versé de l'essence sur le corps et mis le feu à la maison.

Les deux versions se rejoignaient pourtant sur le rôle d'Odell Titsworth. Il était l'organisateur, le cerveau qui avait embarqué les deux autres dans son pick-up, leur avait boire de la bière et fumer de l'herbe pour les préparer à attaquer un magasin d'alimentation. La bande avait choisi McAnally. C'est Odell qui était entré, avait vidé le tiroir-caisse, enlevé la fille et expliqué à ses potes qu'ils seraient obligés de la tuer pour qu'elle ne donne pas leur signalement. C'est lui qui les avait conduits à la centrale électrique, lui qui avait mené le viol, en passant le premier. Lui encore qui avait sorti son arme, un couteau à cran d'arrêt, avec une lame de quinze centimètres. Lui qui avait poignardé la fille et avait fait brûler le corps ou s'en était débarrassé, selon la version.

Ils reconnaissaient avoir participé au crime mais le véritable coupable était Odell Titsworth – ou Titsdale.

Le vendredi 19 octobre, en fin d'après-midi, la police arrêta Odell Titsworth et l'interrogea. Déjà condamné à quatre reprises, il traitait les policiers par le mépris et avait une solide expérience des ruses employées pendant un interrogatoire. Pas question de se laisser impressionner. Il ne savait rien sur l'affaire Haraway et se balançait de ce que Ward et Fontenot avaient déclaré devant une caméra. Il ne les connaissait ni l'un ni l'autre.

L'interrogatoire ne fut pas filmé ; Titsworth fut jeté en prison. Il lui revint bientôt à l'esprit que le 26 avril, il s'était cassé le bras au cours d'une bagarre avec la police. Deux jours plus tard, le soir de la disparition de Denice, il était chez sa petite amie, le bras dans le plâtre.

Dans leurs aveux, ses deux complices présumés disaient qu'il portait un tee-shirt et qu'il avait les bras couverts de tatouages. En réalité, son bras gauche était enserré dans un plâtre. Dennis Smith se renseigna et trouva à l'hôpital un rapport de police et un dossier médical qui confirmaient indiscutablement les déclarations d'Odell. Smith parla à son médecin traitant qui expliqua qu'il s'agissait d'une fracture en spirale entre le coude et l'épaule, très douloureuse. Il lui eût été impossible de transporter un corps ou d'agresser violemment quelqu'un deux jours après la fracture. Il avait le bras plâtré et soutenu par une écharpe. Il n'aurait rien pu faire.

Les aveux devenaient de moins en moins crédibles. Tandis que des policiers fouillaient les décombres de la maison incendiée, le propriétaire vint leur demander ce qu'ils faisaient. Quand ils lui expliquèrent qu'ils cherchaient les restes de Denice Haraway qu'un de leurs suspects avait avoué avoir brûlé avec la maison, le propriétaire déclara que ce n'était pas possible. Il avait mis le feu lui-même à la vieille baraque en juin 1983, dix mois avant la disparition de la jeune femme.

Le médecin légiste de l'État conclut de son analyse du maxillaire qu'il s'agissait d'un os d'opossum. Le résultat fut communiqué à la presse.

Mais on omit de lui parler de la date à laquelle la vieille maison avait brûlé, du bras plâtré d'Odell Titsworth et du fait que Tommy et Karl étaient immédiatement revenus sur leurs aveux.

Tommy Ward et Karl Fontenot clamaient leur innocence et racontaient à qui voulait l'entendre qu'on leur avait extorqué des aveux par des menaces et des promesses. La famille Ward réussit à trouver assez d'argent pour engager un bon avocat à qui Tommy fit le récit détaillé des moyens employés par Smith et Rogers pour arriver à leurs fins. « Ce n'était qu'un rêve », martelait-il.

Karl Fontenot n'avait pas de famille pour le soutenir.

Les recherches pour retrouver les restes de Denice Haraway se poursuivaient sans relâche. Beaucoup se posaient la question : si ces deux types ont avoué, pourquoi la police ignore-t-elle où est caché le corps ?

Le cinquième amendement de la constitution des États-Unis protège le citoyen contre le risque de fournir des éléments de preuve susceptibles de se retourner contre lui. Le moyen le plus facile d'élucider un crime étant d'obtenir des aveux, il existe une abondante jurisprudence sur la manière de conduire un interrogatoire. Une grande partie avait été établie avant 1984.

Un siècle auparavant, dans l'affaire *Hopt contre Utah*, la Cour suprême avait décidé que des aveux ne sont pas acceptables s'ils ont été obtenus en agissant sur les espoirs ou les craintes de l'accusé, ce qui le privait du libre arbitre ou de la maîtrise de soi indispensable pour faire une déclaration volontaire.

En 1897, cette même Cour avait décidé dans l'affaire *Bram contre États-Unis* que toute déclaration doit être libre et volontaire, qu'elle ne saurait être extorquée par des menaces, des violences ou des promesses. Des aveux obtenus par la menace ne sont pas acceptables.

En 1960, dans l'affaire *Blackburn contre Alabama*, la Cour suprême déclara que « la coercition peut être aussi bien mentale que physique ». Pour déterminer si des aveux ont été obtenus par la police en usant de contrainte, les facteurs suivants sont essentiels à prendre en considération : 1. La durée de l'interrogatoire ; 2. S'il a été prolongé ; 3. S'il s'est déroulé de jour ou de nuit, les aveux nocturnes étant sujets à caution ; 4. La psychologie du suspect – intelligence, finesse d'analyse, éducation, etc.

Dans l'affaire *Miranda contre Arizona*, la plus célèbre de toutes, la Cour suprême imposa des garanties de procédure destinées à protéger les droits de l'accusé. Un suspect a le droit, conformément à la constitution, de ne *pas* être contraint de parler et toute déclaration faite au cours d'un interrogatoire *ne peut* être utilisée en justice *que* si la police et le procureur sont en mesure de prouver que le suspect avait parfaitement compris : 1. qu'il avait le droit de garder le silence ; 2. que tout ce qu'il a dit pouvait être utilisé contre lui pendant le procès ; et 3. qu'il avait le droit d'être assisté par un avocat, qu'il puisse ou non régler ses honoraires. Si, au cours d'un interrogatoire, l'accusé demande l'assistance d'un avocat, l'interrogatoire est immédiatement interrompu.

Cette décision de la Cour suprême qui remonte à 1966 a fait grand bruit. Nombre de services de police n'en ont pas tenu compte, du moins jusqu'à ce que des accusés manifestement coupables soient remis en liberté sous le seul prétexte qu'ils n'avaient pas été correctement informés de leurs droits. Elle fut âprement critiquée par les partisans de l'ordre, qui accusaient la Cour de protéger les méchants. Elle a pénétré dans notre culture quotidienne par le biais de la télévision, où tous les flics procédant à une arrestation débitent la célèbre phrase : « Vous avez le droit de garder le silence. »

Smith, Rogers et Featherstone en connaissaient l'importance ; il s'étaient assurés que la procédure *Miranda* avait été suivie dans les règles. Ce qu'on ne voyait pas sur l'enregistrement vidéo, c'était les cinq heures et demie de menaces et d'insultes.

Les aveux de Tommy Ward et de Karl Fontenot étaient catastrophiques au regard de la constitution mais, à l'époque, en octobre 1984, les enquêteurs étaient encore persuadés qu'ils trouveraient le corps, donc des preuves tangibles. Ils disposaient de plusieurs mois avant un éventuel procès. Ils pensaient avoir largement le temps de bâtir un dossier solide contre Ward et Fontenot.

On ne retrouvait pourtant pas le corps de Denice. Tommy et Karl ne cessaient d'affirmer qu'ils ne savaient pas où il était. Plusieurs mois s'écoulèrent sans qu'il y eût le moindre indice de leur culpabilité. Les aveux prenaient de plus en plus d'importance, au point de devenir la seule preuve dont l'accusation disposerait lors du procès.

6.

Ron Williamson avait suivi l'affaire Haraway. Il était aux premières loges : une cellule dans la prison du comté de Pontotoc. Après dix mois de réclusion, il bénéficia d'une libération conditionnelle et fut assigné à domicile à Ada, un arrangement qui limitait sévèrement ses mouvements. Comme il fallait s'y attendre, cela ne marcha pas. Sans traitement médical, Ron était incapable de s'y retrouver dans les heures et les dates.

En novembre, il fut inculpé pour « n'avoir volontairement pas respecté les conditions de cette assignation à domicile telles qu'elles avaient été définies, ayant été condamné à une assignation à domicile pour avoir falsifié un instrument de paiement ».

Selon sa version, Ron était sorti acheter un paquet de cigarettes et avait regagné son domicile avec une demi-heure de retard. Il fut arrêté, emprisonné et inculpé quatre jours plus tard pour évasion d'un établissement pénitentiaire. Comme il ne disposait pas de ressources suffisantes, il sollicita une aide juridictionnelle.

L'affaire Haraway alimentait les conversations, dans la prison d'Ada où Tommy et Karl étaient incarcérés. Les détenus qui n'avaient absolument rien d'autre à faire étaient intarissables sur le sujet. Tommy et Karl occupaient le devant de la scène, car leur crime était le plus récent et le plus sensationnel. Tommy racontait le rêve transformé en aveux et parlait des moyens utilisés par Smith, Rogers et Featherstone. Son public connaissait bien les policiers.

Tommy répétait qu'il n'avait rien à voir avec la disparition de Denice et que les vrais tueurs devaient bien rire des deux gamins stupides qui avaient fait des aveux et des flics qui les leur avaient extorqués.

Sans le corps de la victime, Bill Peterson se trouvait dans une situation délicate. Son dossier se réduisait aux aveux filmés des deux accusés qu'aucune preuve matérielle ne venait étayer. Les faits contredisaient pratiquement tout ce qu'il y avait dans les enregistrements vidéo et les aveux se contredisaient mutuellement. Même les portraits-robots des deux suspects étaient problématiques. L'un pouvait correspondre à Tommy Ward mais nul n'aurait osé affirmer que le second avait une ressemblance, si lointaine fût-elle, avec Karl Fontenot.

Le mois de novembre s'acheva ; le corps de Denice était toujours introuvable. Puis ce fut Noël. En janvier 1985, Bill Peterson réussit à convaincre un juge que tout indiquait que Denice Haraway était morte. Au cours d'une audience préliminaire, les aveux enregistrés furent projetés devant une salle comble. Ils suscitèrent une vive émotion mais on remarqua les divergences flagrantes entre les deux récits. Quoi qu'il en soit, même sans le corps de la victime, le moment était venu de soumettre l'affaire à la justice.

Mais les choses traînaient en longueur. Deux juges se récusèrent. Les recherches qui se poursuivaient mollement furent abandonnées un an après la disparition de Denice. À Ada, la plupart des gens étaient convaincus de la culpabilité de Tommy et de Karl – pourquoi auraient-ils avoué le crime ? – mais on s'interrogeait sur l'absence de preuves. Et pourquoi fallait-il attendre si longtemps le procès ?

En avril 1985, un an après la disparition de Denice, l'*Ada Evening News* publia un article de Dorothy Hogue qui se faisait l'écho de l'impatience suscitée par la lenteur des enquêtes. « Les crimes de sang non élucidés hantent Ada », proclamait le titre. Dorothy Hogue récapitulait les deux affaires. « Les autorités ont fouillé partout, avant et après l'arrestation de Ward et de Fontenot, sans retrouver le corps de Denice, écrivait-elle. Malgré cela, l'inspecteur Smith s'est dit convaincu que l'affaire Haraway était résolue. » La journaliste ne disait pas un mot des aveux enregistrés.

Sur l'affaire Carter, Dorothy Hogue écrivait : « Les indices découverts sur la scène de crime et les échantillons ADN du suspect ont été envoyés au laboratoire de l'OSBI il y a près de deux ans. La police attend toujours les résultats. » Elle faisait état de la surcharge de travail du laboratoire et citait l'inspecteur Smith : « La police concentre ses efforts sur un seul suspect mais n'a encore procédé à aucune arrestation relative à cette affaire. »

Ron passa en jugement en février 1985. L'avocat commis d'office, David Morris, connaissait bien la famille Williamson. Ron plaida coupable et écopa d'une peine de deux ans dont la majeure partie serait assortie d'un sursis, à condition qu'il : 1. se fasse suivre par un psychiatre ; 2. évite les ennuis ; 3. reste dans le comté de Pontotoc et 4. s'abstienne de consommer de l'alcool.

Quelques mois plus tard, il fut arrêté pour ivresse publique dans le comté de Pottawatomie. Bill Peterson demanda que son sursis soit révoqué et qu'il purge en détention le reste de sa peine. Cette fois encore, David Morris fut commis d'office pour le représenter. Ron comparut le 26 juillet devant le juge fédéral John David Miller mais l'audience n'alla pas à son terme. Le prévenu, qui ne suivait toujours aucun traitement, s'en prit à son avocat, au magistrat, aux policiers. Impossible de le faire taire ; l'audience fut reportée.

Nouvelle tentative trois jours plus tard. Le juge avait demandé aux surveillants et aux policiers de mettre Ron en garde contre un comportement agressif mais il entra dans la salle d'audience en jurant et en hurlant. Le juge essaya à plusieurs reprises de le faire taire. Chaque fois, Ron l'envoya promener. Il demanda à changer d'avocat. Quand le magistrat voulut savoir pourquoi, il ne trouva rien à répondre.

Sa conduite était inacceptable mais il était manifeste qu'il avait besoin d'aide. Tantôt il paraissait conscient de ses actes, tantôt il tenait des propos incohérents. Il était en colère, il était amer, il en voulait au monde entier.

Après plusieurs avertissements, le juge Miller le renvoya en prison et reporta de nouveau l'audience. Le lendemain, David

Morris demanda une évaluation de l'aptitude de son client à passer en jugement. Il demanda aussi à ne plus assurer sa défense.

Dans le monde tourmenté qui était le sien, Ron se voyait comme un être parfaitement normal. Blessé de voir son avocat mettre en doute sa stabilité mentale, il avait refusé de lui parler. Morris en avait par-dessus la tête.

Sa demande d'évaluation des facultés mentales de son client fut acceptée mais le juge refusa de le décharger de la défense de Ron.

Quinze jours plus tard, une nouvelle audience s'ouvrit mais fut rapidement interrompue. Ron était encore plus dingue que les fois précédentes. Le juge ordonna une expertise psychiatrique.

Au début de l'année 1985, on diagnostiqua chez Juanita un cancer de l'ovaire. Il s'étendait rapidement. Depuis deux ans et demi, il lui fallait supporter des rumeurs insistantes sur la culpabilité de son fils dans le meurtre de Debbie Carter. Elle tenait à tirer la chose au clair avant de rendre le dernier soupir.

Juanita rangeait méticuleusement ses papiers. Elle tenait son journal depuis plusieurs dizaines d'années. Ses livres de comptes étaient irréprochables. Elle était en mesure de rappeler à chaque cliente la date de ses cinq derniers rendez-vous. Factures réglées, chèques, reçus, bulletins scolaires des enfants, elle ne jetait rien.

Elle avait consulté cent fois son journal et savait que, le soir du 7 décembre 1982, Ron était avec elle, à la maison. Elle en avait informé les enquêteurs à plusieurs reprises. Leur théorie était que Ron avait pu sortir en douce de la maison et passer par une ruelle pour aller commettre le crime avant de rentrer chez lui. Et le mobile ? Et les mensonges de Glen Gore qui prétendait avoir vu Ron importuner Debbie Carter au *Coachlight* ? Des détails. Ils tenaient leur coupable.

Les policiers n'ignoraient pas que Juanita était une femme très respectée, d'une grande piété, bien considérée dans toutes les églises pentecôtistes. Elle avait dans son salon de coiffure des centaines de clientes qu'elle traitait comme des amies. Si Juanita était appelée à la barre des témoins et déclarait que Ron se trouvait avec elle le soir du meurtre, le jury la croirait. Son fils avait certainement des problèmes mais elle l'avait bien élevé.

Un détail était revenu à la mémoire de Juanita. En 1982, la location de vidéocassettes était en plein essor. Une boutique venait de s'ouvrir dans sa rue. Le 7 décembre, Juanita avait loué un magnétoscope et cinq de ses films préférés, qu'elle avait regardés avec Ron jusqu'à une heure avancée de la nuit. Il était bien à la maison ce soir-là, sur le canapé du salon, à regarder tranquillement de vieux films avec sa mère. Elle avait gardé le ticket de caisse.

David Morris s'occupait depuis toujours des affaires de Juanita. Il avait une profonde admiration pour elle et lui rendait service en représentant Ron – pas le client idéal, loin de là – devant la justice. L'avocat écouta Juanita, regarda le ticket de caisse et sut qu'elle disait la vérité. Il se sentit soulagé, car les rumeurs étaient arrivées jusqu'à lui.

Morris travaillait essentiellement au pénal et il n'avait guère d'estime pour la police d'Ada. Comme il connaissait les enquêteurs, il organisa une rencontre entre Dennis Smith et Juanita. Il la conduisit au commissariat et resta à ses côtés pendant qu'elle donnait ses explications à l'inspecteur. Il écouta attentivement, étudia le ticket de caisse et demanda si elle accepterait d'enregistrer une déposition. Elle accepta sans hésiter.

Sous le regard de David Morris, on installa Juanita dans un fauteuil, face à la caméra, et elle répondit aux questions de l'inspecteur. En sortant du commissariat, elle se sentait soulagée, certaine que l'affaire était réglée.

La caméra était-elle chargée ? En tout cas, personne ne vit jamais la bande. L'inspecteur Smith rédigea-t-il un rapport ? Jamais il n'en fut fait état devant la justice.

Dans sa cellule, Ron se faisait un sang d'encre pour sa mère. Au mois d'août, elle fut hospitalisée, à la dernière extrémité, mais on ne l'autorisait pas à la voir.

Au même moment, Ron se soumit à l'expertise psychiatrique ordonnée par le juge. Le Dr Charles Amos voulait lui faire passer une batterie de tests. Lors de la première épreuve, il remarqua que Ron cochait « Vrai » pour toutes les réponses. À la question du psychiatre, il répondit : « Qu'est-ce qui est le plus important, votre test ou ma mère ? » Le Dr Amos en resta là et nota : « L'entretien que j'ai eu avec M. Williamson montre une détérioration marquée de son affectivité depuis notre dernière rencontre, en 1982. »

Avec le soutien d'Annette, Ron implora la police de l'autoriser à voir sa mère avant qu'elle meure. Au fil des ans, Annette avait tissé de bons rapports avec le personnel de la prison. Quand elle apportait des cookies et des brownies à son frère, il y en avait pour tous les détenus et pour les gardiens. Il lui arrivait même de préparer des repas entiers dans la cuisine de la prison.

L'hôpital était tout à côté, plaidait-elle. Dans la ville, tout le monde connaissait Ron et sa famille. Il lui serait impossible de se procurer une arme et de blesser quelqu'un sur un trajet aussi court. On finit par trouver un accord. Un soir, après minuit, on fit sortir Ron, menotté et enchaîné, escorté par des policiers fortement armés, et on le conduisit à l'hôpital. On le fit asseoir dans un fauteuil roulant pour gagner la chambre de sa mère.

Juanita avait fait savoir qu'elle ne voulait pas voir son fils menottes aux mains. Annette avait imploré les policiers de répondre favorablement à sa demande. Ils l'avaient fait de mauvaise grâce. Mais, au dernier moment, ils refusèrent de retirer ses entraves. Ron les supplia, juste le temps de voir sa mère pour la dernière fois, disait-il. Impossible. On lui ordonna de rester assis dans le fauteuil roulant.

Il demanda une couverture pour dissimuler les menottes et les chaînes. Les policiers hésitèrent un moment – cela pouvait être risqué – avant d'accepter. Ils poussèrent le fauteuil dans la chambre de Juanita et prièrent Annette et Renee de sortir. Les deux sœurs demandèrent à rester, pour que la famille soit réunie une dernière fois. Trop risqué, répondirent les policiers. Attendez dans le couloir.

Ron assura sa mère qu'il l'aimait profondément et qu'il était désolé d'avoir gâché sa vie, de l'avoir si souvent déçue. Des larmes dans la voix, il l'implora de lui pardonner, ce qu'elle fit, évidemment. Il cita un verset de la Bible. Ils auraient souhaité un peu plus d'intimité, mais les policiers restaient dans la chambre, tout près de Ron, de crainte qu'il saute par la fenêtre ou sur quelqu'un. Au bout de quelques minutes, ils déclarèrent qu'il fallait regagner la prison. Annette et Renee entendirent leur frère pleurer dans le couloir.

Juanita rendit le dernier soupir le 31 août. Dans un premier temps, la police refusa à Ron l'autorisation d'assister à ses obsèques puis céda quand le mari d'Annette proposa de payer de sa poche deux ex-adjoints du shérif, des cousins à lui, pour qu'ils aident à surveiller Ron pendant le service funèbre.

La police fit de sa présence aux obsèques une question de haute sécurité. Elle exigea que tout le monde prenne place avant l'entrée de Ron et refusa de lui ôter ses entraves.

Des précautions indispensables pour un délinquant qui avait contrefait une signature sur un chèque de trois cents dollars.

L'église était bondée quand les portes de l'édifice s'ouvrirent. Le fils de la défunte descendit l'allée centrale, escorté par ses gardiens. Il avait des chaînes aux chevilles et aux poignets, reliées à une autre chaîne qui faisait le tour de sa taille. Il avançait à petits pas, accompagné d'un cliquetis de métal qui portait sur les nerfs. Quand il vit dans le cercueil ouvert le visage émacié de sa mère, il fondit en larmes. « Je regrette, maman, sanglota-t-il. Si tu savais comme je regrette. » À mesure qu'il approchait, ses sanglots se muèrent en une longue plainte.

On le fit asseoir, flanqué de deux gardiens, les chaînes cliquetant à chaque mouvement. Il était bouleversé, survolté, incapable de rester immobile.

Dans la Première Église pentecôtiste d'Ada, cette même église où il venait prier enfant, où Annette tenait l'orgue chaque dimanche, où sa mère n'avait jamais manqué un office, Ron pleurait toutes les larmes de son corps en considérant le cercueil.

Un repas était servi après l'office. Ron s'y rendit, serré de près par ses gardiens. Il se contentait de l'ordinaire de la prison depuis près d'un an et la nourriture étalée devant lui avait des airs de festin. Annette demanda qu'on lui ôte ses menottes pour manger. Sa requête fut rejetée. Elle insista. Sans succès.

Sous les regards apitoyés de la famille et des amis, Annette et Renee se relayèrent pour donner à manger à Ron.

Devant la sépulture, après la lecture d'un passage des Saintes Écritures et un moment de prière, les proches présentèrent leurs condoléances, pressant Annette et Renee sur leur poitrine, pas Ron. Incapable de lever les bras, il déposait gauchement un baiser sur la joue des femmes et serrait maladroitement la main des hommes. La chaleur était encore forte, en ce début du mois de septembre, et de grosses gouttes de sueur coulaient de son front et roulaient sur ses joues. Annette et Renee l'aidaient à s'essuyer le visage.

Le Dr Charles Amos présenta au juge un rapport dans lequel il déclarait que Ron Williamson était un malade mental selon la loi en vigueur dans l'Oklahoma, qu'il ne pouvait saisir la nature des charges pesant sur lui, qu'il n'était pas en mesure d'aider son avocat à assurer sa défense et qu'il ne pourrait retrouver un équilibre mental qu'après avoir suivi un traitement. Il indiquait également que, si Ron était remis en liberté sans traitement, il représenterait un danger pour lui-même et pour la société.

Le juge Miller se rangea aux conclusions du Dr Amos et rendit une ordonnance déclarant Ron irresponsable. On le transféra à l'hôpital Eastern State de Vinita, où il devait se soumettre à une nouvelle évaluation et suivre un traitement. Le Dr R. D. Garcia prescrivit du Dalmane et du Restoril pour l'insomnie, du Mellaril pour les hallucinations et les crises de délire, de la Thorazine pour la schizophrénie, l'hyperactivité et la phase maniaque de sa psychose. Au bout de quelques jours, Ron se calma et son état s'améliora.

Deux semaines après son arrivée, le Dr Garcia nota : « C'est un inadapté social qui a un passé d'alcoolique. Il doit continuer à prendre la Thorazine, 100 mg, quatre fois par jour. Aucun risque d'évasion. » Cela ne manquait pas de sel, sachant que le sursis de Ron avait été révoqué pour évasion.

Malgré cela, en réponse aux questions écrites du juge, le Dr Garcia déclara : 1. Il est capable de saisir la nature des charges pesant sur lui ; 2. ... il est en mesure de demander conseil à son avocat et de l'aider rationnellement dans la préparation de sa défense ; 3. ... il n'est plus considéré comme un malade mental et 4. même s'il était remis en liberté sans traitement ni thérapie, il ne représenterait probablement pas une menace significative pour la vie ou la sécurité de lui-même ou d'autrui, sauf si son inadaptation sociale s'aggravait, auquel cas il pourrait être considéré comme potentiellement dangereux, surtout en période de forte consommation d'alcool. »

Ron revint à Ada. Au lieu d'ordonner une évaluation de sa responsabilité, le juge Miller accepta telles quelles les conclusions du Dr Garcia.

En conséquence, le sursis de Ron fut révoqué et on le renvoya purger en prison le reste de sa peine. En quittant l'hôpital, il avait reçu de la Thorazine pour quinze jours de traitement.

Le procès de Tommy Ward et de Karl Fontenot s'ouvrit en septembre. Leurs avocats s'étaient démenés pour que les deux affaires soient disjointes et surtout pour que le procès se tienne dans un autre comté que celui de Pontotoc. Des centaines de gens du coin avaient pris part aux recherches. Le beau-père de Denice était un dentiste très respecté. Ward et Fontenot étaient déjà incarcérés depuis onze mois ; leurs aveux, rapportés par le quotidien local, avaient fait grand bruit. Comment les accusés pouvaient-ils espérer avoir un jury impartial ? Les procès trop médiatisés sont couramment déplacés dans une autre juridiction.

Les requêtes furent rejetées.

Les aveux constituaient un autre sujet de dissensions. Les avocats des accusés contestaient leur validité et plus particulièrement les méthodes employées par Smith et Rogers pour les obtenir. À l'évidence, les récits des deux jeunes gens n'étaient pas fondés et il n'y avait pas la moindre preuve matérielle pour étayer leurs propos.

Peterson se défendit bec et ongles ; sans les aveux, son dossier était vide. Après de longues et orageuses discussions, le juge trancha : les vidéos des aveux seraient projetées au jury.

Le ministère public fit déposer cinquante et un témoins. Bien peu avaient des éléments intéressants à apporter. La plupart étaient des amis de Denice Haraway appelés à la barre pour contribuer à prouver qu'elle avait disparu et était présumée morte. La seule surprise fut le témoignage d'une délinquante endurcie du nom de Terri Holland. Elle était incarcérée dans la prison du comté, au mois d'octobre de l'année précédente quand Karl Fontenot avait été écroué. Elle déclara au jury qu'au cours d'une de leurs discussions Karl avait reconnu que Tommy Ward, Odell Titsworth et lui-même avaient enlevé Denice avant de la violer et de la tuer. Karl Fontenot nia lui avoir adressé une seule fois la parole.

Terri Holland ne fut pas le seul mouton à témoigner. Il y eut aussi Leonard Martin, un petit délinquant. Quand l'accusation l'appela à la barre, il déclara au jury qu'il avait un jour surpris Karl Fontenot parlant seul dans sa cellule. « Je savais qu'on se ferait prendre, répétait-il. Je savais qu'on se ferait prendre. »

Telle était la nature des preuves de l'accusation, destinées à convaincre un jury de la culpabilité des accusés.

En tout état de cause, les aveux enregistrés prenaient une importance capitale mais ils étaient bourrés de contradictions et de mensonges manifestes. L'accusation se trouvait entre deux chaises : d'un côté elle reconnaissait que Ward et Fontenot mentaient, de l'autre elle demandait aux jurés de les croire quand même.

« Ne tenez pas compte de tout ce qu'ils disent sur Titsworth : il n'était pas dans le coup. »

« Oubliez cette histoire de maison incendiée où se trouverait le corps : le propriétaire y avait mis le feu dix mois auparavant. »

On brancha des moniteurs et on projeta les enregistrements après avoir tamisé les lumières. Les détails macabres restèrent dans les esprits.

Dans son réquisitoire, Chris Ross, l'assistant du procureur, qui s'adressait pour la première fois à un jury dans une affaire de meurtre, fit vibrer la corde sensible. Il évoqua crûment les détails les plus sordides – les coups de couteau, le sang, le viol sauvage et la mort atroce d'une si jolie fille dont le corps, pour finir, avait été brûlé.

La colère s'était emparée des jurés. Après de courtes délibérations, ils reconnurent les accusés coupables et les condamnèrent à la peine de mort.

En vérité, contrairement à ce que les deux accusés avaient déclaré dans leurs aveux forcés et contrairement à ce que Bill Peterson et Chris Ross avaient fait croire au jury, Denice n'avait pas été poignardée et son corps n'avait pas été brûlé.

Elle avait été tuée d'une balle dans la tête. Ses restes furent retrouvés au mois de janvier suivant par un chasseur, au fond des bois, près du village de Gerty, dans le comté de Hughes, à quarante-cinq kilomètres d'Ada, loin des zones où avaient été effectuées les recherches.

La véritable cause de la mort aurait dû convaincre tous les intéressés que les aveux de Ward et de Fontenot étaient une pure invention et qu'ils les avaient faits sous la contrainte. Il n'en fut rien.

La véritable cause de la mort aurait dû inciter les autorités à reconnaître qu'elles avaient fait fausse route et à se mettre en quête du vrai tueur. Il n'en fut rien.

Après le procès, mais avant la découverte du corps, Tommy Ward attendit d'être transféré au pénitencier McAlester, distant de quatre-vingt-dix kilomètres d'Ada. Encore abasourdi par l'enchaînement des événements, il était partagé entre la peur, l'hébétude et l'abattement. Un an plus tôt, Tommy était un jeune homme comme les autres, qui aimait faire la fête, espérait trouver un bon boulot et une jolie fille.

Il ne cessait de se dire que les vrais tueurs étaient en liberté. Ils devaient bien rire. Il se demandait s'ils avaient eu le culot d'assister au procès. Pourquoi pas ? Ils ne risquaient rien.

Un jour, il eut la visite de deux policiers d'Ada. Les flics se conduisirent comme des copains, des potes à lui, très inquiets de ce qui lui arriverait quand il serait à McAlester. Attentionnés, calmes, mesurés en paroles – pas de cris, pas de menaces, pas d'insultes, pas de promesses d'injection létale. Tout ce qu'ils voulaient, c'était retrouver le corps de Denice Haraway. Ils proposèrent un marché à Tommy : s'il acceptait de révéler où le corps était caché, ils s'engageaient à faire le siège du bureau du procureur pour que la peine de mort soit commuée en détention à perpétuité. Ils prétendaient en avoir le pouvoir, mais une telle décision n'était pas de leur compétence.

Tommy ne savait pas où était le corps. Il répéta ce qu'il disait depuis près d'un an : il n'avait rien à voir avec le crime. À la veille d'entrer dans le couloir de la mort, il ne pouvait donner satisfaction aux deux policiers.

Peu après les arrestations de Tommy et de Karl, l'affaire vint aux oreilles d'un journaliste respecté de New York, Robert Mayer, qui, à l'époque, vivait dans le sud-ouest des États-Unis. Elle fut portée à sa connaissance par la jeune femme avec qui il sortait, dont le frère était marié à une des sœurs de Tommy Ward.

Intrigué par les aveux reposant sur un rêve et les ravages qu'ils avaient provoqués, Mayer se demanda pour quelle raison on avouerait un crime aussi atroce en truffant ses propos de mensonges. Il se rendit à Ada et commença à enquêter sur l'affaire. Dans la période qui précéda le procès et pendant les débats, il mena une investigation sur la ville, ses habitants, le crime, la police, les procureurs et, bien entendu, les accusés.

La population l'avait à l'œil. Ce n'était pas si fréquent d'avoir chez soi un authentique écrivain, qui posait des questions, observait tout ce qui se passait et s'apprêtait à écrire Dieu sait quoi. Mayer finit par gagner la confiance des principaux protagonistes. Il interrogea longuement Bill Peterson, assista à des réunions avec les avocats de la défense, passa des heures en compagnie des policiers. Au cours d'une réunion au commissariat, Dennis Smith parla de la pression qu'il subissait, avec deux crimes non élucidés dans une si petite ville. Il montra à Mayer une photographie de Debbie Carter. « Nous savons que Ron Williamson l'a tuée, confia-t-il au journaliste, mais nous ne sommes pas encore en mesure de le prouver. »

Quand Mayer commença à s'intéresser à l'affaire, il pensait qu'il y avait une chance sur deux que les accusés soient coupables. Mais il ne tarda pas à être horrifié par les méthodes des enquêteurs et de la machine judiciaire. Il n'y avait aucune autre preuve à charge que les aveux enregistrés. Si révoltants fussent-ils, les contradictions y étaient si nombreuses qu'on ne pouvait y ajouter foi.

Mayer s'efforça pourtant de présenter un tableau équilibré du crime et du procès. Publié par Viking en avril 1987, son livre, *Les Rêves d'Ada*, était attendu avec impatience.

Les réactions étaient prévisibles. D'aucuns refusèrent les conclusions de l'ouvrage à cause de l'amitié qui unissait l'auteur à la famille Ward. D'autres étaient convaincus d'avance de la culpabilité des jeunes gens parce qu'ils avaient avoué leur crime ; rien n'aurait pu les faire changer d'avis.

Mais il y en avait aussi beaucoup qui croyaient que la police et les procureurs avaient bâclé l'affaire et envoyé des innocents à la mort, laissant les vrais tueurs en liberté.

Aiguillonné par les attaques – il est rare pour un procureur d'une petite ville de lire un livre, peu flatteur au demeurant, consacré à une affaire dont il a la responsabilité –, Bill Peterson donna une nouvelle impulsion à l'affaire Carter. Il avait beaucoup à prouver.

L'enquête était au point mort – le crime remontait à quatre ans –, mais il était temps d'épingler quelqu'un.

Peterson et la police croyaient depuis le début que le tueur était Ron Williamson. Ils étaient moins certains de la complicité de Dennis Fritz mais ils savaient que Ron se trouvait dans l'appartement de Debbie la nuit du meurtre. Sans l'ombre d'une preuve, ils en avaient l'intime conviction.

Annette et Renee avaient vendu la petite maison où elles avaient grandi – un crève-cœur. En octobre 1986, Ron avait bénéficié d'une libération conditionnelle ; ne sachant où aller, il fut hébergé par Annette et son mari. Pendant quelques jours, il fit des efforts pour s'adapter à leur rythme de vie. Puis il reprit ses mauvaises habitudes : repas tardifs préparés bruyamment, télévision braillant toute la nuit, fumée de cigarette et relents d'alcool, interminables siestes sur le canapé. Au bout d'un mois, les nerfs à vif, Annette fut obligée de lui demander de partir.

Les deux années passées derrière les barreaux n'avaient pas arrangé la santé mentale de Ron. Il avait été trimballé d'un établissement à l'autre et les médecins avaient essayé sur lui différentes combinaisons de médicaments. Souvent, il n'en prenait aucun. Il restait quelque temps au milieu des autres détenus, jusqu'à ce que qu'on remarque son comportement bizarre. On l'expédiait alors dans un établissement spécialisé.

Dès sa libération, on prit rendez-vous pour lui avec une assistante sociale à la clinique psychiatrique d'Ada. Le 15 octobre, il eut un entretien avec Norma Walker qui nota qu'il était sous lithium et qu'il prenait du Navane et de l'Artane. Elle le trouva agréable, maître de lui et un peu étrange, « regardant fixement devant lui sans ouvrir la bouche, parfois pendant une minute entière ». Il dit avoir l'intention de s'inscrire à une université de théologie, peut-être de devenir pasteur. Ou bien de créer sa propre société dans la construction. De grands projets, un peu trop ambitieux, selon Norma Walker.

Quinze jours plus tard, toujours sous traitement, il vint au rendez-vous, en bonne forme, semblait-il. Il rata les deux suivants et, quand il se présenta à celui du 9 décembre, il demanda à voir le Dr Marie Snow. Il avait cessé de prendre ses médicaments, car il avait rencontré une fille qui ne croyait pas à ces trucs-là. Le Dr Snow essaya de le convaincre de reprendre le traitement mais il refusa en disant que Dieu lui avait commandé d'arrêter l'alcool et toutes les pilules.

Il rata les rendez-vous du 18 décembre et du 14 janvier. Le 16 février, Annette téléphona à Norma Walker pour signaler que son frère ne se contrôlait plus. Elle le qualifia de « psychotique » et expliqua qu'il avait parlé de se tuer avec un pistolet. Il se présenta au rendez-vous du lendemain, très nerveux mais assez raisonnable. Il demanda que l'on change ses médicaments. Trois jours plus tard, Norma Walker reçut un coup de téléphone de la chapelle McCall's. Ron était en pleine crise : il hurlait qu'on lui donne du travail. Elle leur conseilla de le traiter avec ménagement et d'appeler la police, si nécessaire. Dans l'après-midi, Annette et son mari l'amenèrent dans le bureau de l'assistante sociale. Ils étaient accablés et cherchaient désespérément de l'aide.

Norma Walker trouva Ron déboussolé, délirant, détaché de la réalité, totalement incapable de subvenir à ses besoins, même en suivant un traitement approprié. Elle préconisa « un placement prolongé dans un service psychiatrique pour ses capacités mentales amoindries et sa conduite incontrôlable ».

Ils repartirent sans projet pour Ron et sans médicaments. Il recommença à traîner, puis disparut. Un soir, à Chickasha, Gary Simmons discutait avec deux amis quand on sonna à la porte. Il alla ouvrir et son beau-frère s'effondra sur le plancher de la salle de séjour. « J'ai besoin qu'on m'aide, répétait-il. Je suis fou et j'ai besoin qu'on m'aide. » Pas rasé, crasseux, les cheveux emmêlés, il n'était pas sûr de savoir où il était. « Je n'en peux plus », confia-t-il à Gary.

Les amis de Gary, qui ne connaissaient pas Ron, furent choqués par son apparence et par le désespoir auquel il s'abandonnait. L'un d'eux partit, l'autre resta. Ron se calma, puis tomba dans une apathie complète. Gary lui promit qu'il trouverait de l'aide et réussit, avec l'aide de son ami, à le faire monter dans sa voiture. Les trois hommes allèrent d'abord à l'hôpital le plus proche qui les envoya au centre psychiatrique local où on les adressa à l'hôpital Central State, à Norman. Sur la route, Ron eut un accès de catatonie dont il sortit pour dire qu'il mourait de faim. Gary connaissait un restaurant où on servait d'énormes côtes de bœuf.

— Où sommes-nous ? demanda Ron quand la voiture s'arrêta sur le parking.

— On va manger quelque chose, répondit Gary.

Ron jura ses grands dieux qu'il n'avait pas faim. Ils reprirent la route en direction de Norman.

— Pourquoi est-ce qu'on s'est arrêtés ? demanda Ron.

— Tu avais dit que tu mourais de faim.

— Je n'ai jamais dit ça, répliqua Ron sans cacher son irritation.

Quelques kilomètres plus loin, Ron déclara de nouveau qu'il avait faim. Gary vit l'enseigne d'un McDonald et s'arrêta devant l'établissement.

— Qu'est-ce qu'on fout là ? demanda Ron.

— On va chercher à manger.

— Pourquoi ?

— Tu as dit que tu avais faim.

— Non, je n'ai pas faim. Je voudrais arriver le plus vite possible à l'hôpital.

Ils repartirent et roulèrent jusqu'à Norman. Dans les faubourgs de la ville, Ron déclara encore une fois qu'il avait faim. Gary trouva un autre McDonald et se gara sur le parking. Comme il s'y attendait, Ron lui demanda pourquoi il s'arrêtait.

Ils firent un dernier arrêt pour prendre de l'essence, dans la rue principale de Norman. Après avoir payé, Gary revint avec deux barres aux céréales. Ron se jeta dessus et les dévora en un clin d'œil.

À l'hôpital Central State, Ron resta plongé dans une sorte de stupeur. Le premier médecin qui l'examina s'énerva de le voir si peu coopératif et partit en claquant la porte.

Gary réprimanda son beau-frère. Pour toute réponse, Ron se leva et se plaça devant un mur nu. Il banda ses muscles pour prendre une posture grotesque de culturiste et la garda pendant de longues minutes. Gary essaya de lui parler mais Ron n'eut aucune réaction. Il gardait la tête levée vers le plafond sans émettre un son ni faire un mouvement. Vingt minutes s'écoulèrent. Gary était prêt à partir. Il fallut encore attendre dix minutes pour que Ron abandonne sa posture mais il refusa de lui parler.

Des infirmières arrivèrent et conduisirent Ron dans sa chambre. « Je voulais venir ici parce qu'il me fallait un endroit où aller », dit-il au médecin qui lui prescrivit du lithium, pour son état dépressif, et du Navane, un antipsychotique utilisé pour traiter la schizophrénie. Dès qu'il eut retrouvé la stabilité, il quitta l'hôpital, contre l'avis du corps médical, et retourna à Ada.

Gary eut l'occasion de faire un autre trajet en voiture avec Ron, jusqu'à Dallas cette fois, pour le faire participer à un programme de la mission chrétienne destiné aux ex-détenus et drogués. Le pasteur de Gary avait rencontré Ron et voulait l'aider. « Il y a de la lumière chez lui mais personne à la maison », avait-il confié à Gary.

Quand Ron fut installé, Gary prit congé en glissant discrètement cinquante dollars à son beau-frère. C'était une infraction au règlement ; les deux hommes l'ignoraient. Gary reprit la route de l'Oklahoma. Ron aussi. Il avait utilisé l'argent pour acheter un billet d'autocar à destination d'Ada. Il arriva peu après Gary.

Il fut de nouveau hospitalisé à Central State, involontairement cette fois. Le 21 mars, neuf jours après sa sortie, Ron avait fait une tentative de suicide en avalant vingt pilules de Navane. Il expliqua son geste à une infirmière par l'impossibilité de trouver du travail. On lui donna un traitement approprié qu'il abandonna au bout de trois jours. Les médecins conclurent qu'il représentait un danger pour lui-même et pour les autres et recommandèrent un traitement de vingt-huit jours à l'hôpital. Il en sortit le 24 mars.

De retour à Ada, Ron trouva une petite maison dans la 12e Rue, à l'ouest de la ville, sans cuisine ni sanitaires. Pour se doucher, il utilisait un tuyau d'arrosage, derrière la maison. Annette lui apportait à manger et faisait de son mieux pour s'occuper de lui. Lors d'une visite, elle remarqua du sang sur ses poignets. Il expliqua qu'il se les était tailladés au rasoir afin de souffrir comme tous ceux qui avaient souffert à cause de lui. Il voulait mourir pour être auprès de ses parents, les deux êtres à qui il avait fait tant de mal. Annette le supplia d'aller voir un médecin mais il refusa. Comme il refusa d'aller se faire aider à la clinique psychiatrique, qu'il connaissait bien.

Il ne prenait plus aucun médicament.

Le propriétaire de la maison, un vieux monsieur, était d'une grande gentillesse avec Ron. Le loyer était très modeste ; souvent il ne lui demandait rien. Ron avait trouvé dans le garage une vieille tondeuse à gazon à laquelle il manquait une roue. Il la poussait dans les rues d'Ada, proposant de tondre les pelouses pour cinq dollars. Il remettait l'argent à son propriétaire.

Le 4 avril, le commissariat reçut un appel du gérant d'une résidence de la 10e Rue. Obligé de s'absenter, il craignait pour la sécurité de sa famille, car Ron Williamson traînait dans le quartier en pleine nuit. Il le connaissait et l'avait à l'œil. Il confia au policier qui avait pris l'appel que Ron, en une seule nuit, avait fait quatre fois l'aller et retour jusqu'au magasin d'alimentation *Circle K* et deux ou trois jusqu'à *Love's*, une autre boutique.

Le policier se voulut rassurant – tout le monde savait que Ron était un drôle de numéro – mais aucune loi n'interdisait de se promener dans la rue après minuit. Il promit de faire des patrouilles dans le secteur.

Le 10 avril, à 3 heures du matin, la police reçut un appel d'un vendeur de *Circle K*. Ron Williamson était déjà passé dans la boutique à plusieurs reprises et il avait un comportement très bizarre. Pendant que Jeff Smith, le policier de service, rédigeait son rapport, le suspect entra de nouveau dans le magasin. Smith demanda à « Ronnie » de partir, ce qu'il fit.

Une heure plus tard, Ron se présenta à la porte de la prison, appuya sur le bouton de l'interphone et déclara qu'il avait plusieurs crimes à avouer. On lui donna un formulaire de déclaration volontaire et il se mit à écrire. Il avoua avoir volé un sac à main au *Coachlight*, quatre ans plus tôt, avoir volé un pistolet dans une maison, avoir commis des attouchements sur deux jeunes filles, en avoir frappé et presque violé une autre à Asher. D'un seul coup, il interrompit ses aveux et sortit de la prison. Rick Carson le suivit et le rattrapa deux cents mètres plus loin. Ron essaya d'expliquer ce qu'il faisait dehors à cette heure tardive mais ses idées s'embrouillaient. Il finit par dire qu'il cherchait des pelouses à tondre. Carson lui suggéra de rentrer chez lui et ajouta qu'il serait peut-être plus facile de trouver des pelouses à tondre dans la journée.

Le 13 avril, Ron se rendit à la clinique psychiatrique et fit peur aux employés. L'un d'entre eux le décrirait comme « écumant ». Il demanda à voir le Dr Snow et s'engagea dans le couloir menant à son bureau. Quand on lui annonça qu'elle n'était pas là, il rebroussa chemin et sortit sans faire de difficultés.

Trois jours plus tard, *Les Rêves d'Ada* sortaient en librairie.

La police persistait à vouloir coller le meurtre de Debbie sur le dos de Ron Williamson mais elle manquait de preuves. À la fin du printemps 1987, les enquêteurs ne disposaient pas de beaucoup plus d'éléments qu'à l'été 1983. L'analyse des poils avait été réalisée par l'OSBI deux ans après le meurtre. Certains échantillons fournis par Ron et Dennis étaient compatibles à l'examen microscopique avec des poils trouvés sur la scène de crime mais de telles comparaisons manquaient totalement de fiabilité.

Un obstacle d'importance se dressait devant l'accusation : l'empreinte de la paume sur le morceau de placoplâtre découpé dans le mur de la chambre de Debbie. Au début de l'année 1983, un agent de l'OSBI, Jerry Peters, avait conclu après un examen minutieux de l'empreinte qu'elle ne venait ni de Dennis Fritz ni de Ron Williamson. Pas plus que de Debbie Carter. C'était une empreinte laissée par le tueur.

Et si Jerry Peters s'était trompé, s'il avait travaillé trop hâtivement ou si quelque chose lui avait échappé ? Si l'empreinte était celle de Debbie, elle ne disculperait plus les deux suspects.

Peterson sauta sur cette idée. Il allait faire exhumer le corps pour réaliser un nouvel examen des paumes. Avec un peu de chance, les mains ne seraient pas trop décomposées et de nouvelles empreintes examinées sous un angle différent pourraient peut-être livrer des informations utiles au procureur et lui permettre enfin de traduire les meurtriers en justice.

Peggy Stillwell reçut un coup de téléphone de Dennis Smith. L'inspecteur lui demandait de passer au commissariat, sans donner de raison. Elle se dit, une fois de plus, que des éléments nouveaux avaient peut-être été portés à la connaissance de la police. Elle trouva en arrivant Bill Peterson assis au bureau de l'inspecteur, une feuille de papier devant lui. Il expliqua qu'il voulait exhumer le corps de Debbie ; il avait besoin de sa signature. Charlie Carter était déjà passé et il avait signé.

Peggy fut horrifiée. L'idée de déplacer le corps de sa fille était choquante. Elle refusa, comme Peterson s'y attendait. Il insista, lui demanda si elle voulait que le crime soit élucidé. Bien sûr, mais n'y avait-il vraiment pas d'autre moyen ? Non. Si elle voulait qu'on retrouve l'assassin de Debbie et qu'on le traduise en justice, il avait besoin de son accord pour exhumer le corps. Au bout de quelques minutes, Peggy apposa sa signature sur la feuille, sortit du commissariat et fila chez sa sœur, Glenna Lucas.

En faisant à Glenna le récit de son entretien avec le procureur, elle sentit une excitation monter en elle, une impatience de revoir sa fille. « Je vais pouvoir la toucher, sentir son corps. »

Loin de partager son enthousiasme, Glenna ne croyait pas que revoir le corps de sa fille serait une bonne chose pour Peggy. Et elle avait des doutes sur ceux qui conduisaient l'enquête. Au cours des quatre années qui s'étaient écoulées depuis le meurtre, elle avait été convoquée plusieurs fois par Bill Peterson pour parler de l'affaire.

Peggy n'était pas stable ; elle n'avait jamais accepté la mort de sa fille. Glenna avait demandé à plusieurs reprises au procureur et à la police que les informations relatives à l'enquête soient filtrées par elle-même ou par un autre membre de la famille. Peggy était dans l'incapacité d'affronter des rebondissements ; elle avait besoin de la protection de sa famille.

Glenna téléphona aussitôt à Bill Peterson pour lui demander ce qu'il préparait. Il expliqua que l'exhumation était nécessaire si la famille voulait que Ron Williamson et Dennis Fritz soient jugés pour le meurtre. L'empreinte sanglante retrouvée sur le mur bloquait l'enquête. S'il s'avérait qu'elle appartenait à Debbie, le procureur et la police pourraient agir rapidement contre les deux suspects.

Glenna n'y comprenait rien. Comment Peterson pouvait-il connaître le résultat d'une nouvelle analyse alors que le corps n'avait pas encore été exhumé ? Comment pouvait-il être sûr que l'exhumation incriminerait Williamson et Smith ?

Pour Peggy, l'idée de revoir sa fille tournait à l'obsession. « Je ne me souviens plus de sa voix », confia-t-elle un jour à sa sœur. Bill Peterson promit à Glenna que l'exhumation serait effectuée rapidement et terminée sans que personne s'en rende compte.

Peggy était à son poste de travail, à l'usine Brockway Glass, quand une de ses collègues lui demanda ce qui se passait au cimetière Rosedale, autour de la tombe de Debbie. Peggy quitta aussitôt l'usine et traversa toute la ville jusqu'au cimetière. Quand elle arriva, la fosse était vide. On avait enlevé le corps de sa fille.

Le premier jeu d'empreintes avait été relevé le 9 décembre 1982 par Jerry Peters, un agent de l'OSBI, pendant l'autopsie.

Les mains étaient alors en parfait état. Il ne faisait aucun doute pour Peters qu'il disposait d'un jeu d'empreintes complet. Dans son rapport rédigé trois mois plus tard, les résultats indiquaient sans la moindre réserve que l'empreinte relevée sur le placoplâtre n'avait été laissée ni par Williamson, ni par Fritz, ni par la victime.

Quatre ans et demi plus tard, avec un crime non élucidé et un procureur aux abois, Peters eut des doutes sur ses premières conclusions. Trois jours après l'exhumation, il rédigea un nouveau rapport dans lequel il concluait que l'empreinte de la paume correspondait à celle de Debbie Carter. Pour la première fois en vingt-quatre ans de carrière, Jerry Peters avait changé d'avis.

Ces conclusions étaient précisément ce dont Peterson avait besoin. Puisqu'il disposait de la preuve que l'empreinte n'appartenait pas à un mystérieux tueur mais avait été laissée par Debbie pendant qu'elle se défendait, la voie était libre pour s'occuper des deux principaux suspects. Et il importait de le faire savoir à la population, c'est-à-dire aux jurés potentiels.

Pendant que la police annonçait que l'exhumation et ses résultats étaient confidentiels, Bill Peterson discutait avec un journaliste l'*Ada Evening News*, qui le citait : « Ce que nous avons découvert a confirmé nos soupçons. Nous avons voulu vérifier certains indices. »

Au journaliste qui demandait ce qu'ils avaient découvert exactement, Peterson répondait qu'il ne pouvait être plus précis mais qu'une « source » révélerait tout. « Le corps a été exhumé, disait cette source, afin de pouvoir comparer les empreintes des paumes de la victime avec une empreinte trouvée sur un mur de son appartement. Il était essentiel pour l'enquête de pouvoir éliminer la possibilité que l'empreinte appartienne à quelqu'un d'autre que la victime. »

« Cette affaire prend une meilleure tournure », déclarait Peterson.

Il obtint un mandat d'arrêt contre Ron Williamson et Dennis Fritz.

Au matin du vendredi 8 mai, Rick Carson croisa Ron qui poussait sa tondeuse à trois roues sur un trottoir. Ils discutèrent un moment. Échevelé, torse nu, en jean déchiré et tennis, Ron était aussi négligé qu'à son habitude. Il voulait trouver du travail dans les services municipaux ; Rick promit de lui apporter un formulaire de demande d'emploi. Ron lui dit qu'il l'attendrait chez lui, en fin de journée.

Rick Carson informa sa hiérarchie que le suspect serait à son domicile dans la soirée. La décision de l'appréhender fut prise. Carson demanda à participer à son arrestation pour être sûr qu'il n'y aurait pas de blessés, si Ron devenait violent. Trois autres policiers placés sous les ordres de l'inspecteur Mike Baskin furent choisis.

Toujours torse nu, en jean et tennis, Ron fut conduit en prison sans incident. Baskin lui lut ses droits et demanda s'il acceptait de répondre à ses questions. Ron accepta ; l'inspecteur James Fox assista à l'interrogatoire.

Ron affirma avec force qu'il ne connaissait pas Debbie Carter, qu'il n'était jamais allé chez elle et même qu'il ne l'avait jamais vue. Il s'en tint à cette déclaration devant les inspecteurs qui s'énervaient et répétaient qu'ils avaient la preuve de sa culpabilité.

Quand Ron fut écroué dans la prison du comté, il n'avait suivi aucun traitement depuis un mois.

Dennis Fritz vivait à présent à Kansas City, avec sa mère et une tante. Il s'occupait en faisant des travaux de peinture. Il avait quitté Ada depuis de longs mois ; son amitié avec Ron n'était plus qu'un lointain souvenir. Il n'avait pas été interrogé par la police depuis quatre ans et l'affaire Carter lui était presque sortie de la mémoire.

Dans la soirée du 8 mai, seul dans la salle de séjour, il regardait la télévision, encore habillé de sa salopette de peintre. Malgré l'heure tardive, il faisait chaud et les fenêtres étaient ouvertes. Le téléphone sonna.

— Je suis bien chez Dennis Fritz ? demanda une voix féminine.

— C'est lui-même, répondit Dennis.

On raccrocha. Il se dit que c'était peut-être une erreur ou que quelqu'un mijotait quelque chose. Il repartit s'asseoir devant la télévision. Il était près de 23 h 30 ; sa mère et sa tante étaient couchées.

Un quart d'heure plus tard, Dennis entendit des claquements de portières. Il se leva, nu-pieds, se dirigea vers la porte et découvrit un petit groupe d'hommes en tenue de combat, vêtus de noir et fortement armés, qui avançaient en ligne sur la pelouse. Il se demanda ce que c'était et envisagea, l'espace d'un instant, d'avertir la police.

La sonnette retentit. Quand il ouvrit, deux policiers en civil se jetèrent sur lui et l'entraînèrent à l'extérieur.

— Êtes-vous Dennis Fritz ? demanda l'un d'eux.

— Oui.

— Vous êtes en état d'arrestation pour meurtre avec préméditation, gronda le policier tandis que son collègue lui passait prestement les menottes.

— Quel meurtre ? demanda-t-il en se disant qu'il devait y avoir plusieurs Dennis Fritz à Kansas City, qu'il y avait erreur sur la personne.

Sa tante apparut sur le seuil et, découvrant les hommes du groupe d'intervention, pistolet-mitrailleur à la main, devint hystérique. Sa mère sortit à son tour de sa chambre au moment où les hommes en armes pénétraient dans la maison pour la « sécuriser ». Sécuriser quoi et contre qui, ils ne savaient pas exactement. Dennis n'avait pas d'arme, il n'y avait personne d'autre sur les lieux mais ils respectaient la procédure.

Dennis commençait à penser qu'il allait être abattu sur le pas de sa porte quand il vit un stetson blanc s'avancer vers lui. Des souvenirs cauchemardesques affluèrent. Dennis Smith et Gary Rogers venaient se joindre à la fête, le visage fendu par un grand sourire.

« Encore l'affaire Carter », se dit Dennis. Plus en verve que jamais, les deux cow-boys avaient réussi à convaincre l'Unité d'appréhension des fugitifs de Kansas City d'organiser cette opération aussi spectaculaire qu'insensée.

Dennis demanda s'il pouvait mettre des chaussures ; on accepta du bout des lèvres.

On fit monter Dennis Fritz dans une voiture de police, où Dennis Smith le rejoignit, l'air extatique. Un des inspecteurs de Kansas City était au volant. Au moment où la voiture démarrait, Dennis se retourna pour regarder une dernière fois la scène. C'était tellement idiot. Un adjoint du shérif aurait pu l'arrêter sans problème à l'épicerie du coin. Il étouffa un petit rire en voyant l'air dégoûté des policiers du groupe d'intervention.

L'image qu'il garda en tête, cependant, fut celle de sa mère sur le pas de la porte, les mains plaquées sur la bouche.

On le conduisit dans une petite salle du commissariat de Kansas City. Smith et Rogers lui lurent ses droits, puis annoncèrent qu'ils voulaient des aveux. Dennis, qui n'avait pas oublié Ward et Fontenot, était déterminé à se taire. Smith jouait le rôle du gentil flic tandis que Rogers faisait le méchant, jurant, menaçant, le bousculant.

Quatre années s'étaient écoulées depuis la dernière séance. En juin 1983, quand Dennis avait « raté » le test du détecteur de mensonge, Smith, Rogers et Featherstone l'avaient gardé trois heures dans le sous-sol du commissariat d'Ada sans rien tirer de lui. Le scénario se reproduisait.

Rogers était furieux. Les inspecteurs savaient depuis des années que Dennis et Ron avaient violé et assassiné Debbie Carter ; il ne leur manquait que des aveux.

« Je n'ai rien à avouer, répétait inlassablement Dennis. Quelles preuves avez-vous ? Montrez-moi vos preuves. »

« C'est une insulte à mon intelligence » était la phrase préférée de Rogers. Chaque fois qu'il l'entendait, Dennis avait envie de répliquer : « Quelle intelligence ? » Mais il craignait des mesures de rétorsion.

« D'accord, dit-il enfin, après deux heures d'intimidation forcenée. Je vais tout dire. » Les policiers furent soulagés. Malgré l'absence de preuves, ils allaient résoudre l'affaire grâce à ces aveux. Smith alla chercher un magnétophone pendant que Rogers sortait son calepin et son stylo.

Quand tout fut prêt, Dennis regarda le magnétophone et déclara : « Voici la vérité : je n'ai pas tué Debbie Carter et je ne sais rien sur son assassinat. »

Smith et Rogers explosèrent : les menaces et les insultes redoublèrent. Dennis était terrifié mais il tint bon. Il continua de clamer son innocence jusqu'à ce que les inspecteurs décident de mettre un terme à l'interrogatoire. Il refusa d'être extradé vers l'Oklahoma et attendit en prison que les événements suivent leur cours.

Le lendemain, on conduisit Ron au commissariat d'Ada pour un nouvel interrogatoire. De retour de leur grisante expédition à Kansas City, Smith et Rogers l'attendaient de pied ferme. Ils s'étaient fixé pour objectif de le faire parler.

Ils avaient peaufiné leur stratégie depuis la veille de l'arrestation de Ron. Dans *Les Rêves d'Ada*, livre tout juste publié, on critiquait leurs méthodes. Ils avaient décidé, en conséquence, que Smith qui vivait à Ada serait remplacé par Rusty Featherstone, qui habitait à Oklahoma City. Ils avaient aussi décidé de ne pas utiliser la caméra vidéo.

Dennis Smith était dans les locaux mais il n'entra pas dans la salle où avait lieu l'interrogatoire. Après avoir conduit l'enquête pendant plus de quatre ans sans cesser d'être convaincu de la culpabilité de Williamson, il n'assistait pas à l'interrogatoire décisif.

La police d'Ada était bien pourvue de matériel audio et vidéo, qu'elle utilisait fréquemment. Les interrogatoires – et surtout les aveux – étaient presque toujours enregistrés. La police avait pleinement conscience de l'effet d'un enregistrement vidéo sur un jury. La condamnation de Ward et de Fontenot en était l'illustration parfaite. L'interrogatoire du deuxième passage de Ron au détecteur de mensonge avait été enregistré par Featherstone au commissariat d'Ada.

Quand les aveux n'étaient pas filmés, ils étaient souvent enregistrés sur bande. Il y avait plein de magnétophones, au commissariat.

Si aucun des deux supports n'était utilisé, on demandait au suspect de donner par écrit – s'il savait lire et écrire – sa version des faits. Si le suspect était illettré, un inspecteur rédigeait sa déposition, la lisait à voix haute et lui demandait de signer.

Aucune de ces méthodes ne fut utilisée ce 9 mai. Ron, qui avait fait une bonne scolarité et disposait d'un vocabulaire plus riche que les deux inspecteurs, regarda Featherstone prendre des notes. Il reconnut avoir été informé de ses droits et accepta de faire une déposition.

La version de la police se présente comme suit :

> WILLIAMSON a déclaré : « Bon, le 8 décembre 82, je traînais souvent au *Coachlight* et un soir, là-bas, je regardais une fille, une jolie fille et je me disais que je devrais la suivre jusque chez elle. »

WILLIAMSON s'est interrompu, puis il a donné l'impression de vouloir ajouter quelque chose, une grossièreté, et il s'est interrompu de nouveau. Il a poursuivi : « Je me suis dit qu'il pourrait arriver quelque chose de mal si je la suivais chez elle. »
WILLIAMSON, après un silence, a parlé d'un jour où il avait volé une chaîne stéréo, puis il a dit : « J'étais avec DENNIS, on est allés au Holiday Inn, on a dit à une fille qu'on avait un bar dans la voiture et elle est montée avec nous. »
WILLIAMSON parlait en phrases décousues. L'agent ROGERS lui a demandé de se concentrer et de revenir à l'affaire DEBBIE CARTER.
WILLIAMSON a dit : « Ouais, j'ai fait un rêve où je tuais DEBBIE, j'étais sur elle, j'avais passé une corde autour de son cou, je la frappais avec un couteau et je tirais souvent sur la corde. »
WILLIAMSON a déclaré : « Je suis inquiet de ce que ça fera à ma famille », et il a ajouté : « Ma mère est morte, maintenant. »
L'agent ROGERS a demandé à WILLIAMSON si DENNIS et lui étaient là-bas ce soir-là et WILLIAMSON a répondu : « Oui. » L'agent FEATHERSTONE a demandé à WILLIAMSON s'il y était allé avec l'intention de la tuer. WILLIAMSON a répondu : « Probablement. »
L'agent FEATHERSTONE a demandé : « Pourquoi ? »
WILLIAMSON a répondu : « J'étais furieux contre elle. »
L'agent FEATHERSTONE a demandé : « Que voulez-vous dire ? Elle a été méchante ? Elle s'est conduite comme une garce ? »
WILLIAMSON a répondu : « Non. »
WILLIAMSON a dit après un silence : « Mon Dieu, vous ne pouvez pas me demander des aveux. J'ai ma famille, j'ai mon neveu à protéger. Ma sœur, elle sera brisée. Je ne peux plus faire de mal à ma mère maintenant qu'elle est morte. Je n'ai pas arrêté d'y penser depuis que c'est arrivé. »
À 19 h 38, WILLIAMSON a dit : « Si vous voulez me juger pour ça, je veux TANNER, de Tulsa. Non, je veux DAVID MORRIS. »

La mention d'un avocat effraya les enquêteurs qui mirent fin à la déposition. Ils appelèrent David Morris, qui leur demanda de cesser immédiatement l'interrogatoire.

Ron ne signa pas la déposition. On ne la lui montra même pas.

Grâce à ces aveux, l'affaire se présentait bien pour les enquêteurs et le ministère public. Ils avaient appris avec Ward et Fontenot que l'absence de preuves matérielles n'était pas un obstacle pour engager des poursuites. Que Debbie Carter n'eût pas été poignardée ne portait pas à conséquence. Un jury bouleversé rendrait un verdict de culpabilité.

Des aveux bidon avaient permis d'épingler Williamson, d'autres pouvaient l'envoyer dans le couloir de la mort. Quelques jours plus tard, John Christian, un des gardiens, vint voir Ron dans sa cellule. Ils avaient grandi dans le même quartier. La famille Christian comptait de nombreux garçons dont l'un avait l'âge de Ron, qui était souvent invité chez eux à déjeuner ou à dîner. Ils jouaient au base-ball dans la rue et dans les compétitions de juniors et fréquentaient le même collège.

Sans traitement, Ron n'était pas un détenu modèle. La prison du comté de Pontotoc est un bloc de béton sans fenêtres qui s'élève sur le côté ouest de la pelouse du tribunal. Les plafonds sont bas, l'atmosphère oppressante. Quand un détenu hurle, tout le monde en profite. Ron hurlait souvent. Quand il ne hurlait pas, il chantait, il criait, il gémissait, il se plaignait, il clamait son innocence ou délirait sur Debbie Carter. Il fut placé en isolement cellulaire, loin du local de garde à vue surpeuplé, mais la prison était si petite que Ron y rendait la vie insupportable à tout le monde.

Seul John Christian réussissait à l'apaiser ; les autres détenus le voyaient arriver avec plaisir. Dès qu'il prenait son service, il se rendait dans la cellule de Ron pour le calmer. Ils parlaient du bon vieux temps de leur enfance, des parties de base-ball, de leurs amis de l'époque. Ils parlaient de l'affaire Carter, de ce meurtre dont Ron était injustement accusé. Pendant huit heures, Ron restait calme. Sa cellule était un trou à rats mais il réussissait à dormir et à lire. Avant de débaucher, John venait voir Ron qu'il trouvait le plus souvent en train de faire les cent pas, une cigarette à la bouche, se préparant au raffut qu'il allait déclencher dès l'arrivée du nouveau gardien.

Dans la soirée du 22 mai, Ron n'arrivait pas à dormir. Il savait que John était de garde ; il lui demanda de venir pour parler du meurtre. Il avait entre les mains un exemplaire des *rêves d'Ada.* Il dit à John qu'il avait peut-être l'aveu d'un rêve à faire, lui aussi. Selon la version de John, Ron avait dit : « Imagine que j'ai rêvé que ça s'est passé comme ça. Imagine que je vivais à Tulsa, que j'avais bu et pris des saloperies toute la journée et que j'avais trouvé une voiture pour aller chez Buzzy (au *Coachlight*). Imagine que j'avais continué à boire et que j'étais sérieusement bourré. Imagine que je m'étais retrouvé devant la porte de Debbie Carter, que j'avais frappé et qu'elle avait répondu : Une minute, je suis au téléphone. Imagine que j'étais entré de force, que je l'avais violée et puis tuée. »

Williamson ajouta : « Tu ne crois pas que si c'était moi qui l'avais tuée, j'aurais emprunté de l'argent à mes amis et je serais parti loin d'ici ? »

John n'avait pas été particulièrement frappé par cette conversation mais il la répéta à un de ses collègues. De fil en aiguille, elle arriva aux oreilles de Gary Rogers. Le policier y vit l'occasion de disposer d'un élément de preuve supplémentaire contre le tueur. Deux mois plus tard, il demandait à John Christian de lui répéter ce que Ron avait dit. Rogers tapa un rapport en ajoutant des guillemets où ça l'arrangeait. La police et le procureur se trouvèrent ainsi, une fois de plus, en possession d'aveux sous forme de rêve. Pas un seul mot ne faisait état des protestations d'innocence de Ron.

Comme d'habitude, les faits n'avaient guère d'importance. Ron n'habitait pas à Tulsa à l'époque du meurtre. Il ne possédait ni véhicule ni permis de conduire.

7.

À l'annonce que leur frère était arrêté et accusé de meurtre, Annette Hudson et Renee Simmons furent effondrées. Elles étaient l'une et l'autre conscientes de la détérioration de sa santé mentale et de son état physique depuis sa sortie de prison mais elles ne se doutaient pas qu'il était soupçonné de meurtre. Les rumeurs étaient vieilles à présent, les deux sœurs supposaient que la police s'intéressait à d'autres suspects, à d'autres affaires. Avant sa mort – qui remontait à deux ans –, Juanita avait assuré avoir fourni à Dennis Smith de quoi disculper Ron. Annette et Renee partageaient cette certitude.

Elles vivaient frugalement, élevant leurs enfants, travaillant quand il le fallait pour payer les factures et mettre un peu d'argent de côté. Elles n'avaient pas de quoi engager un avocat au criminel, un vrai. Annette était allée voir David Morris, mais l'affaire ne l'intéressait pas. John Tanner était à Tulsa : trop loin, trop cher.

Ce n'était pas la première fois que Ron avait maille à partir avec la justice, mais ses sœurs étaient prises de court par l'inculpation de meurtre. Les amis prenaient leurs distances. Les murmures et les regards soupçonneux se faisaient plus insistants.

— Ce n'est pas votre faute, glissa un voisin à Annette. Vous n'êtes pas responsable des actes de votre frère.

— Mon frère n'est pas coupable, répliqua-t-elle sèchement.

Elles le répétaient à qui voulait l'entendre mais personne ne s'en souciait. Personne ne tenait compte de la présomption d'innocence. Pourquoi aurait-on arrêté Ron s'il n'était pas coupable ?

Michael, le fils d'Annette, âgé de quinze ans, sortit choqué d'un débat sur l'actualité locale organisé dans sa classe. La discussion avait tourné autour de l'arrestation de Williamson et de Fritz. Comme son nom de famille était Hudson, aucun de ses camarades de classe ne savait que l'accusé était l'oncle de Michael. L'attitude générale était particulièrement hostile aux deux hommes. Annette se rendit au collège le lendemain pour mettre les choses au point. Le professeur présenta des excuses et s'engagea à réorienter les débats de classe.

Renee et Gary Simmons vivaient loin de la pression, à Chickasha, à cent cinquante kilomètres d'Ada. Annette, elle, n'avait jamais quitté la ville. Elle aurait tout donné pour partir mais elle était obligée de rester pour soutenir son frère.

Le dimanche 10 mai, l'*Ada Evening News* publia à la une un article accompagné d'une photographie de Debbie Carter. Bill Peterson avait fourni au journaliste la matière de son article. Il confirmait que le corps avait été exhumé et que l'empreinte mystérieuse était bien celle de la victime. Il affirmait, sans expliquer pourquoi, que Fritz et Williamson étaient les principaux suspects depuis plus d'un an. Pour ce qui était de l'enquête proprement dite, il déclarait : « Il y a six mois, voyant que l'enquête piétinait, nous avons décidé d'aborder les choses d'une manière différente. »

L'article indiquait aussi que le FBI avait été appelé à la rescousse. Deux ans auparavant, la police d'Ada avait demandé son aide. Après avoir étudié les indices, le FBI avait fourni aux enquêteurs un profil psychologique des tueurs, sur lequel Peterson ne donnait aucun détail.

Le lendemain, toujours à la une, était publié un autre article agrémenté de photographies de l'identité judiciaire des deux suspects ; il avaient l'air assez menaçant pour que cela leur vaille une condamnation.

L'article reprenait les détails de celui de la veille, précisant que les deux hommes avaient été arrêtés et inculpés de viol et de meurtre avec préméditation. Curieusement, les « officiels » interrogés refusaient de dire si les deux inculpés avaient fait une déposition au sujet du crime. À l'évidence, les journalistes d'Ada considéraient que des aveux étaient inhérents à toute enquête criminelle.

Les autorités gardaient le silence sur les aveux de Ron mais elles donnaient la teneur de la déclaration sous serment utilisée pour obtenir le mandat d'arrêt. « Des poils pubiens et des cheveux retrouvés sur le corps et les draps de Mlle Carter étaient compatibles à l'examen microscopique avec ceux de Ronald Keith Williamson et de Dennis Fritz. »

Et les deux hommes avaient un casier judiciaire chargé. Ron totalisait quinze infractions – conduite en état d'ivresse et autres – ainsi que le délit de falsification de document qui lui avait valu d'aller en prison. Outre la culture de marijuana, Dennis avait deux condamnations pour conduite en état d'ivresse, et quelques excès de vitesse.

Bill Peterson confirma que le corps avait été exhumé afin de réexaminer l'empreinte d'une paume qui s'était révélée être celle de la victime. Il ajoutait que les deux hommes étaient « les principaux suspects depuis plus d'un an ».

Le journaliste concluait son article en rappelant que « Debbie Carter était morte par asphyxie, provoquée par un gant de toilette enfoncé dans sa gorge pendant le viol ».

Le même jour, Ron traversa la pelouse qui séparait la prison du tribunal – une cinquantaine de pas – pour être présenté au juge John David Miller, le magistrat chargé des audiences préliminaires. Il déclara qu'il n'avait pas d'avocat et qu'il ne pensait pas pouvoir en payer un. On le reconduisit dans la prison.

Quelques heures plus tard, un détenu du nom de Mickey Wayne Harrell prétendit avoir entendu Ron dire en sanglotant : « Pardonne-moi, Debbie. » Le gardien en fut immédiatement informé. À en croire Harrell, Ron lui aurait ensuite demandé de dessiner sur son bras un tatouage portant la mention : « Ron aime Debbie ».

Avec ce retour sur scène d'un crime spectaculaire, les ragots allaient bon train dans la prison. Les mouchards, avec qui la police était on ne peut plus coulante, allaient s'en donner à cœur joie. Le moyen le plus rapide pour recouvrer la liberté ou obtenir une réduction de peine était d'entendre ou de prétendre avoir entendu un suspect de choix avouer tout ou partie de son crime, puis de négocier ces informations avec le procureur. Dans la plupart des prisons, ces pratiques étaient rares, les informateurs redoutant des représailles des autres détenus. À Ada, elles étaient très répandues et donnaient d'excellents résultats.

Deux jours plus tard, Ron retourna au tribunal pour aborder le sujet de sa représentation en justice. Il comparut devant le juge Miller et cela ne se passa pas bien. Toujours sans traitement, il était agressif et virulent.

— Ce n'est pas moi qui l'ai tuée ! hurla-t-il d'emblée. Je commence à en avoir marre qu'on me mette cette histoire sur le dos. Je suis désolé pour sa famille, mais...

Le magistrat essaya de l'interrompre mais Ron avait envie de parler.

— Je ne l'ai pas tuée. Je ne sais pas qui l'a tuée. Ma mère était encore vivante à ce moment-là et elle savait où j'étais.

Le juge Miller entreprit d'expliquer que cette audience préliminaire n'était pas destinée à permettre à un accusé de plaider sa cause, mais Ron n'en avait cure.

— Je veux qu'on abandonne ces charges, répétait-il obstinément. C'est ridicule.

Le juge demanda s'il comprenait la nature des charges qui pesaient sur lui.

— Je suis innocent, déclara Ron. Je n'ai jamais été en compagnie de cette fille, je ne suis jamais monté en voiture avec elle.

Tandis qu'on lui lisait ses droits pour le procès-verbal, il continua de protester.

— Je suis allé trois fois en prison et chaque fois on a voulu me faire dire que j'avais quelque chose à voir avec ce meurtre.

Quand le nom de Dennis Fritz fut prononcé, Ron réagit immédiatement.

— Il n'a rien à voir avec cette affaire. Je le connaissais à l'époque. Il n'était pas au *Coachlight*.

Le juge considéra qu'il plaidait non coupable. On emmena Ron qui jurait comme un charretier sous le regard éploré d'Annette.

Elle se rendait à la prison tous les jours, deux fois quand les gardiens l'y autorisaient. Elle connaissait la plupart d'entre eux et ils connaissaient tous Ronnie. Le règlement était souvent assoupli pour permettre des visites plus nombreuses.

Il était perturbé, toujours sans traitement ni aide psychologique, ulcéré d'être incarcéré pour un crime qu'il n'avait pas commis. Et il était humilié. Depuis quatre ans et demi, on le soupçonnait d'être l'auteur d'un acte abominable. Ces soupçons étaient déjà difficiles à endurer dans la ville où il avait sa famille, ses amis d'hier et d'aujourd'hui, tous ceux qui l'avaient vu grandir et ceux qui avaient gardé le souvenir d'un sportif de talent. Les murmures et les regards en coin étaient pénibles mais il les avait supportés pendant toutes ces années. Il était innocent et la vérité, si elle devait se faire jour, le laverait de ces soupçons.

Mais, en attendant, la situation avait un effet dévastateur sur Ron.

Il n'était même pas sûr de connaître Debbie Carter.

Dans sa cellule de la prison de Kansas City, Dennis Fritz attendait la décision de justice qui allait le renvoyer à Ada. Il n'en revenait pas d'être accusé de meurtre, lui qui avait mis des années à se remettre de la mort de sa femme, qui avait souvent eu le sentiment d'être lui-même une victime.

Accusé de meurtre, lui qui n'avait jamais fait de mal à personne ? Il était petit et frêle, il répugnait à se battre et détestait la violence. Certes, il avait passé bien des soirées dans les bars et dans des boîtes mal famées mais il s'éclipsait dès que les esprits s'échauffaient. Pour Ron Williamson, c'était différent : quand il ne donnait pas lui-même le signal de la bagarre, il restait pour faire le coup de poing. Pas Dennis. Seule son amitié avec Ron faisait de lui un suspect.

Il écrivit une longue lettre à l'*Ada Evening News* pour expliquer pourquoi il se battait pour ne pas être transféré à Ada. Il ne voulait pas retrouver Smith et Rogers, qui l'avaient fait inculper de meurtre. Il était innocent, il n'avait rien à voir avec ce crime et il avait besoin d'un peu de temps pour réfléchir. Il essayait de trouver un bon avocat et sa famille réunissait l'argent nécessaire.

Il récapitulait ce qu'il avait fait pendant l'enquête. N'ayant rien à cacher et désireux de coopérer, il avait fourni tout ce que la police demandait – empreintes digitales, échantillons de son écriture, de salive et de poils, même un de sa moustache. Il était passé deux fois au détecteur de mensonge. Les résultats, à en croire Dennis Smith, n'étaient absolument pas concluants, mais il avait eu l'occasion de découvrir par la suite que ce n'était pas vrai.

Il écrivait ensuite, à propos de l'enquête : « Pendant trois ans et demi, la police a eu la possibilité de comparer mes empreintes digitales, mon écriture et mes échantillons de poils avec les indices trouvés sur la scène de crime et aurait pu m'arrêter depuis longtemps. D'après votre journal, l'enquête piétinant, la police a décidé il y a six mois d'aborder les choses d'une manière différente. Je ne suis pas assez bête pour croire qu'il faut trois ans et demi à un laboratoire pour effectuer des rapprochements d'empreintes génétiques. »

Ancien professeur de sciences, il avait étudié la question. Sa lettre se poursuivait ainsi : « Comment puis-je être accusé de viol et de meurtre sur des éléments de preuve aussi peu convaincants que des poils, qui ne distinguent que des groupes ethniques et non des individus à l'intérieur d'un groupe ethnique ? N'importe quel expert sait qu'il y a au moins un demi-million de personnes dont les poils ont les mêmes caractéristiques. »

Il concluait sa lettre en clamant son innocence et posait une question : « Suis-je présumé coupable jusqu'à ce que j'aie été déclaré innocent ou innocent jusqu'à ce que j'aie été déclaré coupable ? »

Le comté de Pontotoc n'avait pas de défenseur public. Ceux qui ne pouvaient s'offrir les services d'un avocat devaient signer une déclaration d'indigence, puis le juge nommait un avocat au titre de l'aide juridictionnelle.

Comme il est assez rare que des gens aisés soient inculpés, la plupart des délinquants bénéficient de cette aide. Vol à main armée, trafic de drogue et agression sont l'apanage des plus défavorisés. La plupart des inculpés étant coupables, les avocats commis d'office enquêtaient, interrogeaient, cherchaient un accord avec le procureur, se coltinaient toute la paperasse, tout cela pour des honoraires modestes. Si modestes que la plupart préféraient se défiler. L'aide juridictionnelle présentait quantité d'inconvénients. Les juges désignaient souvent des avocats sans expérience ou avec une expérience réduite du pénal, et il n'y avait pas d'argent pour défrayer les experts ni pour payer quoi que ce soit.

Rien de tel qu'un procès criminel pour que les avocats d'une petite ville se récusent à qui mieux mieux. Ils savent que les projecteurs vont être braqués sur le défenseur chargé de représenter un individu accusé d'un crime atroce. Le temps passé à préparer le dossier est tel qu'il met en péril l'équilibre financier d'un petit cabinet. Les honoraires sont dérisoires pour la charge de travail. Les pourvois s'éternisent.

Tous les avocats redoutent d'être désignés. Les tribunaux, populeux durant les sessions, se changent en mausolées déserts quand vient le moment de commettre un défenseur d'office. On s'enferme à double tour et on débranche le téléphone.

Le personnage le plus pittoresque parmi les habitués du tribunal d'Ada était peut-être Barney Ward, un avocat aveugle connu pour son élégance vestimentaire, ses histoires à dormir debout et son penchant à se mêler des affaires en cours. Il semblait savoir tout ce qui se passait au tribunal.

Barney avait perdu la vue à seize ans, au lycée, le jour où une expérience de chimie avait mal tourné. Traitant ce drame comme un contretemps, il s'était inscrit à l'université East Central, à Ada, où sa mère lui servait de lectrice. Elle était restée à ses côtés pendant ses études de droit à l'université de l'Oklahoma, à Norman. De retour à Ada après avoir réussi l'examen du barreau, il s'était présenté avec succès devant les électeurs pour obtenir le poste de représentant du ministère public. Procureur du comté pendant plusieurs années, il avait ensuite ouvert, au milieu des années 1950, un cabinet spécialisé dans les affaires criminelles et s'était rapidement taillé une solide réputation. Prompt à déceler la moindre faiblesse dans le dossier de l'accusation, il prenait à la gorge les témoins de la partie adverse, menait des contre-interrogatoires implacables et n'avait pas peur des batailles de prétoire.

Au cours d'une scène mémorable, Barney avait balancé un coup de poing à un de ses confrères. Il était en train de se chicaner avec David Morris sur des éléments de preuve ; les deux avocats étaient à cran, l'atmosphère devenait tendue et Morris avait commis l'erreur de dire : « Monsieur le juge, même un aveugle verrait cela. » Barney s'était jeté sur lui, du moins dans sa direction, et avait envoyé un crochet du droit qui avait failli faire mouche. Morris s'était excusé et s'était tenu à distance jusqu'à la fin de l'audience.

Tout le monde connaissait Barney. On le voyait souvent aux alentours du tribunal, accompagné de Linda, sa fidèle assistante, qui lisait et prenait des notes pour lui. Il utilisait de temps en temps un chien pour se déplacer mais il préférait la compagnie d'une jeune femme. Il était aimable avec tout le monde et n'oubliait jamais une voix une fois qu'il l'avait entendue. Ses confrères l'avaient élu président de l'association du barreau, pas seulement par sympathie. Barney était si apprécié qu'on l'avait invité à devenir membre d'un club de poker. Ayant apporté un jeu de cartes en braille et déclaré qu'il devait être le seul à distribuer, il ne tarda pas à rafler toutes les mises. Les autres décidèrent qu'il valait mieux que Barney se contente de jouer, sans distribuer les cartes. Ses gains se réduisirent.

Tous les ans, les avocats d'Ada invitaient Barney à une chasse au cerf. Une semaine entre hommes, bourbon à volonté, poker, histoires cochonnes, ragoûts consistants et, s'ils avaient le temps, une partie de chasse. Le rêve de Barney était de tuer un cerf. Un jour, après avoir repéré un beau mâle dans les bois, ses amis l'avaient placé en position de tir, lui avaient mis un fusil entre les mains, avaient soigneusement visé et crié : « Feu ! » Barney avait pressé la détente. Le coup était passé loin mais les autres avaient affirmé que le cerf avait échappé de justesse à la mort. Barney en avait parlé pendant des années.

Comme bon nombre de gros buveurs, il avait été obligé d'arrêter la boisson. Il utilisait à l'époque un chien d'aveugle, mais il avait fallu le remplacer : l'animal continuait par habitude à conduire Barney au magasin où il achetait son whisky. Il devait être un excellent client. On racontait même que le commerce avait fermé quand Barney avait cessé de boire.

Il aimait l'argent et perdait vite patience avec les clients qui ne pouvaient le payer. Sa devise était : « Présumé innocent jusqu'à ce qu'il soit fauché. » Au milieu des années 1980, Barney commençait à décliner. Il lui arrivait de s'endormir dans la salle d'audience. Il portait de grosses lunettes noires qui couvraient une grande partie de son visage, de sorte qu'il était impossible au juge et aux avocats de savoir s'il écoutait ou s'il somnolait. Ses adversaire mettaient ces absences à profit. Leur stratégie élaborée dans la plus grande discrétion – Barney entendait tout – consistait à faire en sorte qu'une audience se prolonge après l'interruption du déjeuner, que Barney faisait toujours suivre d'une sieste. S'ils parvenaient à tenir jusqu'à 15 heures, ils avaient les meilleures chances de gagner.

Deux ans auparavant, contacté par la famille de Tommy Ward – aucun lien de parenté –, il avait refusé de se charger de l'affaire. Il était convaincu de l'innocence de Ward et de Fontenot mais préférait rester à l'écart des affaires de meurtre. La paperasse n'était pas son fort.

Le juge John David Miller demanda à Barney de représenter Ron Williamson. Il était l'avocat au criminel le plus expérimenté du comté et ses compétences seraient utiles. Il n'hésita pas longtemps avant d'accepter. Il connaissait la constitution sur le bout du doigt et croyait fermement que tout accusé, si mal vu soit-il, a le droit d'être défendu avec conviction.

Le 1er juin 1987, Barney Ward fut désigné pour défendre Ron Williamson, son premier client risquant la peine de mort. Annette et Renee étaient satisfaites ; elles connaissaient Barney de vue et de réputation.

Les premiers rapports entre l'avocat et son client furent assez agités. Ron en avait ras le bol de la prison ; les détenus et les gardiens en avaient ras le bol de Ron. Les entretiens avaient lieu dans la petite salle des visites, un endroit que Barney trouvait trop intime compte tenu de l'indiscipline de son client. Il passa un coup de fil pour se renseigner sur l'état mental de Ron. On prescrivit de la Thorazine. Au grand soulagement de l'avocat et de toute la prison, le traitement eut d'excellents résultats, au point que les surveillants augmentèrent la dose pour avoir la paix. Ron dormait comme un bébé. Finalement, au cours d'un entretien avec son avocat, il se trouva presque incapable de parler. Barney alla discuter avec les gardiens, on modifia le dosage et Ron retrouva son énergie.

D'une manière générale, il se montrait peu coopératif, se contentant le plus souvent de protestations d'innocence incohérentes. Il allait droit vers une condamnation, tout comme Ward et Fontenot. Barney avait mesuré dès le premier jour la difficulté de sa tâche, mais il ne baissait pas les bras.

Glen Gore, lui aussi, était en prison. Pour enlèvement et violences sexuelles. Il était défendu par Greg Saunders, un jeune avocat commis d'office qui venait d'ouvrir un cabinet à Ada. Au cours d'un entretien avec son client, ils en étaient presque venus aux mains. Saunders était aussitôt allé voir le juge Miller pour lui demander de le décharger de l'affaire. Le magistrat ayant refusé, Saunders s'engagea à accepter la prochaine commission d'office dans un procès capital, si cela lui permettait de se débarrasser de Gore. Le juge Miller accepta le marché et lui annonça qu'il représenterait Dennis Fritz dans l'affaire Carter.

Plein d'appréhension à la perspective de son premier procès pour meurtre, Saunders était en même temps ravi de travailler en étroite collaboration avec Barney Ward. Durant ses études à East Central, alors qu'il rêvait de devenir avocat, il avait souvent séché des cours pour voir Barney en action. Il l'avait vu démolir des témoins hésitants et intimider des procureurs. Barney respectait les juges mais ne les craignait pas et savait émouvoir un jury. Quant à son infirmité, il n'en jouait qu'à certains moments-clés. Greg Saunders tenait Barney pour un as du prétoire.

Les deux hommes travaillaient chacun de leur côté mais aussi, plus discrètement, ensemble. Ils multipliaient les requêtes qui mettaient sens dessus dessous le bureau du procureur. Le 11 juin, le juge ordonna une audience sur des questions soulevées par l'accusation et par la défense. Barney voulait avoir la liste de tous les témoins que le procureur avait l'intention de faire déposer. La loi de l'Oklahoma était claire sur le sujet mais Bill Peterson traînait les pieds. Le procureur ne voulait révéler que les noms de ceux qu'il avait l'intention de citer au cours de l'audience préliminaire. Pas question, déclara le juge. Il ordonna à Peterson de communiquer en temps voulu à la défense le nom des autres témoins.

D'humeur combative, Barney obtenait satisfaction pour la plupart de ses requêtes. Cependant, il montrait des signes d'agacement. Il confia un jour à un ami qu'étant commis d'office, il ne voulait pas passer trop de temps sur cette affaire. Il était déterminé à faire du bon boulot mais, en même temps, il craignait d'être anéanti par ce procès, son premier grand procès.

Le lendemain, il présenta une requête pour obtenir un avocat supplémentaire dans le camp de la défense. Le ministère public ne s'y opposa pas. Le 16 juin, Frank Baber fut désigné par le juge pour épauler Barney. Les requêtes continuèrent de se multiplier tandis que les deux parties fourbissaient leurs armes pour l'audience préliminaire.

La cellule de Dennis Fritz n'était pas très éloignée de celle de Ron Williamson. Il ne pouvait pas le voir mais il l'entendait. Quand Ron n'était pas assommé par les médicaments, il hurlait en continu. Accroché pendant des heures aux barreaux de la porte de sa cellule, il beuglait : « Je suis innocent ! Je suis innocent ! » Sa voix grave et rauque se répercutait dans le bâtiment exigu. C'était un animal blessé qui appelait à l'aide. Pour les détenus déjà stressés, les hurlements de Ron étaient à la limite du supportable.

Certains lui répondaient ou criaient pour le faire enrager qu'il avait tué Debbie Carter. Les échanges de cris et d'insultes, parfois amusants, étaient le plus souvent éprouvants pour les nerfs. Les gardiens décidèrent d'installer Ron dans le local de garde à vue, qu'il partageait avec une douzaine d'autres détenus, une initiative désastreuse. Dans ce lieu où les hommes vivaient serrés comme des sardines, Ron était incapable de respecter l'espace vital de ses voisins. Ils signèrent une pétition pour qu'il soit renvoyé en isolement cellulaire. Soucieux d'éviter une émeute ou un meurtre, les surveillants acceptèrent.

Quand le silence revenait pour un moment, tout le monde respirait ; on savait que John Christian était de service, ou qu'un surveillant avait augmenté la dose de Thorazine.

Parmi les effets secondaires de la Thorazine, il y a les démangeaisons dans les membres inférieurs. On s'habitua donc à voir Ron plier les jambes et passer d'un pied sur l'autre pendant des heures.

Dennis Fritz essayait en vain de le calmer. Il lui était plus pénible qu'à quiconque de l'entendre protester de son innocence. À l'évidence Ron aurait eu besoin de beaucoup plus que de simples pilules.

Les neuroleptiques exercent une action voisine de celle des tranquillisants et des antipsychotiques, et sont surtout utilisés dans le traitement de la schizophrénie. La Thorazine est un neuroleptique qui a envahi les hôpitaux psychiatriques dans les années 1950. Ses détracteurs, largement majoritaires, citent de nombreuses études qui démontrent que le médicament provoque des effets secondaires dont la liste est longue et terrifiante. Somnolences, léthargie, perte de concentration, cauchemars, difficultés émotionnelles, dépression, abattement, amoindrissement de la conscience du patient et manque d'intérêt spontané pour ce qui l'entoure, troubles moteurs. La Thorazine est toxique pour la plupart des fonctions cérébrales.

À en croire les plus virulents, la Thorazine ne serait « rien d'autre qu'une lobotomie chimique ». Ils prétendent que le seul véritable but de l'utilisation de la Thorazine est d'économiser de l'argent dans les hôpitaux psychiatriques et les prisons, en rendant les patients et les détenus plus dociles.

La Thorazine était donnée à Ron par les surveillants, parfois selon les instructions de son avocat. Le plus souvent, personne n'exerçait de contrôle. On lui filait une pilule quand il devenait trop bruyant.

Dennis était resté quatre années sans bouger d'Ada après la date du meurtre ; le montant fixé pour sa caution, comme pour celle de Ron, était pourtant exorbitant, beaucoup trop élevé pour ses moyens. Comme tout accusé, les deux hommes étaient présumés innocents et n'étaient donc gardés en prison que pour éviter qu'ils disparaissent ou sèment des cadavres sur leur passage. Présumés innocents, certes, mais il leur faudrait encore attendre près d'un an avant d'être jugés.

Quelques jours après l'arrivée de Dennis dans la prison d'Ada, un nommé Mike Tenney s'arrêta devant sa cellule. Grassouillet, le crâne dégarni, plutôt fruste, il se montra souriant et aimable comme on peut l'être avec un vieux copain. Et il semblait avoir très envie de parler du meurtre de Debbie Carter.

Dennis n'était pas tombé de la dernière pluie. Il n'ignorait pas que la prison était un repaire de moutons et de menteurs, et que toute conversation pouvait être répétée et déformée au tribunal, au détriment de celui qui était jugé. Détenus, surveillants, policiers, personnel d'encadrement, jusqu'aux cuisiniers, chacun était un mouchard potentiel, avide de détails, qui s'empresserait de tout raconter à la police.

Tenney prétendit être un nouveau surveillant, pas encore en poste. Sans qu'on lui demande quoi que ce soit, Tenney prodigua des conseils. À son avis, Dennis était mal barré et risquait la peine capitale. S'il voulait sauver sa peau, le meilleur moyen était de se mettre à table, de tout avouer et de trouver un arrangement avec le procureur en chargeant Ron Williamson. Peterson jouerait franc jeu.

Dennis écoutait sans rien dire mais Tenney ne lâchait pas prise. Il revenait à la charge tous les jours, plein de compassion, discourant sur le système et ce qu'il croyait en avoir compris et donnant des conseils parfaitement désintéressés.

Dennis écoutait sans rien dire.

La date de l'audience préliminaire avait été fixée au 20 juillet par le juge John David Miller. Comme dans la plupart des juridictions, ces audiences étaient déterminantes dans l'Oklahoma, le ministère public y était tenu d'abattre ses cartes, de communiquer au juge et à la partie adverse le nom de ses témoins et de faire savoir ce qu'ils diraient.

Pour le procureur, le but était de dévoiler des éléments de preuve assez compromettants pour convaincre le juge de la culpabilité de l'accusé tout en gardant quelques atouts dans sa manche. Cela demandait de l'habileté et n'était pas sans risques.

En règle générale, le procureur n'avait pas à s'inquiéter. Un juge qui rend une ordonnance de non-lieu dans une affaire criminelle a de la peine à se faire réélire.

Mais les preuves réunies contre Fritz et Williamson étaient si maigres que Peterson serait obligé de faire du forcing. Son dossier était si peu fourni qu'il ne pourrait rien garder pour lui. Et les journalistes du quotidien local ne rateraient pas un mot de ce qui se dirait. Trois mois après sa publication, l'ouvrage *Les Rêves d'Ada* était encore l'objet de discussions passionnées. L'audience préliminaire serait la première apparition de Peterson dans une affaire d'importance depuis la sortie du livre.

La mère de Dennis et les deux sœurs de Ron se trouvaient dans le public. Peggy Stillwell, Charlie Carter et leurs deux filles étaient arrivés parmi les premiers. Les habitués – avocats blasés, colporteurs de ragots, employés du tribunal, retraités oisifs – attendaient avec impatience de voir les accusés en chair et en os. Le procès n'aurait pas lieu avant plusieurs mois, au moins, mais leur curiosité serait satisfaite.

Juste avant l'audience, histoire de s'amuser, des policiers d'Ada informèrent Ron que Dennis Fritz avait fait des aveux complets, dans lesquels il reconnaissait qu'ils étaient tous deux coupables de viol et de meurtre. Cette nouvelle avait mis Ron en rage.

Assis à la table de la défense aux côtés de Greg Saunders, Dennis étudiait des documents avec son avocat en attendant l'ouverture de la séance. Près de lui, menotté et enchaîné, Ron le couvait du regard avec l'air de vouloir l'étrangler. Brusquement, il se dressa, et commença à l'agonir d'injures. Une table vola et atterrit sur Linda, l'assistante de Barney. Dennis s'était écarté précipitamment tandis que les surveillants s'efforçaient de maîtriser Ron.

— Dennis ! s'écria-t-il d'une voix de stentor qui se répercutait sur les murs de la salle. Tu es un beau salaud ! On va régler cette histoire tout de suite !

Dans la bousculade, Barney tomba de sa chaise. Les surveillants saisirent Ron à bras-le-corps pour essayer de l'immobiliser mais il se débattait comme un fou furieux. Dennis, Greg Saunders et le personnel du tribunal, qui s'étaient prudemment reculés, écarquillaient les yeux devant la mêlée confuse.

Les surveillants avaient fort à faire. Il leur fallut plusieurs minutes pour venir à bout de Ron. Tandis qu'ils l'entraînaient vers la porte, il lança un nouveau chapelet de grossièretés et de menaces à l'adresse de Dennis.

Quand le calme fut rétabli et la salle remise en ordre, on respira. Barney n'avait évidemment rien vu de la bagarre mais il savait qu'il l'avait échappé belle. Il se leva et demanda la parole.

— Je veux qu'il soit noté au procès-verbal que je demande à être déchargé de cette affaire. Ce jeune homme refuse totalement de coopérer. S'il rétribuait mes services, je ne serais pas là. Je ne peux pas le représenter, monsieur le juge. C'est au-dessus de mes forces. J'ignore qui le fera ; moi, je ne peux pas. Et si... si vous ne voulez pas me décharger de cette affaire, je m'adresserai à la cour d'appel. Je ne supporterai pas cela, monsieur le juge, je suis trop vieux. Je ne veux plus avoir affaire à lui, en aucune manière. J'ignore s'il est coupable – ce n'est pas la question –, mais je ne supporterai pas cela. Il est capable de taper sur moi et alors là, il sera dans de sales draps. Et moi dans un sale état.

La réponse du juge fut lapidaire.

— La demande de l'avocat de la défense est rejetée.

Un crève-cœur pour Annette et Renee. Voir leur frère se conduire comme un forcené, avec les chaînes aux pieds et aux poignets... Il était malade, il avait besoin d'aide. Il lui fallait un séjour de longue durée dans un établissement psychiatrique, avec de bons médecins qui lui permettraient de se rétablir. Comment l'État de l'Oklahoma pouvait-il poursuivre en jugement un homme visiblement malade ?

Un peu plus loin, Peggy Stillwell frissonna à l'idée des violences que le forcené avait fait subir à sa fille.

Quelques minutes plus tard, le juge Miller ordonna qu'on fasse revenir Williamson. Les surveillants lui avaient expliqué que son comportement était inacceptable dans l'enceinte d'un tribunal et que, s'il recommençait, il en assumerait les conséquences. À peine avait-il mis le pied dans la salle d'audience, il reprit son cirque de plus belle. Le juge le fit reconduire en prison, demanda au public d'évacuer la salle et attendit une heure.

Dans la prison, les surveillants réitérèrent leurs mises en garde mais Ron n'en avait que faire. Les aveux bidon étaient pourtant monnaie courante dans le comté de Pontotoc, mais il n'arrivait pas à croire que Dennis était dans ce cas. Ron se savait innocent et il était résolu à ne pas se laisser persécuter comme Ward et Fontenot. S'il parvenait à sauter à la gorge de Dennis, il lui ferait cracher la vérité.

Sa troisième entrée fut semblable aux deux premières.

— Fritz, hurla-t-il dès qu'il eut franchi la porte de la salle d'audience, on va régler cette histoire tout de suite ! Rien que nous deux !

Le juge essaya de l'interrompre mais il en fallait plus pour arrêter Ron Williamson.

— On va régler ça entre hommes ! reprit-il, à l'adresse de Dennis. Je n'ai jamais tué personne !

— Faites-le avancer, dit le juge aux surveillants. Je vous informe, monsieur Williamson, qu'à la prochaine manifestation de colère, cette audience se poursuivra sans vous.

— Ça me va ! riposta Ron.

— Vous devez comprendre...

— Je préfère ne pas être ici. Avec votre permission, je veux retourner dans ma cellule.

— Vous voulez renoncer à votre droit d'être présent lors de cette audience préliminaire ?

— Oui.

— Personne ne vous menace ni ne vous oblige à le faire. C'est de votre plein gré...

— C'est moi qui menace ! coupa Ron en foudroyant Dennis du regard.

— Personne ne vous a menacé... Vous avez librement choisi de renoncer à...

— J'ai dit que c'est moi qui menace !

— Très bien. Vous ne désirez pas être présent lors de cette audience. Exact ?

— Exact.

— Bon. Vous pouvez le reconduire dans sa cellule. Le procès-verbal de séance indiquera que l'accusé Ronald K. Williamson renonce à son droit d'être présent lors de l'audience préliminaire, en raison de ses accès de colère et de la perturbation qu'il crée. La cour estime que cette audience ne peut se dérouler normalement en sa présence, en raison de ses déclarations à la cour et de ses emportements.

Ron regagna sa cellule et l'audience préliminaire se poursuivit sans lui.

En 1956, la Cour suprême des États-Unis avait établi, dans l'affaire *Bishop contre États-Unis*, que la condamnation d'une personne inapte à passer en jugement était un déni du processus normal de la justice. Quand il existe des doutes sur la capacité mentale d'un accusé, l'absence d'expertise psychiatrique constitue une privation de ses droits constitutionnels.

Après deux mois d'emprisonnement, ni l'accusation ni la défense n'avaient mis en question la capacité mentale de Ron. L'erreur était pourtant flagrante. Son passé médical chargé était facilement accessible. Ses longues divagations en cellule, bien qu'atténuées par la distribution arbitraire de médicaments, à l'initiative des surveillants ou de son avocat, étaient une indication très claire de son état. Il avait une mauvaise réputation à Ada, où il était connu de la police.

Son comportement au tribunal avait eu un précédent. Deux ans auparavant, quand le ministère public avait demandé la révocation de son sursis, il avait tellement perturbé la séance qu'on l'avait expédié dans un hôpital psychiatrique pour évaluer son état. Le juge était John David Miller, le même que pour l'audience préliminaire. À l'époque, le magistrat l'avait déclaré inapte à passer en jugement.

Deux ans plus tard, alors qu'il encourait la peine capitale, le juge Miller ne voyait plus la nécessité de faire évaluer son état mental.

La loi de l'Oklahoma permettait à un juge, y compris lors d'une audience préliminaire, de suspendre la séance si la capacité mentale d'un accusé était mise en question. La défense n'avait pas à en faire la demande. La plupart des avocats auraient argué d'un passé de troubles mentaux de leur client mais, même en l'absence d'une telle demande, il était du devoir du juge de protéger les droits constitutionnels de l'accusé.

Le silence du juge Miller aurait dû être brisé par Barney Ward. En tant qu'avocat de la défense, il aurait pu demander une évaluation psychologique complète de son client. L'étape suivante aurait consisté à demander une audience pour établir l'aptitude de l'accusé à passer en jugement, selon la procédure suivie deux ans auparavant par David Morris. Cela lui aurait permis, pour finir, de plaider la démence.

Pourtant, l'audience préliminaire se poursuivit normalement, sans Ron. Elle s'étendit sur plusieurs jours, sans que l'accusé quitte sa cellule.

Le Dr Fred Jordan fut le premier témoin appelé à la barre. Il fit le compte rendu de l'autopsie et indiqua la cause de la mort : asphyxie provoquée par la ceinture que la victime avait autour du cou ou par le gant de toilette enfoncé dans sa gorge ou plus probablement par les deux.

Les mensonges commencèrent avec le deuxième témoin. Glen Gore déclara qu'il se trouvait au *Coachlight* avec des amis, le soir du 7 décembre. Parmi eux, se trouvait Debbie Carter, une fille qui était au lycée avec lui et qu'il connaissait depuis longtemps. Dans le courant de la soirée, elle lui avait demandé de la « sauver » ou de la « protéger » de Ron Williamson, qui l'importunait.

Il n'avait pas vu Dennis Fritz dans la boîte de nuit, ce soir-là.

En réponse aux questions de la défense, Gore déclara qu'il avait raconté tout cela à la police dès le lendemain. Mais le nom de Williamson n'apparaît pas dans le rapport qui, comme l'exige la procédure, aurait dû être communiqué à la défense.

Glen Gore était donc le seul témoin oculaire attestant de la présence de Ron au *Coachlight*. En le déclarant en contact et en conflit avec Debbie Carter quelques heures avant sa mort, il établissait un lien entre la victime et son meurtrier. Le reste n'était que présomptions.

Il fallait un procureur aussi déterminé que Bill Peterson pour avoir le cran d'appeler à la barre un criminel avéré comme Glen Gore. Le témoin était arrivé au tribunal menotté et enchaîné. Il purgeait une peine de quarante ans pour violation de domicile, enlèvement de personnes et tentative d'homicide sur un officier de police. Cinq mois plus tôt, Gore avait pénétré par effraction chez son ex-femme, Gwen, et l'avait retenue en otage avec sa petite fille. Complètement ivre, il les avait gardées cinq heures sous la menace d'une arme. Voyant un policier, Rick Carson, jeter un coup d'œil par une fenêtre, Gore avait visé, tiré et atteint l'homme au visage. Par bonheur, les blessures étaient sans gravité. Avant de dessoûler et de se rendre, Gore avait encore tiré sur un autre policier.

Ce n'était pas la première fois qu'il commettait des violences sur Gwen. Déjà en 1986, alors que leur couple était à bout de souffle, il avait été inculpé de violation de domicile et de multiples blessures sur la personne de son épouse, perpétrées à l'aide d'un couteau de boucher. Elle s'en était sortie et avait porté plainte. Gore avait eu à faire face à deux chefs d'accusation : vol par effraction et coups et blessures avec arme.

Deux mois plus tôt, il avait été inculpé d'agression sur Gwen qu'il avait cette fois essayé d'étrangler.

En 1981, il avait été accusé par une autre femme d'avoir forcé sa porte. Il avait également été mêlé à une affaire de coups et blessures à l'époque où il était dans l'armée, et avait à son actif une longue liste d'autres condamnations pour des délits mineurs.

Une semaine après que Gore eut été ajouté à la liste des témoins à charge dans l'affaire Carter, son avocat avait négocié un accord avec le procureur pour revoir à la baisse les chefs d'accusation. Des charges d'enlèvement de personnes et de coups et blessures avec arme avaient été levées. Après sa condamnation, les parents de son ex-femme avaient envoyé au juge une lettre dans laquelle ils demandaient instamment que la peine de prison soit longue. Le texte disait :

> Nous voulons que vous sachiez à quel point nous pensons cet homme dangereux. Il a l'intention de tuer notre fille, notre petite-fille et nous-mêmes. Il l'a dit clairement. Nous nous sommes donné beaucoup de mal pour empêcher qu'il entre par effraction chez notre fille mais cela n'a pas suffi. Il serait trop long de dresser la liste de toutes les occasions où il l'a agressée. Laissez le temps à ma fille, nous vous en prions, d'élever son enfant avant qu'il sorte de prison et que la terreur recommence. Que la petite ne revive plus ce qu'elle a vécu.

Barney Ward soupçonnait depuis longtemps Glen Gore d'être mêlé au meurtre de Debbie Carter. C'était un délinquant multirécidiviste qui avait un passé de violence avec les femmes et il était la dernière personne à avoir été vue en compagnie de la victime. Il était incompréhensible que la police se fût si peu intéressée à lui.

Ses empreintes digitales n'avaient jamais été transmises à l'OSBI pour y être analysées. Celles de quarante-quatre personnes avaient été relevées, pas celles de Gore. Il avait accepté de se soumettre au détecteur de mensonge mais le test n'avait jamais été réalisé. La police d'Ada avait perdu les premiers échantillons de poils fournis par Gore deux ans après le meurtre. Il en avait fourni d'autres, peut-être deux fois, personne ne s'en souvenait précisément.

Avec son exceptionnelle capacité d'écouter et de garder en mémoire les potins du tribunal, Barney était convaincu que la police aurait dû enquêter sérieusement sur Gore.

Et il savait que Ron n'était pas coupable.

En 2001, quatorze ans après l'audience préliminaire, un coin du voile serait levé sur le mystère Gore. Il signa en prison une déclaration sous serment dans laquelle il expliquait qu'au début des années 1980 il revendait de la drogue. Des amphétamines, en particulier. Certaines transactions impliquaient des policiers, tout particulièrement Dennis Corvin, qualifié de « gros fournisseur », un habitué du *Harold's Club*, où travaillait Gore.

Quand il leur devait de l'argent, ils l'arrêtaient sous un prétexte quelconque mais, en règle générale, ils lui fichaient la paix. Gore déclarait sous serment : « Au début des années 1980, je savais que, la plupart du temps, je bénéficiais d'un traitement de faveur de la part des forces de police parce que nous faisions du trafic de drogue ensemble... Ce traitement de faveur s'est arrêté quand je me suis retiré des transactions avec la police d'Ada. »

Il expliquait sa condamnation à quarante ans d'emprisonnement par le fait qu'il « ne vendait plus de la drogue à la police d'Ada ».

Au sujet de Williamson, Gore disait en 2001, dans sa déclaration sous serment, qu'il ne savait pas si Ron se trouvait au *Coachlight* le soir du meurtre. La police lui avait présenté une série de photos de suspects, avait montré celle de Ron en indiquant que c'était lui qui les intéressait. « Puis ils m'ont directement suggéré d'identifier M. Williamson, poursuivait-il. Je peux dire aujourd'hui que je ne sais pas si Ron Williamson était dans la boîte de nuit le soir où Debbie Carter a été tuée. Je l'ai identifié parce que je savais que c'était ce que la police attendait de moi. »

Préparée par un avocat, la déclaration sous serment de Gore fut examinée par son propre défenseur avant qu'il la signe.

Le témoin suivant était Tommy Glover, un habitué du *Coachlight* et une des dernières personnes à avoir vu Debbie vivante. Dans sa déposition initiale, il avait indiqué qu'elle discutait avec Glen Gore sur le parking et qu'elle l'avait repoussé avant de démarrer au volant de sa voiture.

Quatre ans et demi plus tard, son souvenir était légèrement différent. Glover déclara qu'il avait vu Gore parler à Debbie, puis qu'elle était montée dans sa voiture et avait démarré. C'était tout.

Puis ce fut le tour de Charlie Carker, qui fit le récit de la découverte du corps de sa fille, le lendemain du meurtre.

Jerry Peters, l'agent de l'OSBI, un « spécialiste de la scène de crime », fut ensuite appelé à la barre des témoins. Il ne tarda pas à se trouver en difficulté. Barney avait flairé quelque chose de louche. Il cuisina Peters sur ses conclusions contradictoires à propos de l'empreinte relevée sur le placoplâtre. Une opinion assurée en mars 1983, puis une surprenante volte-face en mai 1987. Qu'est-ce qui l'avait poussé à revenir sur sa certitude que l'empreinte de la paume n'appartenait ni à Debbie Carter, ni à Ron Williamson, ni à Dennis Fritz ? Se pouvait-il que sa première opinion ne soit pas allée dans le sens souhaité par l'accusation ?

Peters reconnut qu'il ne s'était rien passé pendant quatre ans, puis qu'un coup de téléphone de Bill Peterson, au début de l'année 1987, l'avait poussé à remettre en question ses premières conclusions. Après l'exhumation et une nouvelle analyse de l'empreinte, il avait changé d'opinion et rédigé un rapport qui était exactement celui que désirait le procureur.

Greg Saunders, le défenseur de Dennis, se mit de la partie et il devint évident que la vérité avait été altérée. Mais ce n'était qu'une audience préliminaire, pas le procès, où il faudrait présenter des preuves indéniables.

Peters déclara également que, sur les vingt et une empreintes digitales relevées dans l'appartement de la victime, dix-neuf appartenaient à Debbie Carter, une à Mike Carpenter et la dernière à Dennis Smith. Il n'y en avait aucune ni de Ron Williamson ni de Dennis Fritz.

Le témoin-vedette du ministère public était Terri Holland. D'octobre 1984 à janvier 1985, elle avait passé quatre mois dans la prison du comté de Pontotoc pour avoir tiré des chèques sans provision. Un séjour très productif, quant à la résolution de meurtres non élucidés.

Elle avait d'abord prétendu entendre Karl Fontenot reconnaître qu'il avait enlevé et tué Denice Haraway. Dans sa déposition lors du premier procès Ward/Fontenot, en septembre 1985, elle avait donné au jury tous les détails sordides suggérés par les inspecteurs Smith et Rogers à Tommy Ward au moment de raconter son rêve. Après le procès, elle avait écopé d'une peine légère malgré deux délits antérieurs. Tandis que Ward et Fontenot entraient dans le couloir de la mort, Terri Holland prenait ses cliques et ses claques pour aller s'installer ailleurs.

Elle était partie en oubliant de payer quelques amendes, ce qui, en d'autres circonstances, n'aurait pas porté à conséquence. Mais la police l'avait retrouvée et ramenée à Ada. Se trouvant de nouveau dans une situation délicate, la mémoire lui était revenue et elle avait fait d'étonnantes révélations aux enquêteurs. Quand elle était en prison, non seulement elle avait entendu Fontenot déballer son histoire, mais aussi Ron Williamson avouer son crime.

Quel extraordinaire coup de chance pour la police ! Après les aveux sous forme de rêve, les mouchards devenaient sa deuxième arme favorite.

Les explications de Terri Holland sur la raison pour laquelle elle avait gardé le silence sur les aveux de Ron jusqu'au printemps 1987 demeurèrent assez vagues. Plus de deux ans s'étaient écoulés sans qu'elle en parle à quiconque. On ne lui demanda pas pourquoi elle s'était empressée d'aller raconter aux enquêteurs les prétendus aveux de Fontenot.

En l'absence de Ron à l'audience préliminaire, elle s'en donna à cœur joie. Elle évoqua une conversation téléphonique de Ron avec sa mère, où elle l'avait entendu hurler : « Je te tuerai comme j'ai tué Debbie Carter ! »

L'unique téléphone de la prison était un appareil mural, placé dans le bureau des surveillants. Quand, dans des circonstances exceptionnelles, un détenu était autorisé à téléphoner, il lui fallait se pencher au-dessus d'un comptoir, tendre le bras pour décrocher l'appareil et parler en présence du ou des surveillants de service. Il était invraisemblable, pour ne pas dire impossible, qu'un autre détenu surprenne sa conversation.

Terri Holland déclara ensuite que Ron avait téléphoné un jour à la permanence d'une paroisse pour demander des cigarettes et menacé de mettre le feu à l'église si on ne lui en apportait pas sans tarder.

Personne n'était en mesure de confirmer ses dires. Personne ne l'interrogea sur la disposition des lieux, personne ne lui demanda comment une femme pouvait se trouver à proximité d'un détenu de sexe masculin.

Bill Peterson lui mâchait la besogne.

— A-t-il dit quelque chose que vous auriez surpris à propos de ce qu'il a fait à Debbie Carter ?

— Oui, il parlait, dans sa cellule. C'était juste après l'arrivée en prison de Tommy Ward et de Karl Fontenot.

— Qu'a-t-il dit dans sa cellule qui avait un rapport avec ce qu'il avait fait à Debbie Carter ?

— Il a juste dit que... je sais pas comment dire. Il a dit qu'elle se croyait meilleure que lui et qu'il lui a montré, à cette salope, ce qu'il en pensait.

— Autre chose ?

— Il a dit qu'il l'avait obligée à faire l'amour avec lui, mais il l'a pas dit comme ça. Je me rappelle même plus ce qu'il a dit... Si, il a dit qu'il l'avait enfilée avec une bouteille de coca... non, de ketchup, qu'il avait enfoncé sa culotte dans sa gorge et qu'il lui avait donné une bonne leçon.

Bill Peterson n'en avait pas fini avec ses questions.

— A-t-il dit quelque chose en rapport avec le fait que Debbie aurait dû se laisser faire, ou quelque chose comme ça ?

— Oui. Il avait essayé de sortir avec elle mais elle ne voulait pas en entendre parler. Il a dit qu'il aurait mieux valu pour elle qu'elle se laisse faire.

— Pour qu'il n'ait pas à faire quoi ? insista Peterson en voyant son témoin hésiter.

— Pour qu'il n'ait pas à la tuer...

Comment le représentant du ministère public, dont le devoir était de rechercher la vérité, pouvait-il inciter un témoin à proférer de telles insanités ?

En général, un mouchard demande une rétribution en échange de ses services. Terri Holland trouva avec le procureur un accord pour sortir de prison, ayant accepté un remboursement mensuel de ce qu'elle devait. Obligation à laquelle elle ne tarda pas à se soustraire.

Rares étaient ceux qui savaient que Terri Holland avait une dent contre Ron Williamson. Quelques années auparavant, quand il faisait du porte-à-porte pour vendre les produits Rawleigh, il avait eu une de ses aventures sans lendemain : frappant à une porte, il avait entendu une voix l'inviter à entrer ; une femme était venue au-devant de lui, dans le plus simple appareil ; il n'y avait personne d'autre dans la maison ; il était arrivé ce qui devait arriver.

Marlene Keutel était un être instable. Elle avait mis fin à ses jours une semaine après cette rencontre. Ron était repassé plusieurs fois à son domicile mais il ne l'avait jamais trouvée chez elle. Il ne savait pas qu'elle s'était suicidée.

Terri Holland était sa sœur. Juste après la visite de Ron, Marlene avait tout raconté à Terri. Elle prétendait que Ron l'avait violée mais n'avait jamais envisagé de porter plainte. Terri savait que Marlène avait l'esprit un peu dérangé mais elle tenait Ron pour responsable de la mort de sa sœur. Cette brève aventure était depuis longtemps sortie de l'esprit de Ron, et il ignorait tout des liens de parenté qui unissaient les deux jeunes femmes.

Le premier jour de l'audience préliminaire se poursuivit par la déposition de l'inspecteur Dennis Smith qui fit le récit laborieux de ce qu'il avait découvert sur la scène de crime et du déroulement de l'enquête. La seule surprise se produisit lorsqu'il aborda le sujet des différents messages laissés par les tueurs, celui du mur écrit au vernis à ongles rouge, celui de la table de la cuisine : « Ne nous chercher pas si non », rédigé avec du ketchup et les mots presque illisibles découverts sur le ventre et le dos de Debbie. Les enquêteurs qui pensaient pouvoir ainsi retrouver les auteurs de ces inscriptions avaient demandé à leurs deux suspects d'écrire quelque chose sur une fiche blanche.

Dépourvus de toute expérience en matière d'analyse graphologique, les inspecteurs avaient pourtant trouvé d'étranges similitudes. Les échantillons de Fritz et de Williamson, quelques mots écrits au stylo sur une fiche, ressemblaient beaucoup au message tracé au vernis à ongles sur le mur et aux traînées de ketchup sur la table de la cuisine.

Ils firent part de leurs soupçons à un agent anonyme de l'OSBI qui, à en croire Smith, leur donna une confirmation « verbale ».

Interrogé par Greg Saunders, Smith déclara :

— L'écriture, d'après la personne à qui nous en avons parlé, était semblable à l'écriture trouvée sur le mur de l'appartement.

— Et sur la table ?

— Sur la table aussi.

Quelques minutes plus tard, Barney prit le relais. Il demanda à Smith s'il était en possession d'un rapport de l'OSBI sur l'écriture de Ron Williamson.

— Nous ne leur avons pas transmis les échantillons, reconnut l'inspecteur.

Barney en resta coi. Pourquoi les échantillons n'avaient-ils pas été transmis à l'OSBI et à ses graphologues ? Les analyses auraient pu disculper Ron et Dennis.

— Il y avait des similitudes dans le graphisme, expliqua Smith, sur la défensive. Mais elles reposaient sur nos observations, vous comprenez, ce n'était pas vraiment scientifique. Nous avons vu des similitudes mais, euh... il est presque impossible de comparer deux types d'écriture comme cela. Écrire avec une brosse ou écrire avec un stylo, ce sont deux types d'écriture différents.

— Êtes-vous en train de nous dire, reprit Barney, qu'il est possible que Dennis Fritz et Ron Williamson se soient relayés pour écrire avec le pinceau du vernis à ongles les menaces à Jim Smith et à l'autre ? L'un d'eux écrivait une lettre et passait le pinceau à l'autre ou quelque chose comme ça, ce qui vous aurait conduit aux mêmes conclusions.

— Non, mais nous étions d'avis qu'ils avaient tous deux participé à l'écriture de ces messages, pas nécessairement le même, mais il y en avait plusieurs dans l'appartement.

Cette déposition utilisée par Bill Peterson à l'audience préliminaire était si oiseuse qu'il renonça à l'exploiter pendant le procès.

À la fin du premier jour d'audience, le juge Miller s'inquiéta de l'absence de Ron. Il fit venir les avocats pour leur faire part de ses doutes.

— Je me suis renseigné sur l'absence de l'accusé à l'audience préliminaire. Je vais faire venir M. Williamson demain matin, vers 8 h 45, et je lui demanderai encore une fois s'il désire ou non être présent. S'il répond non, il repartira en prison.

— Voulez-vous, suggéra Barney, que je lui fasse prendre cent milligrammes de...

— Je ne vous dis pas ce que vous avez à faire, coupa le magistrat.

Le lendemain matin, à 8 h 45, sous bonne escorte, Ron fit son entrée dans la salle.

— Monsieur Williamson, commença le juge Miller, vous avez exprimé hier votre désir de ne pas être présent pendant l'audience préliminaire.

— Je n'ai rien à faire ici, répondit Ron. Je n'ai rien à voir avec ce meurtre. Je n'ai jamais... je ne sais pas qui l'a tuée. Je ne suis au courant de rien.

— Très bien. Votre conduite et votre comportement perturbateur... Vous pouvez faire valoir votre droit d'être présent, si vous le désirez, mais vous devez vous engager à ne pas perturber la séance et à ne pas vous agiter. Il vous faudra le faire si vous voulez obtenir le droit de rester. Désirez-vous être présent ?

— Non. Je ne veux pas rester ici.

— Vous avez bien compris que vous avez le droit d'être ici et d'écouter les dépositions de tous les témoins ?

— Je ne veux pas rester ici. Faites ce que vous voulez, de toute façon je n'y peux rien. J'en ai marre que cette histoire me prenne la tête. Elle m'a fait tellement de mal que je ne veux pas rester.

— C'est votre décision ? Vous ne voulez pas être présent ?

— C'est ça.

— Vous renoncez à votre droit d'être confronté avec les témoins, comme la constitution vous y autorise ?

— Oui. Vous pouvez m'accuser de quelque chose que je n'ai pas fait. Vous pouvez faire tout ce que vous voulez.

Ron s'adressa ensuite à Gary Rogers.

— Vous me faites peur. Vous m'avez harcelé pendant quatre ans, vous pouvez m'accuser de meurtre, vous pouvez faire ce que vous voulez, parce que c'est vous qui décidez, pas moi.

Ron fut reconduit dans sa cellule et l'audience se poursuivit avec la déposition de Dennis Smith. Gary Rogers lui succéda à la barre pour faire un récit fastidieux de l'enquête. Ce fut ensuite aux agents de l'OSBI Melvin Hett et Mary Long de présenter les expertises techniques – empreintes digitales, cheveux – et de parler des composants du sang et de la salive.

Quand le ministère public eut terminé, Barney appela dix témoins à la barre, des surveillants et des employés de la prison. Aucun d'eux ne se souvenait de quoi que ce soit qui ressemblât, même vaguement, à ce que Terri Holland prétendait avoir entendu.

À la fin des dépositions, les avocats de la défense demandèrent au juge de lever le chef d'accusation de viol, conformément à la loi de l'Oklahoma, les faits remontant à plus de trois ans. Le crime de sang est le seul pour lequel il n'y ait pas de prescription pénale. Le juge Miller déclara qu'il prendrait sa décision ultérieurement.

L'accusation en avait presque oublié Dennis Fritz. À l'évidence, Peterson concentrait ses efforts sur Ron Williamson. Ses principaux témoins à charge – Gore, Terri Holland, Gary Rogers – s'étaient acharnés sur Ron. Le seul lien, si ténu fût-il, qui unissait Dennis au meurtre était l'analyse des poils présentée par Melvin Hett.

Greg Saunders soutint avec véhémence que l'accusation n'avait pas apporté la preuve raisonnable que Dennis fût impliqué dans le meurtre. Le juge Miller déclara qu'il allait considérer la question.

Barney entra en lice pour demander que toutes les charges soient levées, compte tenu de la minceur du dossier ; Greg Saunders lui emboîta le pas. Voyant que le juge ne prenait pas de décision immédiate et qu'il allait examiner le bien-fondé de la demande de la défense, la police et le procureur comprirent qu'il leur fallait d'autres preuves.

L'avis des experts scientifiques a du poids sur un jury, surtout quand il est composé de citoyens d'une petite ville. Lorsque ces spécialistes sont des agents d'un service public appelés par l'accusation à exposer leur opinion dans un procès capital, ils sont tenus pour infaillibles.

Barney Ward et Greg Saunders savaient que les conclusions des fonctionnaires de l'OSBI sur l'analyse des poils et des empreintes digitales étaient sujettes à caution mais il leur fallait quelqu'un d'extérieur à l'affaire pour les contester. Il leur serait loisible de le faire eux-mêmes pendant le contre-interrogatoire, mais les avocats sortent rarement vainqueurs de ces passes d'armes. Il est difficile de coincer un expert, et les jurés y perdent rapidement leur latin. Il fallait appeler un ou deux autres experts à la table de la défense.

Ils présentèrent une requête pour obtenir cette aide, sachant qu'elle était rarement accordée. Une vacation d'expert était coûteuse et les fonctionnaires de l'administration locale, y compris les juges, reculaient devant la perspective d'augmenter la note à régler par le contribuable pour la défense d'un indigent.

Personne ne mentionna le fait qu'un avocat de la défense était aveugle. Si quelqu'un avait besoin d'aide pour examiner des analyses de poils et des empreintes digitales, c'était bien Barney Ward.

8.

La paperasse circula entre le bureau du procureur, qui modifia les charges en abandonnant le viol, et la défense, qui attaqua le nouveau chef d'accusation. Une nouvelle audience était nécessaire.

Le comté de Pontotoc formait avec les comtés voisins de Seminole et de Hughes la 22e circonscription judiciaire. Le juge s'appelait Ronald Jones. Élu en 1982, connu pour être favorable au ministère public et rigoureux avec les inculpés, il était un partisan convaincu de la peine de mort. Croyant fervent, diacre de son église, il était surnommé Ron le Baptiste. Il avait une faiblesse pour la conversion des pécheurs emprisonnés. Il arrivait qu'un avocat conseille discrètement à son client de retrouver la foi derrière les barreaux ; cela ne pouvait que lui être bénéfique au moment de se présenter devant le juge Jones.

Le 20 août, Ron Williamson, pécheur impénitent, comparut devant le magistrat pour la lecture de l'acte d'accusation. C'était la première fois qu'ils se trouvaient en présence l'un de l'autre. Le juge demanda à Ron comment il allait.

— J'ai une chose à dire, monsieur le juge, commença Ron d'une voix retentissante. C'est... Je partage la douleur de la famille Carter.

Le juge Jones demanda le silence.

— Je sais, monsieur le juge, poursuivit Ron, que vous ne voulez pas... C'est pas moi qui ai fait ça.

Les surveillants lui serrèrent les bras pour lui faire comprendre qu'il valait mieux la boucler. La lecture de l'acte d'accusation fut reportée, afin de laisser le temps au juge de prendre connaissance du procès-verbal de l'audience préliminaire.

Deux semaines plus tard, Ron se présenta de nouveau devant le juge avec de nouvelles requêtes de ses avocats. Les surveillants réglaient avec précision le dosage de Torazine. Quand Ron se trouvait dans sa cellule et qu'ils voulaient être tranquilles, ils forçaient la dose et tout le monde était content. Quand le prisonnier devait aller au tribunal, ils la diminuaient afin qu'il soit bruyant, nerveux, agressif. Norma Walker, des Services de santé mentale, soupçonnait le personnel de la prison de ces pratiques ; elle rédigea une note qu'elle joignit à son dossier.

La deuxième comparution devant le juge Jones ne se passa pas bien. Ron se montra véhément. Il clama son innocence, affirma qu'on racontait des mensonges sur lui et déclara : « Ma mère savait que j'étais à la maison ce soir-là. »

On le ramena dans sa cellule et l'audience reprit. Barney et Greg Saunders avaient demandé deux procès distincts et ils espéraient avoir gain de cause. Saunders tenait tout particulièrement à ne pas avoir un coaccusé comme Ron Williamson.

Le juge Jones finit par accepter. Il aborda le sujet de la santé mentale de Ron et indiqua à Barney que la question devrait être réglée avant le procès. Il lut enfin l'acte d'accusation. La défense déclara que l'accusé plaidait non coupable et Ron resta en prison.

L'affaire Fritz prenait une tournure différente. Le juge avait ordonné la tenue d'une nouvelle audience préliminaire en raison des preuves trop minces présentées par le ministère public à l'occasion de la première. L'accusation n'avait pas assez de témoins.

Ailleurs, l'engagement de poursuites sans preuves tangibles aurait été un sujet d'inquiétude pour un procureur. Pas à Ada. Personne ne s'affola. La prison du comté de Pontotoc était remplie de mouchards potentiels. La première trouvaille de la police fut une femme, Cindy McIntosh, délinquante endurcie.

On avait stratégiquement changé Dennis de cellule pour le rapprocher de Ron, et leur permettre de parler ensemble. Leur brouille était terminée. Dennis avait réussi à convaincre Ron qu'il n'avait rien avoué.

Prétendant avoir été assez près pour les entendre parler, Cindy McIntosh informa la police d'une conversation intéressante qu'elle avait surprise entre ces deux-là. Selon ses dires, Fritz et Williamson discutaient des photographies de la scène de crime présentées au cours de la première audience préliminaire, en l'absence de Ron. Il était curieux de savoir ce que Dennis avait vu. Il avait demandé : « Était-elle (Debbie Carter) sur le lit ou par terre ? »

« Par terre », avait répondu Dennis.

Pour la police, cela constituait une preuve évidente que les deux hommes s'étaient trouvés dans l'appartement et avaient commis le viol et le meurtre.

Il ne fut pas difficile d'en convaincre Bill Peterson. Le 22 septembre, il demanda au juge d'ajouter le nom de Cindy McIntosh à la liste des témoins à charge.

Le second mouchard se nommait James Riggins mais il ne joua pas ce rôle très longtemps. Un soir, en regagnant sa cellule, il avait entendu quelqu'un, peut-être Ron Williamson, avouer qu'il avait tué Debbie Carter. Il disait qu'il avait été accusé de deux viols à Tulsa et qu'il s'en sortirait pour le meurtre comme il s'en était sorti pour les viols. Riggins n'était pas sûr de savoir à qui il racontait tout cela, mais dans l'univers des mouchards, ce genre de détail n'avait aucune importance.

Un mois plus tard, Riggins revint sur ses déclarations. Interrogé par la police, il avoua qu'il s'était trompé. Ce n'était pas Ron Williamson qu'il avait entendu mais Glen Gore.

Passer aux aveux était une maladie contagieuse, à Ada. Le 23 septembre, un jeune drogué du nom de Ricky Joe Simmons se présenta au commissariat où il déclara qu'il avait tué Debbie Carter et qu'il voulait en parler. Dennis Smith et Gary Rogers sautèrent sur un magnétoscope. Simmons reconnut qu'il avait pris de la drogue pendant des années, avec une préférence pour un mélange de sa fabrication baptisé *crank*, comprenant, entre autres, de l'électrolyte. Il affirma qu'il avait arrêté la drogue et trouvé Dieu. Un soir de décembre 1982 – il pensait que c'était cette année-là mais n'en était pas sûr –, il lisait la Bible quand, sans s'expliquer pourquoi, il était sorti de chez lui pour errer dans Ada. Il avait rencontré une fille – probablement Debbie Carter, mais il n'en était pas sûr non plus. Il donna aux inspecteurs plusieurs versions contradictoires de ce qu'il avait fait avec elle. Il l'avait peut-être violée, mais peut-être pas, et il croyait l'avoir étranglée de ses mains, après quoi il avait prié et vomi dans tout l'appartement.

Des voix bizarres lui disaient ce qu'il devait faire, mais les détails étaient flous. « C'était comme dans un rêve », déclara Simmons.

La perspective de nouveaux aveux reposant sur un rêve n'enchantait pas vraiment Smith et Rogers.

Quand ils demandèrent à Simmons pourquoi il avait attendu près de cinq ans pour venir les voir il expliqua que toutes les conversations qu'il entendait autour du procès lui avaient remis en mémoire cette soirée funeste de 1982, à moins que cela ait été 1981. Mais il ne se rappelait ni comment il était entré chez Debbie, ni combien de pièces avait l'appartement, ni dans laquelle il l'avait tuée. Puis il se souvint brusquement de la bouteille de ketchup et du message écrit en rouge sur le mur. Il reconnut plus tard qu'un collègue de travail lui en avait parlé.

Simmons prétendait n'avoir rien pris avant l'enregistrement des aveux mais, pour les inspecteurs, il ne faisait aucun doute que son mélange maison avait fait des dégâts. Ils ne crurent pas un mot de son histoire. Elle contenait autant d'inexactitudes que les aveux de Tommy Ward mais, cette fois, les inspecteurs n'y croyaient pas. « À mon avis, finit par déclarer Dennis Smith, vous n'avez pas tué Debbie Carter. » Il lui proposa de prendre un rendez-vous avec un psychologue.

Simmons s'embrouilla un peu plus et répéta qu'il avait tué Debbie. Les inspecteurs répétèrent qu'ils ne le croyaient pas. Ils le remercièrent d'être passé les voir et l'invitèrent à se retirer.

Les bonnes nouvelles étaient rares dans la prison du comté de Pontotoc mais, au début du mois de novembre, Ron reçut une lettre qui lui fit plaisir. Un juge du tribunal administratif l'informait qu'il pouvait bénéficier de prestations d'invalidité.

L'année précédente, Annette avait fait une demande au nom de Ron, déclarant qu'il n'était plus en mesure de travailler depuis 1979. Le juge, Howard O'Bryan, avait étudié l'épais dossier médical de Ron et fixé une audience au 26 octobre. Ron fit un nouvel aller et retour de la prison au tribunal.

Dans son ordonnance, le juge indiquait : « Le dossier médical du demandeur montre à l'évidence qu'il souffre d'alcoolisme et de dépression stabilisée avec du lithium. Une cyclothymie atypique compliquée par des troubles de la personnalité atypiques, probablement un cas limite de paranoïa et d'inadaptation à la vie sociale, a déjà été diagnostiqué. Sans traitement, le demandeur se montre agressif, grossier, violent, il a des crises de délire de nature religieuse et des troubles de la pensée... Il a des épisodes répétés de désorientation dans le temps, une détérioration de la faculté de concentration et d'abstraction, une altération du niveau de conscience. »

Pour le juge O'Bryan, la conclusion était claire. Ron souffrait « de cyclothymie aiguë, de troubles de la personnalité et de troubles liés à l'abus de substances toxiques ». Il ajoutait que son état était assez sérieux pour l'empêcher de trouver un travail stable.

La prise en charge de l'invalidité de Ron prenait effet au 31 mars 1985. Le rôle du juge du tribunal administratif consistait essentiellement à déterminer si les demandeurs étaient invalides physiquement ou mentalement et avaient droit de ce fait à une allocation mensuelle. Il s'agissait de situations graves mais où il n'était pas question de vie ou de mort. Les juges Miller et Jones, de leur côté, étaient tenus de faire en sorte qu'un accusé, surtout quand celui-ci risquait la peine capitale, soit jugé avec impartialité. Contrairement à eux, O'Bryan avait une perception claire des problèmes de Ron.

Barney était assez préoccupé pour demander une évaluation psychologique de Ron. Un rendez-vous fut pris au service de santé du comté de Pontotoc. La directrice, Claudette Ray, lui fit passer une batterie de tests et adressa à Barney un rapport dont la conclusion était la suivante : « Ron est anxieux en raison d'un stress situationnel. Il se sent impuissant à modifier cette situation et à s'amender. Il a des comportements inopportuns provoqués par l'affolement et la confusion des idées, tel son refus d'assister à l'audience préliminaire, où il avait tout à gagner. La plupart des gens, à sa place, auraient tenu à entendre personnellement des propos déterminants pour leur avenir. »

Barney glissa le rapport dans son dossier. La démarche avait été un point de routine. Son client se trouvait en prison, à cinquante mètres du tribunal, et il s'y rendait tous les jours ou presque.

Dans l'affaire Fritz, la comparution d'un nouveau témoin à charge, un Indien presque illettré du nom de James C. Harjo, fit remonter en flèche les espoirs de l'accusation. Âgé de vingt-deux ans, Harjo était en prison pour cambriolage – il s'était fait prendre après avoir pénétré deux fois par effraction dans la même maison. Aux mois de septembre et d'octobre, dans l'attente de son transfert vers une prison de l'État, il avait partagé la cellule de Dennis.

Ils avaient eu de bons rapports. Dennis avait aidé Harjo en écrivant des lettres destinées à l'épouse du jeune homme. Il était parfaitement conscient de ce que les policiers mijotaient. Tous les deux jours, on venait chercher Harjo qui pourtant n'avait aucune raison de sortir de sa cellule, n'ayant plus à comparaître. Dès son retour, il soûlait Dennis de questions sur le meurtre de Debbie. De tous les mouchards de cette prison, qui en comptait beaucoup, Harjo était assurément le plus maladroit.

Le stratagème était si grossier que Dennis faisait signer à Harjo, chaque fois que la police venait le chercher, une brève déclaration qui comportait la phrase : « Dennis Fritz maintient qu'il est innocent. »

Et refusait obstinément de parler de l'affaire Carter avec lui.

Il en fallait plus pour décourager Harjo.

Le 19 novembre, Peterson l'ajouta à la liste des témoins de l'accusation. Le même jour, l'audience préliminaire du procès de Dennis reprit devant le juge Miller.

Dennis s'interrogea en entendant Peterson annoncer qu'il appelait Harjo à la barre : qu'est-ce que cet imbécile allait inventer ?

Après avoir prêté serment, Harjo, qui mentait mal, expliqua qu'il avait partagé la cellule de Dennis Fritz, que tout s'était bien passé au début mais que, le soir d'Halloween, une conversation avait mal tourné. Il pressait Dennis de questions sur le meurtre.

Dennis ne voulait pas donner des détails précis, mais il avait vu clair dans son jeu. Convaincu que Dennis était coupable, il lui avait posé directement la question, ce qui avait rendu Dennis très nerveux. Il s'était mis à aller et venir dans la cellule, puis il s'était tourné vers Harjo et lui avait dit, les larmes aux yeux : « On ne voulait pas lui faire de mal. »

Incapable d'écouter ces inepties jusqu'au bout, Dennis se leva en hurlant : « Menteur ! Sale menteur ! »

Le juge Miller avait rétabli l'ordre et demandé au procureur et à son témoin de poursuivre. À en croire Harjo, Dennis se faisait du souci pour sa fille. « Qu'est-ce qu'elle penserait d'avoir un papa assassin ? » Au mépris de toute vraisemblance, Harjo expliqua ensuite que Dennis avait avoué que Ron et lui avaient apporté de la bière chez Debbie. Après le viol et le meurtre, ils avaient ramassé les canettes et passé avant de partir un chiffon dans tout l'appartement pour effacer leurs empreintes digitales.

Vint le tour de Greg Saunders d'interroger le témoin. Il lui demanda si Dennis avait expliqué comment Ron et lui avaient fait pour essuyer des empreintes invisibles tout en laissant dans l'appartement des dizaines d'autres. Harjo n'en avait aucune idée. Il dut admettre qu'il y avait au moins six autres détenus à portée de voix, le soir d'Halloween, quand Dennis avait avoué le meurtre. Personne d'autre ne l'avait entendu. Saunders fit circuler des photocopies des déclarations préparées par Dennis et signées par Harjo. Au terme du contre-interrogatoire, le témoin était définitivement ridiculisé. Cela ne changeait rien : Dennis n'échapperait pas au procès. Selon la loi de l'Oklahoma, un juge n'est pas en droit de décider de la crédibilité d'un témoin lors d'une audience préliminaire.

La date des procès fut fixée puis reportée. L'hiver 1987-1988 s'écoula. Ron et Dennis, toujours derrière les barreaux, en étaient réduits à attendre le jour de leur comparution. Même après ces longs mois passés en prison, ils croyaient encore qu'on leur rendrait justice.

La seule victoire significative pour la défense avait été jusqu'alors la décision du juge Jones de disjoindre les deux causes. Bien qu'il s'y soit opposé, Bill Peterson savait qu'il en tirerait un énorme avantage. Que Fritz passe le premier... que le quotidien local livre le contenu des débats en pâture à une population avide de détails...

Depuis le jour du meurtre, la police affirmait qu'il y avait deux tueurs et avait concentré toute son attention sur Fritz et sur Williamson. À chaque étape – soupçons, investigations, inculpation, arrestation, audience préliminaire –, les deux hommes avaient été unis dans l'esprit des enquêteurs. Leurs photographies avaient été publiées côte à côte à la une du journal dont les gros titres accolaient toujours leurs noms.

Si le procureur parvenait à faire condamner Dennis dans un premier procès, les jurés chargés de statuer sur le sort de Ron n'auraient pas à se poser beaucoup de questions.

Respecter la notion d'équité, à Ada, consistait à juger d'abord Dennis Fritz et à le faire suivre immédiatement par Ron Williamson dans la même salle d'audience, avec le même juge, les mêmes témoins – et les mêmes journalistes.

Le 1er avril, trois semaines avant l'ouverture prévue du procès de Ron, Frank Baber, son deuxième avocat, lui aussi commis d'office, demanda au juge à être déchargé de l'affaire. On lui proposait un poste de procureur dans un autre district.

Le juge Jones accepta ; Baber se retira. Barney se retrouva seul, privé des yeux de son confrère pour étudier les documents, les pièces à conviction, les photographies et les diagrammes que l'accusation présenterait contre son client.

Le 6 avril 1988, cinq ans et demi après l'assassinat de Debbie Carter, Dennis Fritz fut conduit dans une salle d'audience pleine à craquer, au premier étage du tribunal du comté de Pontotoc. Rasé de près, les cheveux fraîchement coupés, il portait son seul et unique costume, acheté par sa mère pour le procès. Elle était assise au premier rang, aussi près que possible de son fils, à côté de sa sœur, Wilma Foss. Elles ne voulaient pas rater un seul mot de ce qui se dirait.

Quand on eut ôté ses menottes, Dennis parcourut l'assistance du regard en se demandant quels seraient les douze membres du jury sélectionnés parmi la centaine de jurés potentiels, lesquels de ces citoyens inscrits sur les listes électorales seraient appelés à le juger.

L'attente interminable s'achevait. Après onze mois passés dans l'atmosphère suffocante de la prison, il comparaissait enfin en jugement. Il avait un bon avocat et faisait confiance au juge pour garantir un procès équitable. Les douze citoyens formant le jury pèseraient soigneusement chaque argument ; ils ne tarderaient pas à se rendre compte que Peterson n'avait aucune preuve.

Soulagé de voir le procès s'ouvrir, Dennis n'en était pas moins terrifié. Il savait pertinemment que, dans le comté de Pontotoc, des innocents pouvaient être condamnés à tort. Il avait partagé pendant quelques jours la cellule de Karl Fontenot, un esprit simple et troublé, qu'on avait envoyé dans le couloir de la mort pour un crime auquel il était étranger.

Le juge Jones fit son entrée et salua les jurés. Les préliminaires terminés, la sélection du jury commença. Une opération lente et fastidieuse. Au fil des heures, les citoyens trop âgés, sourds ou en mauvaise santé étaient éliminés. Puis on passa aux questions, certaines posées par les avocats, la plupart par le juge. Greg Saunders et Bill Peterson se chicanaient au sujet des jurés à conserver ou à écarter.

À un moment, le juge posa la question suivante à un juré potentiel du nom de Cecil Smith :

— Quel était votre dernier emploi ?

— La fonction publique de l'Oklahoma.

Ni le magistrat ni les avocats ne jugèrent bon de demander des précisions. Cecil Smith avait simplement omis de dire qu'il avait fait une longue carrière dans la police.

Quelques minutes plus tard, le juge lui demanda s'il connaissait l'inspecteur Dennis Smith ou s'ils avaient des rapports de parenté.

— Nous ne sommes pas parents.

— Comment le connaissez-vous ? poursuivit le juge.

— Oh ! Juste comme ça... Nous nous sommes vus deux ou trois fois et nous avons échangé quelques mots.

Plusieurs heures furent encore nécessaires pour former le jury. Dennis Fritz s'inquiétait tout particulièrement de la présence de Cecil Smith. Quand les douze citoyens sélectionnés prirent place au banc des jurés, il vit Cecil Smith lui lancer un regard dur.

Le procès commença véritablement le lendemain. Nancy Shew, une assistante du procureur, donna aux jurés les grandes lignes des preuves présentées par l'accusation. Greg Saunders prit la parole à son tour pour expliquer que celles-ci étaient très minces.

Le premier témoin était Glen Gore, qu'on avait fait sortir de sa prison pour déposer. Interrogé par Peterson, il déclara bizarrement qu'il n'avait *pas* vu Dennis Fritz avec Debbie Carter le soir du meurtre.

Le procureur préfère en général commencer par un témoignage solide permettant d'établir que le tueur se trouvait à proximité de la victime à peu près à l'heure du meurtre. Peterson avait choisi d'agir différemment. Gore déclara qu'il avait peut-être vu Dennis au *Coachlight*, à une date indéterminée, mais il n'était même pas sûr.

La stratégie mise en œuvre par l'accusation devint évidente. Gore parlait de Ron Williamson plus que de Dennis, et Peterson l'interrogeait surtout sur Ron. Il cherchait à incriminer Dennis à cause de ses relations avec Ron.

Enlevant à Greg Saunders la possibilité d'attaquer Gore sur le sujet de son casier judiciaire, Peterson préféra discréditer lui-même son témoin. Il interrogea Gore sur ses condamnations passées. Elles étaient nombreuses : enlèvement, violences avec voies de fait, tentative d'homicide sur un officier de police.

Non seulement le premier témoin n'impliquait pas Dennis mais il se révélait un criminel endurci, qui purgeait une peine de quarante ans de réclusion.

Après ce début laborieux, Peterson appela à la barre un autre témoin qui ne savait rien. En un passage éclair et sans prononcer le nom de Dennis Fritz, Tommy Glover raconta aux jurés qu'il avait vu Debbie Carter parler avec Glen Gore sur le parking du *Coachlight* avant de rentrer chez elle.

Gina Vietta évoqua les coups de téléphone bizarres qu'elle avait reçus de Debbie dans la nuit du 7 au 8 décembre. Elle déclara ensuite qu'elle avait vu Dennis Fritz au *Coachlight* en plusieurs occasions mais pas le soir du meurtre.

Après Charlie Carter qui fit monter les larmes aux yeux des jurés en racontant comment il avait découvert le corps sans vie de sa fille, l'inspecteur Dennis Smith fut appelé à la barre. Il se lança pour commencer dans une longue description de la scène de crime et montra quantité de photographies. Il parla de l'enquête qu'il avait conduite, des prélèvements de salive et de poils. La première question de Nancy Shew sur les suspects possibles laissait de côté Dennis Fritz.

— Dans le courant de votre enquête, avez-vous interrogé un certain Ronald Keith Williamson ?

— Oui, répondit Smith.

Smith fit ensuite le récit des recherches effectuées par la police sur Ron Williamson et expliqua comment et pourquoi il était devenu le suspect numéro un. Nancy Shew sembla enfin se souvenir de l'identité de celui qui était au banc des accusés et demanda si la police avait un échantillon de salive de Dennis Fritz.

Smith expliqua que l'échantillon de salive avait été prélevé et transmis au laboratoire de l'OSBI, à Oklahoma City. Nancy Shew en resta là et laissa le témoin à la défense. Le ministère public n'avait pas fourni la moindre indication sur ce qui avait fait de Dennis Fritz un suspect. Il ne connaissait pas la victime. Personne n'avait déclaré l'avoir vu près d'elle à l'heure du meurtre, même si l'inspecteur Smith avait indiqué que Dennis habitait « près » de l'appartement de Debbie. Aucun mobile n'avait été suggéré.

Enfin, le nom de Dennis fut lié au meurtre par le témoin suivant, l'inspecteur Gary Rogers.

— Pendant notre enquête sur Ron Williamson, déclara-t-il, le nom de l'accusé, Dennis Fritz, est apparu, en tant que complice.

Rogers expliqua au jury que l'inspecteur Smith et lui-même avaient conclu avec perspicacité que les tueurs étaient au nombre de deux. Le crime avait été accompagné de trop de violences pour avoir été commis par un seul homme, semblait-il. Les tueurs avaient également laissé un indice, l'inscription au ketchup : « Ne nous chercher pas si non ». Le mot « nous » impliquait qu'il y avait plusieurs tueurs ; cela n'avait pas échappé à Smith et à Rogers.

L'enquête leur avait permis de découvrir que Williamson et Fritz étaient amis. Ils en avaient conclu à une relation entre deux tueurs.

Greg Saunders avait demandé à Dennis de ne pas s'occuper du jury mais c'était plus fort que lui. Ces douze personnes tenaient son destin, peut-être sa vie entre leurs mains ; il ne pouvait s'empêcher de lancer des coups d'œil furtifs dans leur direction. Cecil Smith était assis au premier rang. Chaque fois, Dennis croisait son regard noir.

Dennis en vint à se demander pourquoi cet homme montrait tant d'animosité. Il ne tarda pas à le découvrir.

Pendant une suspension d'audience, Greg Saunders rencontra un vieil avocat d'Ada blanchi sous le harnais.

— Quel est l'imbécile qui a permis à Cecil Smith de faire partie du jury ? lui demanda-t-il.

— Ce doit être moi, répondit Saunders. Qui est Cecil Smith ?

— L'ancien chef de la police d'Ada.

Saunders en fut suffoqué. Il se rendit illico dans le bureau du juge Jones et demanda l'annulation du procès pour vice de procédure au motif qu'un juré avait manqué de franchise pendant la sélection du jury et qu'il était à l'évidence de parti pris en faveur de la police et de l'accusation.

La demande fut rejetée.

Dans sa déposition le Dr Fred Jordan parla de l'autopsie sans épargner aucun détail au jury. Les photographies du corps suscitèrent l'horreur et l'indignation dans les rangs des jurés. Des regards de dégoût se tournèrent vers Dennis Fritz.

Mettant à profit l'atmosphère créée par le témoignage irrécusable du légiste, l'accusation décida de glisser quelques-uns de ses témoins bidon. Un homme du nom de Gary Allen raconta aux jurés après avoir prêté serment qu'habitant près de chez Dennis Fritz, une nuit du début du mois de décembre 1982, vers 3 h 30 du matin, il avait entendu deux hommes faire du raffut devant l'appartement de l'accusé. Il n'était pas sûr de la date exacte mais, on ne savait pourquoi, il était certain que c'était avant le 10 décembre. Les deux hommes, qu'il n'avait pas pu voir assez distinctement pour les reconnaître, riaient et s'insultaient en s'aspergeant avec un tuyau d'arrosage. Il faisait froid et les deux hommes étaient torse nu. Allen avait cru reconnaître la voix de Dennis. Mais il n'en était pas sûr. Il avait continué d'écouter pendant une dizaine de minutes avant de se recoucher.

Quand il se retira, il y eut des regards perplexes dans l'assistance. Quel était précisément le but de ce témoignage ? Le suivant allait être encore plus déroutant.

L'appartement de Tony Vick se trouvait au-dessous de celui de Gary Allen. Il connaissait Dennis Fritz. Il connaissait aussi Ron Williamson. Il déclara qu'il avait vu Ron sous le porche de Dennis et qu'il était certain que les deux hommes avaient fait une virée au Texas pendant l'été 1982.

Que pouvait demander de plus le jury ?

Les preuves accablantes continuèrent de s'accumuler avec le témoignage de Donna Walker, employée dans un magasin d'alimentation. Elle identifia Dennis et déclara qu'elle l'avait bien connu, à une époque. En 1982. Dennis était un client régulier de sa boutique, qui aimait boire un café de bon matin en la baratinant. Ron Williamson aussi était un de ses clients et elle savait que les deux hommes étaient copains. Du jour au lendemain, après le meurtre, elle ne les avait plus vus. Ils s'étaient évaporés. Au bout de quelques semaines, ils étaient réapparus, comme s'il ne s'était rien passé. Mais ils avaient changé !

Qu'est-ce qui avait changé ?

— Leur caractère, leurs habits aussi. Avant, ils étaient toujours bien habillés, bien rasés. Après, ils se laissaient complètement aller, des vêtements sales, une barbe de plusieurs jours, des cheveux dégoûtants. Et leur caractère avait changé : ils semblaient nerveux, presque paranos.

Interrogée par Greg Saunders, Donna Walker fut incapable d'expliquer pourquoi elle avait attendu cinq ans avant de faire part à la police de ces éléments déterminants. Elle reconnut que la police avait pris contact avec elle au mois d'août, après l'arrestation de Dennis et de Ron.

Le défilé des témoins se poursuivit avec Letha Caldwell, une divorcée qui avait connu Ron au collège de Byng. Elle raconta aux jurés que Ron et Dennis Fritz passaient souvent la voir chez elle, tard le soir, à n'importe quelle heure, et qu'ils avaient toujours bu. Elle avait fini par prendre peur et leur avait demandé de ne plus venir. Comme ils avaient refusé, elle avait acheté un pistolet et leur avait montré l'arme. Ils avaient compris qu'elle ne plaisantait pas.

Cette déposition n'avait aucun rapport avec le meurtre de Debbie Carter. Elle aurait été récusée pour manque de pertinence dans la plupart des tribunaux.

La défense réagit enfin quand Rusty Featherstone, l'agent de l'OSBI, vint apporter son témoignage. Cherchant maladroitement à prouver que Ron et Dennis étaient partis faire une virée à Norman quatre mois avant le meurtre, Peterson l'appela à la barre. Featherstone avait soumis deux fois Dennis au détecteur de mensonge en 1983 mais les résultats, pour d'excellentes raisons, étaient irrecevables. Pendant un des interrogatoires, Dennis avait fait le récit d'une soirée bien arrosée à Norman. Quand Peterson entreprit de faire raconter l'histoire à son témoin, Greg Saunders s'y opposa vigoureusement. Le juge Jones lui donna raison, au motif que c'était sans rapport avec l'affaire. Il fit venir le procureur devant lui.

— Pour lui (Featherstone), Ron Williamson et Dennis Fritz étaient en relation pendant l'été 1982, déclara Peterson.

— Expliquez-moi en quoi cela concerne notre affaire, répliqua le magistrat.

Le procureur ne trouva rien à dire et la déposition de Featherstone en resta là. Encore un témoin qui ne savait rien sur le meurtre de Debbie Carter.

Le suivant fut aussi improductif mais sa déposition ne manquait pas d'intérêt. William Martin était le directeur du collège de Noble où Dennis avait enseigné en 1982. Il déclara que, le matin du 8 décembre, un mercredi, Dennis s'était fait porter malade et que ses cours avaient été donnés par un remplaçant. D'après les registres de présence apportés par le témoin, Dennis Fritz avait manqué un total de sept journées de cours sur les neuf mois de l'année scolaire.

Après le passage de douze témoins à la barre, l'accusation n'avait pas apporté l'ombre d'une preuve contre Dennis. Elle avait démontré à l'évidence qu'il buvait de l'alcool, avait des fréquentations peu recommandables (Ron Williamson), partageait un appartement avec sa mère et sa fille dans le même quartier que Debbie Carter et s'était fait porter malade le lendemain du meurtre.

Peterson procédait méthodiquement. À ses yeux, il était nécessaire de constituer un dossier solide, pièce à pièce, témoin après témoin, sans fantaisie ni facilité. D'amonceler les preuves pour ôter le doute de l'esprit des jurés. Dennis Fritz lui posait un problème : il n'y avait pas de preuves tangibles contre lui.

Il avait besoin de mouchards.

Le premier à témoigner fut James Harjo, sorti de prison, comme Glen Gore, pour venir déposer. Ce simple d'esprit avait non seulement cambriolé deux fois la même maison mais brisé deux fois la fenêtre de la même chambre. Après s'être fait prendre, il avait été interrogé par la police. À l'aide d'un stylo et d'une feuille de papier, objets inconnus de lui, les policiers lui avaient fait raconter son histoire au moyen de dessins. Harjo en avait été profondément impressionné. Une fois, avec Dennis, il avait décidé de résoudre l'affaire Carter en griffonnant sur une feuille de papier.

Il expliqua son habile stratégie au jury. En prison, il avait tiré les vers du nez à Dennis. Quand sa feuille avait été remplie de X et de O, il avait regardé Dennis dans les yeux en lui disant : « On dirait bien que tu es coupable. » Ébloui par la logique de Harjo et écrasé par le poids de sa faute, Dennis avait répondu d'une voix larmoyante : « On ne voulait pas lui faire de mal. »

La première fois qu'il avait entendu Harjo débiter son histoire, Dennis s'était dressé en hurlant : « Menteur ! Sale menteur ! » Sous les regards des jurés, il supporta ces salades jusqu'au bout sans manifester la moindre émotion. Il fut aidé par les rires qu'étouffaient quelques jurés.

En commençant son contre-interrogatoire, Saunders établit que Dennis et Harjo étaient enfermés dans un des deux locaux de garde à vue de la prison, fait de quatre cellules à deux lits. Ils étaient conçus pour huit hommes mais en contenaient souvent plus. On s'y marchait sur les pieds. Or personne d'autre, ce jour-là, n'avait entendu Dennis faire l'aveu de son crime.

Harjo déclara qu'il aimait raconter à Ron des mensonges sur Dennis et vice versa.

— Pourquoi leur mentiez-vous ? demanda Greg Saunders. Pourquoi passiez-vous de l'un à l'autre pour leur raconter des mensonges ?

— Juste pour voir ce qu'ils diraient. Ils se seraient égorgés, ces deux-là.

— Vous mentiez donc à Ron au sujet de Dennis ou à Dennis au sujet de Ron juste pour qu'ils aient envie de se sauter à la gorge ?

— Oui, pour voir... pour voir ce qu'ils diraient.

Harjo ne comprenait visiblement pas le sens du mot « parjure ».

Le deuxième mouchard était Mike Tenney, le surveillant en formation utilisé par la police pour rassembler des ragots sur Dennis. Sans expérience, il avait commencé sa carrière à la prison et sa première mission avait été Dennis Fritz. Avide d'impressionner ceux qui pouvaient le recruter de façon permanente, il avait passé beaucoup de temps devant la cellule de Dennis, à parler de choses et d'autres mais surtout de l'affaire Carter. Il n'était pas avare de conseils. À son avis, Dennis était dans de sales draps et ce qu'il avait de mieux à faire pour sauver sa peau, c'était de trouver un arrangement, de négocier un accord avec le procureur en chargeant Ron Williamson.

Dennis avait joué le jeu mais en prenant garde de ne rien dire qui puisse être répété au tribunal.

Tout neuf dans le métier, Tenney n'avait pas l'habitude de déposer en justice et n'avait pas bien appris son texte. Il commença par évoquer une virée de Ron et de Dennis à Oklahoma City où ils avaient fait la tournée des bars, une histoire sans aucun rapport avec l'affaire Carter. Saunders éleva une objection ; le juge Jones l'accorda.

Tenney s'aventura ensuite sur un terrain glissant, déclarant qu'il avait discuté avec Dennis de la possibilité de chercher un accord avec le procureur en vue de revoir à la baisse les chefs d'accusation. Des allégations préjudiciables à l'accusé, car elles donnaient à entendre que Dennis avait envisagé de plaider coupable.

Greg Saunders protesta avec véhémence ; le juge rejeta l'objection.

Tenney poursuivit sa déposition sans faire bondir les avocats de la défense. Il expliqua au jury qu'il avait beaucoup parlé avec Dennis et qu'à la fin de chaque conversation il se précipitait dans le bureau des surveillants pour prendre note de tout ce qui s'était dit. À en croire son recruteur, Gary Rogers, c'est ce qu'il fallait faire. Du bon travail de policier. Au cours d'une de ces petites conversations, Dennis avait prétendument confié à Tenney : « Disons que ça s'est peut-être passé comme ça. Peut-être que Ron est entré de force chez Debbie Carter. Et puis, disons qu'il a profité de la situation et qu'elle s'est un peu laissé faire. Ron s'est emporté et il a dit qu'il allait lui donner une leçon. Elle est morte. Disons que ça s'est passé comme ça. Mais je n'ai pas vu Ron la tuer, alors je ne peux pas raconter ce que je n'ai pas vu. »

La journée d'audience s'acheva sur la déposition de Tenney. De retour dans sa cellule, Dennis se changea et mit soigneusement son costume neuf sur un cintre. Un surveillant l'emporta. Dennis s'étendit sur son lit et ferma les yeux. Quand ce cauchemar allait-il prendre fin ? Lui savait que les témoins mentaient, mais qu'en était-il des jurés ?

Le lendemain matin, à la reprise de l'audience, Bill Peterson appela Cindy McIntosh à la barre. Elle avait fait la connaissance de Dennis Fritz et de Ron Williamson dans la prison du comté, où elle était détenue pour avoir tiré des chèques sans provision. Elle déclara sous serment avoir surpris une conversation entre les deux hommes. Ron posait des questions à Dennis sur les photographies de la scène de crime, dans l'appartement de Debbie Carter.

— Était-elle sur le lit ou par terre ?

— Sur le lit.

Le témoin reconnut qu'elle n'avait pas été condamnée pour les chèques sans provision. « J'ai payé et on m'a relâchée. »

Après le défilé des mouchards, Peterson revint à des dépositions plus crédibles. Un peu plus crédibles. Il appela successivement à la barre quatre témoins travaillant au laboratoire de recherche criminelle d'Oklahoma City. Leur déposition, comme il se devait, fit une forte impression sur le jury. Ils étaient instruits, diplômés, qualifiés, expérimentés et ils travaillaient pour l'État de l'Oklahoma. Des experts venus témoigner contre l'accusé, aider à prouver sa culpabilité.

Jerry Peters, le spécialiste des empreintes digitales, ouvrit le bal. Il expliqua au jury qu'il avait examiné vingt et une empreintes relevées dans l'appartement et la voiture de la victime. Dix-neuf d'entre elles appartenaient à Debbie. Les deux dernières correspondaient aux empreintes de l'inspecteur Dennis Smith et de Mike Carpenter. Pas une seule de Dennis Fritz ni de Ron Williamson.

Il était curieux de voir un expert attester qu'aucune empreinte n'avait été laissée par l'accusé.

Larry Mullins expliqua ensuite comment il avait repris l'empreinte des paumes de Debbie, au mois de mai de l'année précédente, après l'exhumation du corps. Il avait transmis les nouvelles empreintes à Jerry Peters, qui avait découvert des choses qu'il n'avait pas vues quatre ans et demi plus tôt.

L'accusation avait une théorie qu'elle voulait également utiliser contre Ron Williamson. Pendant l'agression violente et prolongée, Debbie avait été blessée, du sang s'était retrouvé sur sa main gauche et sa paume avait touché une portion de placoplâtre, juste au-dessus d'une plinthe. Comme l'empreinte n'appartenait ni à Ron ni à Dennis et comme elle ne pouvait assurément pas appartenir au véritable tueur, ce ne pouvait qu'être celle de Debbie.

Mary Long était une spécialiste des liquides organiques. Elle expliqua aux jurés que le groupe sanguin n'est pas décelable chez vingt pour cent de la population dans les liquides organiques tels que la salive, le sperme et la sueur. Cette fraction de la population est connue chez les initiés sous le nom de « non-sécréteurs ». L'examen des échantillons de sang et de salive de Ron et de Dennis lui permettait d'affirmer qu'ils étaient tous deux non-sécréteurs. Le sperme trouvé sur la scène de crime appartenait probablement aussi à un non-sécréteur, mais elle ne pouvait en être certaine.

Quatre-vingts pour cent de la population était hors de cause. Ou « à peu près quatre-vingts pour cent ». Fritz et Williamson, eux, portaient l'étiquette infamante de « non-sécréteurs ».

Les pourcentages présentés par le témoin se dégonflèrent quand Greg Saunders la força à reconnaître que la plupart des échantillons de sang et de salive analysés dans l'affaire Carter appartenaient à des non-sécréteurs. Sur les vingt échantillons qui lui avaient été soumis, douze provenaient de non-sécréteurs, y compris Fritz et Williamson.

En d'autres termes, soixante pour cent de ces suspects étaient des non-sécréteurs, en contradiction avec la moyenne nationale de vingt pour cent.

Aucune importance. Cette déposition contribuait à alourdir les soupçons pesant sur Dennis Fritz.

Le dernier témoin de l'accusation fut de loin le plus efficace. Peterson avait gardé son atout maître pour la fin. Quand Melvin Hett quitta la barre, le jury était convaincu.

Hett était le spécialiste de l'analyse des poils à l'OSBI. Il avait une longue expérience des tribunaux et avait aidé à envoyer quantité d'accusés en prison.

L'analyse médico-légale des poils humains remonte à 1882. Dans le Wisconsin un « expert » appelé à témoigner pour l'accusation dans une affaire criminelle avait comparé un poil dont l'origine était « connue » avec un autre découvert sur une scène de crime et en avait conclu qu'ils avaient tous deux la même provenance. L'accusé avait été condamné mais la Cour suprême du Wisconsin avait réformé le jugement en appel, justifiant clairement sa décision : « De telles preuves sont d'une nature extrêmement dangereuse. »

Des milliers d'innocents auraient pu être épargnés si cette décision avait été suivie. Tout au contraire, enquêteurs, laboratoires de police criminelle et procureurs avaient généralisé l'analyse des poils, qui étaient souvent les seuls véritables indices trouvés sur une scène de crime. Cette méthode aussi courante que controversée avait fait l'objet de nombreuses publications.

La plupart soulignaient un taux d'erreurs élevé. En 1978, pour mettre un terme à la controverse, l'administration fédérale élabora un programme de test à l'échelle nationale. Deux cent quarante des meilleurs laboratoires participèrent à ce programme qui comparait leurs résultats sur différents types d'indices, y compris les poils.

Le bilan était catastrophique. La majorité des laboratoires se trompait quatre fois sur cinq.

D'autres études alimentèrent le débat. L'une d'elles montrait que l'exactitude augmentait quand le technicien comparait un poil trouvé sur une scène de crime avec ceux de cinq hommes différents, sans qu'aucune indication soit fournie sur celui que la police soupçonnait. Toute possibilité de parti pris non intentionnel disparaissait. La même étude révélait que l'exactitude diminuait sensiblement quand le technicien savait qui était le véritable « suspect ». Une conclusion préconçue pouvait donc orienter les résultats vers ce suspect.

Les spécialistes s'entourent de précautions et pèsent leurs mots : « Le poil dont la provenance est connue et le poil d'origine inconnue sont compatibles à l'examen microscopique et *peuvent* provenir de la même personne. »

Il y a de fortes chances qu'ils ne proviennent *pas* de la même personne mais il est rare qu'un expert le déclare spontanément à la barre des témoins.

Les centaines de poils collectés par l'inspecteur Smith sur la scène de crime avaient suivi un chemin long et tortueux avant d'arriver au tribunal. Ils étaient passés entre les mains d'au moins trois analystes de l'OSBI et des dizaines d'autres poils de provenance connue, fournis par les suspects habituels aux enquêteurs, s'y étaient ajoutés.

Mary Long les avait d'abord rassemblés et classés au laboratoire avant de les faire passer à Susan Land. Quand Susan Land les avait reçus, en mars 1983, Smith et Rogers étaient convaincus de la culpabilité de Ron et de Dennis. À la grande déception des enquêteurs, elle avait conclu de ses analyses que les poils n'étaient compatibles à l'examen microscopique qu'avec ceux de Debbie Carter. Fritz et Williamson étaient donc tirés d'affaire mais ils n'avaient aucun moyen de le savoir. Des années plus tard, leurs avocats n'avaient toujours pas été informés des conclusions de Susan Land.

Le ministère public avait eu besoin d'un deuxième avis.

En septembre 1983, arguant de la charge de travail de Susan Land, son patron lui ordonna de « transmettre » l'affaire à Melvin Hett. C'était une décision d'autant plus étonnante qu'ils travaillaient dans deux laboratoires différents et éloignés l'un de l'autre, Susan Land au laboratoire central d'Oklahoma City, Melvin Hett à Enid. La zone géographique qu'il couvrait était composée de dix-huit comtés, mais pas de celui de Pontotoc.

Melvin Hett se montra pour le moins méthodique. Il lui fallut vingt-sept mois pour effectuer l'analyse des poils, une durée d'autant plus étonnante qu'il ne s'occupait que des échantillons de Fritz, de Williamson et de Debbie Carter. Les vingt et un autres n'avaient pas la même importance et pouvaient attendre.

Sachant qui avait tué Debbie, la police se fit un plaisir d'en informer Melvin Hett. Lorsqu'il reçut les échantillons envoyés par Susan Land, le mot « suspect » figurait en regard des noms de Fritz et de Williamson.

Glen Gore n'avait toujours pas remis ses échantillons à la police d'Ada.

Le 13 décembre 1985, trois ans après le meurtre, Melvin Hett acheva son premier rapport, dans lequel il mettait en avant que dix-sept des poils trouvés sur la scène de crime étaient compatibles à l'examen microscopique avec les échantillons fournis par Fritz et Williamson.

Après avoir passé plus de deux ans et plus de deux cents heures à analyser les premiers échantillons, il changea brusquement de rythme. Il lui fallut moins d'un mois pour éliminer les vingt et un autres échantillons. Dans son deuxième rapport, daté du 9 janvier, il affirmait que tous les autres échantillons fournis par les hommes d'Ada n'étaient pas compatibles avec ce qui avait été prélevé dans l'appartement de Debbie Carter.

Personne n'avait encore demandé quoi que ce soit à Glen Gore.

L'œil rivé à son microscope, taraudé par le doute, Hett fit volte-face à plusieurs reprises. Un poil dont il était certain qu'il appartenait à Debbie Carter fut ainsi attribué à Dennis Fritz. Telle est la nature de l'analyse des poils. Non seulement Hett prit le contre-pied de certaines conclusions de Susan Land mais il réussit même à porter atteinte à son propre travail. D'après ses premières observations, treize poils pubiens appartenaient à Fritz, seulement deux à Williamson. Il modifia ensuite les chiffres et n'en trouva plus que douze pour Fritz. Dans la troisième version, il y en avait onze pour Fritz, plus deux cheveux.

Il fallut attendre le mois de juin 1986 pour que Glen Gore entre en scène. Quelqu'un à Ada avait dû prendre conscience qu'il avait été laissé de côté. Dennis Smith recueillit des cheveux et des poils pubiens de Gore et de Ricky Joe Simmons, l'auteur des aveux spontanés. Il les fit parvenir à Melvin Hett, qui devait être surchargé de travail, puisqu'il ne se passa rien pendant un an. En juin 1987, on pria Gore de fournir de nouveaux échantillons. Quand il demanda pourquoi, on lui répondit que la police ne savait pas ce qu'étaient devenus les premiers.

Plusieurs mois s'écoulèrent sans nouvelles de Melvin Hett. Toujours rien au printemps 1988, à l'approche des procès.

Le 7 avril, après l'ouverture du procès Fritz, Melvin Hett envoya son troisième et dernier rapport. Les poils de Gore n'étaient pas compatibles à l'examen microscopique avec ceux qui avaient été prélevés sur la scène de crime. Il avait fallu près de deux ans à Hett pour arriver à cette conclusion. L'accusation croyait si fermement à la culpabilité de Fritz et de Williamson qu'elle n'avait pas estimé utile d'attendre que tous les échantillons aient été analysés.

Malgré les risques et les incertitudes, Melvin Hett croyait dur comme fer à ce qu'il faisait. Il s'était lié avec Bill Peterson et lui avait fait passer avant le procès Fritz des articles scientifiques vantant la fiabilité de résultats bien connus pour leur manque de fiabilité. Mais il s'était bien gardé de communiquer au procureur les nombreux articles condamnant l'analyse des poils et leur utilisation en justice.

Deux mois avant le procès, Hett s'était rendu à Chicago pour remettre ses conclusions à un laboratoire privé du nom de McCrone, où il avait demandé à Richard Bisbing, une connaissance, de confirmer ses résultats. Ce même Bisbing avait été engagé par Wanda Fritz pour témoigner au procès en qualité d'expert. Pour le payer, elle avait été obligée de vendre la voiture de Dennis.

Bisbing se montra infiniment plus rapide que Hett mais les résultats furent tout aussi contradictoires.

En moins de six heures, Bisbing réfuta la quasi-totalité des conclusions de Hett. En examinant les poils pubiens qui, pour Hett, pouvaient être ceux de Dennis Fritz, il découvrit que ce n'était vrai que pour trois sur les onze. Hett s'était trompé pour les huit autres.

Sans se laisser démonter par une si piètre évaluation de son travail par un de ses pairs, Hett reprit la route de l'Oklahoma, prêt à témoigner en s'accrochant à son opinion.

Appelé à la barre le vendredi 8 avril dans l'après-midi, il se lança sans attendre dans un discours ampoulé, bourré de termes scientifiques et destiné à impressionner les jurés plus qu'à leur permettre de s'informer. Malgré les études scientifiques qu'il avait faites et son expérience de l'enseignement, Dennis était incapable de le suivre. Nul doute qu'il en allait de même des jurés. Quand il tournait la tête vers eux, il les voyait à la fois complètement perdus et impressionnés par les connaissances de l'expert qui pontifiait à la barre.

Hett parlait de « morphologie », de « cortex », de « bulbes pileux », de « corps ovoïde », sans prendre le temps de donner des explications, comme si tout le monde dans l'assistance savait de quoi il parlait. Hett était l'expert-vedette, baigné d'une aura de fiabilité renforcée par son expérience, son jargon, son assurance et l'affirmation répétée – à six reprises – que plusieurs poils de Dennis Fritz étaient compatibles à l'examen microscopique avec certains de ceux qui avaient été collectés sur la scène de crime. Pas une seule fois, il n'informa le jury que les poils en question pouvaient ne *pas* provenir de la même personne.

Tout au long de cette déposition, Bill Peterson parla de « l'accusé Ron Williamson et l'accusé Dennis Fritz ». Ron était en isolement cellulaire. Il grattait de la guitare sans se douter un instant qu'il était jugé par contumace et que les choses se présentaient mal.

Hett acheva sa déposition en résumant ses conclusions à l'intention du jury. Onze poils pubiens et deux cheveux pouvaient appartenir à Dennis. C'étaient les échantillons qu'il avait soumis à Richard Bisbing pour obtenir confirmation de ses analyses.

Le contre-interrogatoire de Greg Saunders n'apporta pas grand-chose de nouveau. Hett fut contraint de reconnaître que l'analyse des poils est trop hypothétique pour permettre une identification formelle. En bon expert, il parvint à se sortir des questions les plus gênantes en puisant dans son réservoir de termes scientifiques.

Le premier témoin de la défense était Dennis Fritz. Il évoqua son passé et son amitié avec Ron. Il reconnut qu'il avait été condamné pour avoir cultivé de la marijuana en 1973 et qu'il avait sciemment omis d'en faire état sept ans plus tard, lorsqu'il avait sollicité un poste de professeur au collège de Noble. La raison en était simple : il avait besoin de ce travail. Il nia de la manière la plus nette avoir jamais rencontré Debbie Carter et affirma ne rien savoir sur le meurtre.

Quand la défense eut terminé, Bill Peterson commença son contre-interrogatoire.

Selon un vieil adage juridique, lorsque les faits ne vont pas dans son sens, un avocat hausse la voix. Peterson s'avança d'un pas décidé vers le témoin et commença à hurler.

Au bout de quelques secondes, le juge Jones lui fit signe de s'approcher.

— Vous avez le droit de ne pas aimer l'accusé, fit-il à voix basse, d'un ton sévère, mais vous n'avez pas à manifester de la colère dans cette salle.

— Je ne suis pas en colère, riposta sèchement Peterson.

— Si. C'est la première fois que vous haussez le ton devant moi.

— D'accord.

Outré par le fait que Dennis Fritz eût menti pour postuler à un emploi, Peterson en concluait qu'on ne pouvait croire l'accusé. Il apporta théâtralement au jury la preuve d'un autre mensonge : un formulaire rempli par Dennis à Durant, pour mettre au clou un pistolet. Cette fois encore, l'accusé avait caché sa condamnation.

Deux exemples limpides qui n'avaient absolument rien à voir avec l'affaire Carter. Le procureur sermonna interminablement l'accusé à propos de cette faute avouée.

Si la situation n'avait pas été si grave, il eût été comique de voir se mettre dans tous ses états un procureur dont le dossier reposait sur le témoignage de mouchards.

Une fois son indignation épuisée, ne sachant quelle direction prendre, Peterson passa des allégations d'un témoin à charge à l'autre mais Dennis ne céda sur rien. Après une heure de controverses stériles, Peterson jeta l'éponge.

Le seul autre témoin cité par la défense était Richard Bisbing. Il exposa au jury qu'il se trouvait en désaccord avec Melvin Hett sur la plupart de ses conclusions.

L'après-midi du vendredi touchant à sa fin, le juge leva la séance pour le week-end. Dennis regagna la prison, se changea et essaya de se détendre dans l'atmosphère étouffante de sa cellule. Il avait le sentiment que l'accusation n'avait pas réussi à prouver sa culpabilité mais ne se sentait pas confiant pour autant. Les regards mauvais lancés par les jurés après la présentation des photos atroces du corps de la victime ne lui avaient pas échappé. Pendant la déposition de Melvin Hett, il avait vu dans leurs yeux qu'ils croyaient aux conclusions de l'expert.

Pour Dennis, le week-end s'annonçait long.

Le lundi matin, à l'ouverture de l'audience, Nancy Shew se lança dans une longue récapitulation de la déposition de chacun des témoins de l'accusation.

Greg Saunders riposta en affirmant que le ministère public n'avait pas prouvé grand-chose, que la quasi-certitude de la culpabilité de Dennis n'avait pas été apportée, que son client était incriminé à cause de ses relations et que le jury devrait prononcer son acquittement.

Dans son réquisitoire, Bill Peterson reprit point par point pendant près d'une heure les allégations marquantes de ses témoins en s'efforçant de convaincre les jurés que ses voyous et ses mouchards étaient dignes de foi.

À midi, les membres du jury se retirèrent pour délibérer. Ils revinrent six heures plus tard pour annoncer qu'ils n'avaient pu prendre une décision à l'unanimité. Le juge les renvoya dans la salle des délibérations. À 20 heures, ils étaient de retour avec un verdict de culpabilité.

Le verdict frappa Dennis de stupeur. Il était abasourdi parce qu'il se savait innocent et révolté de se voir condamné sur des preuves aussi maigres. Il avait envie de s'en prendre violemment aux jurés, au juge, aux enquêteurs, à tout le système. Mais le procès n'était pas terminé.

En même temps, ce n'était pas vraiment une surprise. En observant les jurés, il avait perçu leur défiance. Pour ces habitants d'Ada, il fallait une condamnation : si la police et le procureur étaient persuadés de la culpabilité de l'accusé, il devait être le tueur.

Dennis ferma les yeux et pensa à sa fille. À quatorze ans, Élizabeth était assez grande pour comprendre le sens des mots culpabilité et innocence. Maintenant qu'il était condamné, comment pourrait-il la convaincre qu'il était innocent ?

Épuisée, vaincue par l'émotion et le chagrin, Peggy Stillwell fut prise d'un malaise et s'effondra sur la pelouse du tribunal, au milieu de la foule. Transportée à l'hôpital le plus proche, elle en ressortit peu après.

La culpabilité étant établie, il restait au jury à se prononcer sur la peine. La sentence devait théoriquement prendre en compte à la fois les circonstances aggravantes présentées par l'accusation dans le but d'obtenir la peine capitale et les circonstances atténuantes présentées par la défense dans l'espoir de sauver la tête de son client.

Cela ne prit pas longtemps. Bill Peterson appela à la barre Rusty Featherston qui révéla au jury que Dennis avait avoué avoir fait la tournée des bars de Norman avec Ron Williamson, quatre mois avant le meurtre. Sa déposition en resta là. Les deux suspects avaient parcouru cent dix kilomètres en voiture pour aller passer une soirée dans les bars et les boîtes de nuit de Norman.

Le témoin suivant, le dernier cité par l'accusation, revint sur cette équipée sauvage. Lavita Brewer buvait tranquillement un verre au bar d'un *Holiday Inn*, à Norman, quand elle avait fait la connaissance de Fritz et de Williamson. Après quelques tournées, ils étaient sortis tous les trois. Dennis s'était mis au volant de sa voiture, Ron s'était installé à côté de lui et Lavita était montée à l'arrière. Il pleuvait. Dennis roulait vite et brûlait des feux rouges, si bien que Lavita était devenue hystérique. Les deux hommes ne l'avaient ni touchée ni menacée, mais elle hurlait qu'elle voulait descendre. Dennis refusant de s'arrêter, cela avait duré quinze ou vingt minutes. Elle avait profité d'un ralentissement de la voiture pour ouvrir la portière et sauter en marche. Elle avait couru jusqu'à une cabine téléphonique pour appeler la police.

Il n'y avait eu ni blessé ni plainte.

Pour Bill Peterson, cet incident était la preuve manifeste qu'il fallait condamner Dennis à la peine capitale parce qu'il représentait un danger pour la société en général et les femmes en particulier. Lavita Brewer était le meilleur témoin – le seul – qu'il avait pu trouver.

Dans le courant de son violent réquisitoire, le procureur pointa vers l'accusé un index vengeur.

— Dennis Fritz, vous méritez la mort pour ce que vous avez fait avec Ron Williamson à Debra Sue Carter !

— Je n'ai pas tué Debbie Carter, protesta Dennis en s'adressant au jury.

Deux heures plus tard, les jurés le condamnaient à la réclusion à perpétuité.

Après la lecture du verdict, Dennis se leva et se tourna vers le banc du jury.

— Mesdames et messieurs les jurés, je voudrais juste dire...

— Veuillez vous asseoir, fit le juge.

— Vous ne pouvez pas faire ça, Dennis, glissa Greg Saunders à l'oreille de son client.

Mais Dennis n'était pas décidé à se laisser faire.

— Dieu m'est témoin que je n'ai rien fait. Je voulais juste dire que je vous pardonne. Je prierai pour vous.

De retour dans sa cellule, dans la pénombre étouffante de son petit coin d'enfer, il ne réussit pas à trouver la moindre consolation dans le fait qu'il avait échappé à la peine de mort. Il avait trente-huit ans, il était innocent de ce crime et n'avait jamais eu de pulsions violentes. La perspective de passer le restant de ses jours derrière les barreaux lui était insupportable.

9.

Annette Hudson avait suivi le procès Fritz dans l'*Ada Evening News*. Le mardi 12 avril, la manchette du quotidien annonçait : « Affaire Carter : Fritz déclaré coupable. »

Comme tous les jours, le nom de son frère était mentionné à la une. « Le procès de Ron Williamson, également accusé d'homicide volontaire sur la personne de Debbie Carter, s'ouvrira le 21 avril. » Annette trouva le nom de Ronnie dans les six articles couvrant l'affaire Fritz.

Comment former un jury impartial dans ces conditions ? Si un coaccusé est déclaré coupable, comment le procès pourrait-il être équitable s'il est tenu dans la même ville ?

Elle acheta pour Ron un complet gris, un pantalon bleu marine, deux chemises blanches, deux cravates et une paire de chaussures.

Le 20 avril, la veille du procès, on emmena Ron au tribunal pour une petite conversation avec le juge Jones. Le magistrat redoutait qu'il ne perturbe le déroulement des débats, une crainte justifiée par des précédents.

Le juge : — Je veux savoir où nous en sommes au sujet de votre présence au procès et m'assurer qu'il n'y aura pas de perturbations de votre fait. Comprenez-vous mes inquiétudes ?

Ron : — Tant qu'ils commencent pas à dire que j'ai tué quelqu'un.

Le juge : — Vous devez comprendre qu'ils vont le dire.

Ron : — Oui, je comprends, mais c'est pas vrai.

Sachant que l'accusé avait été un grand joueur de base-ball, le magistrat employa une métaphore sportive.

Le juge : — C'est comme un match de football. Chaque camp a l'occasion de jouer en attaque, puis en défense, mais on ne peut discuter le fait qu'il se trouve alternativement dans ces deux situations. Cela constitue la procédure.

Ron : — Oui, mais moi, je serai le ballon qui prendra les coups de pied.

Le procès Fritz avait été une bonne mise en train pour l'accusation. Elle allait citer les mêmes témoins, à peu près dans le même ordre. Mais, dans le deuxième procès, elle aurait deux atouts supplémentaires. Premièrement, l'accusé souffrait de troubles mentaux et il était tout à fait capable de renverser des tables et de lâcher des obscénités, un comportement mal vu de la plupart des gens, y compris les jurés. Il avait une mine patibulaire, il faisait peur. Deuxièmement, son avocat était aveugle et seul. Baber, le second avocat désigné par le juge, s'était désisté le 1er avril et n'avait pas été remplacé. Barney avait l'esprit vif et il savait malmener les témoins de l'accusation mais il était désavantagé pour parler d'empreintes digitales, de photographies ou d'analyses de poils.

De son côté, la défense attendait avec impatience l'ouverture du procès. Barney ne supportait plus ni son client ni de perdre son temps dans une affaire qui ne lui rapportait rien. Et il avait peur de Ron. Physiquement. Il demanda non à un confrère mais à son fils de s'asseoir juste derrière Ron, à la table de la défense, tandis que lui, Barney, prendrait place aussi loin que possible. Si Ron avait un geste agressif, son fils se chargerait de le neutraliser. Le 21 avril, dans la salle bondée, rares étaient ceux qui se doutaient qu'il était là pour protéger l'avocat aveugle de son client. L'assistance était composée en majeure partie de jurés potentiels qui découvraient le tribunal et ignoraient qui était qui. Il y avait aussi des journalistes, des avocats et l'assortiment habituel de curieux attirés par un procès. Surtout un procès capital.

Annette et Renee avaient pris place au premier rang, aussi près que possible de Ron. Des amis d'Annette s'étaient proposés pour l'accompagner au tribunal et la soutenir pendant le procès mais elle avait refusé. Son frère était malade, il avait un comportement imprévisible et elle ne voulait pas que ses amis le voient avec ses menottes et ses chaînes. Elle ne voulait pas non plus leur infliger les détails explicites et révoltants des dépositions. Renee et elle en avaient assez souffert pendant l'audience préliminaire ; elles savaient à quoi s'attendre.

Personne ne serait dans le camp de Ron.

De l'autre côté de l'allée centrale, la famille Carter occupait aussi le premier rang. De part et d'autre, on évitait de se regarder.

C'était un jeudi. Il s'était écoulé près d'un an depuis l'exhumation du corps de Debbie et l'arrestation de Ron et de Dennis. Le dernier traitement sérieux de Ron remontait au mois de mars de l'année précédente. Pendant un an, ses médicaments, quand il en prenait, lui avaient été administrés irrégulièrement par ses geôliers. Le temps passé dans la solitude de sa cellule n'avait pas contribué à l'amélioration de sa santé mentale.

En fait, la santé mentale de Ron semblait n'intéresser que sa famille. Ni l'accusation, ni la défense, pas plus que le juge, ne s'étaient penchés sur la question.

L'heure du procès était venue.

L'excitation du premier jour retomba rapidement tandis que l'on procédait à la sélection du jury. Pendant plusieurs heures, les avocats interrogèrent les jurés potentiels avant que le juge Jones les élimine méthodiquement.

Ron était irréprochable. Les cheveux courts, rasé de près, habillé de neuf, il présentait bien. Il noircissait des pages de notes sous le regard du fils de Barney qui s'ennuyait à mourir mais ne le quittait pas des yeux. Ron ne se doutait pas de cette surveillance rapprochée.

L'après-midi touchait à sa fin quand les douze jurés furent enfin sélectionnés : sept hommes, cinq femmes, tous Blancs. Le juge donna ses instructions et les renvoya chez eux. Ils n'étaient pas tenus d'être en isolement.

Annette et Renee reprirent espoir. Un juré était le gendre d'un voisin d'Annette. Un autre était apparenté à un pasteur de l'église pentecôtiste, qui avait certainement entendu parler de

Juanita Williamson et de sa dévotion. Un troisième était un cousin éloigné d'un membre de la famille Williamson par alliance.

Le visage de la plupart des jurés n'était pas inconnu des sœurs de Ron. Ada était une petite ville.

Le lendemain matin, à 9 heures, les jurés firent leur entrée dans la salle. Nancy Shew fut la première à prendre la parole, en des termes presque identiques à ceux du procès Fritz.

Le premier témoin de l'accusation était encore Glen Gore mais les choses ne se passèrent pas comme prévu. Après avoir décliné ses nom et prénoms, Gore refusa de déposer. Que le juge le poursuive pour outrage à magistrat – de toute façon, il en avait déjà pris pour quarante ans. Ses raisons n'étaient pas très claires mais peut-être étaient-elles liées au fait qu'il purgeait sa peine dans un pénitencier d'État où les mouchards étaient tenus en piètre estime par les autres détenus, contrairement à la prison du comté de Pontotoc où la délation était endémique.

Après un moment de confusion, le juge Jones décida que la déposition de Gore faite à l'occasion de l'audience préliminaire, au mois de juillet précédent, serait lue au jury. L'effet sur les jurés en fut atténué mais ils entendirent le récit fictif de la rencontre de Ron et de Debbie au *Coachlight*, le soir du meurtre.

Barney fut ainsi privé de la possibilité de cuisiner Gore sur ses nombreuses condamnations et la nature violente de ses actes. La défense n'eut pas non plus l'occasion d'interroger le témoin sur son emploi du temps, le soir du crime.

Débarrassé de Glen Gore, le ministère public reprit le défilé de ses témoins – Tommy Glover, Gina Vietta, Charlie Carter –, qui firent la même déposition que les deux fois précédentes.

Gary Allen raconta de nouveau qu'il avait vu deux hommes s'asperger avec un tuyau d'arrosage, au début du mois de décembre 1982, mais il n'était pas en mesure d'identifier formellement Ron Williamson. Le deuxième homme était peut-être Dennis Fritz.

À vrai dire, Garry Allen était incapable d'identifier qui que ce fût et il ne se souvenait même pas de la date de cette scène. C'était un drogué notoire, bien connu de la police d'Ada. Il connaissait Dennis Smith avec qui il avait suivi des cours, à la fac.

L'inspecteur était allé le voir peu après le meurtre pour lui demander s'il avait vu ou entendu quelque chose de louche dans la nuit du 7 au 8 décembre. Gary Allen avait vu deux hommes s'asperger avec un tuyau d'arrosage dans le jardin de son voisin mais il n'était pas sûr de la date. Smith et Rogers en avaient aussitôt conclu qu'il s'agissait de Fritz et de Williamson, et qu'ils nettoyaient le sang de Debbie Carter. Ils avaient demandé des détails à Allen et lui avaient même montré une photographie de la scène de crime. Ils avaient suggéré qu'il s'agissait de Fritz et de Williamson mais Allen ne pouvait les identifier et se refusait à le faire.

Peu avant le procès, Gary Rogers était passé voir Allen chez lui pour régler quelques détails. Les deux hommes n'étaient-ils pas Fritz et Williamson, ne les avait-il pas vus dans ce jardin, au petit matin du 8 décembre ?

Non, Allen n'en était pas certain. Rogers avait écarté le pan de sa veste pour lui montrer son arme de service. Allen avait intérêt à retrouver la mémoire s'il ne voulait pas qu'on la lui rende à coups de plomb. Elle lui était revenue, juste assez pour témoigner.

Dennis Smith brossa ensuite pour le jury le tableau de son travail sur la scène de crime : photographies, empreintes digitales, collecte des indices. On fit circuler entre les mains des jurés des photos de la victime qui provoquèrent des réactions prévisibles. En utilisant une échelle d'incendie, le photographe de la police avait pris plusieurs clichés de l'appartement de Debbie. Peterson en avait choisi un et avait demandé à Smith de montrer au jury où se trouvait la maison des Williamson, située à proximité.

Barney demanda qu'on lui fasse passer les photographies. Comme il était tacitement admis à Ada, il quitta la salle en compagnie de sa fidèle Linda qui lui décrivit chaque cliché en détail.

Barney attaqua le contre-interrogatoire tambour battant. Il avait toujours trouvé curieux que les deux tueurs supposés aient pu commettre un viol et un meurtre aussi odieux sans laisser une seule empreinte. Il demanda à Smith d'expliquer sur quelles surfaces un enquêteur avait les meilleures chances de découvrir des empreintes digitales. Des surfaces lisses et dures : verre, miroirs, plastique dur, bois peint, etc. Puis il passa en revue avec Smith toutes les pièces du petit appartement et le força à reconnaître qu'il avait négligé quantité d'endroits évidents : les appareils ménagers, la vitre de la fenêtre ouverte de la chambre, les ustensiles de la salle de bains, les panneaux des portes, les miroirs. La liste s'allongea tellement qu'il devint manifeste que Smith avait bâclé le travail.

Barney poursuivit sa démolition systématique du témoignage de Smith. Quand il devenait trop virulent, Bill Peterson ou Nancy Shew faisaient objection à la question posée, ce qui déclenchait immédiatement une réplique cinglante de Barney.

Gary Rogers succéda à Dennis Smith à la barre des témoins. Il reprit le déroulement de l'enquête par le menu et fit pour le jury le récit du rêve de Ron qui tenait lieu d'aveux depuis le lendemain de son arrestation. Barney voulut obtenir quelques éclaircissements.

Il était curieux de savoir pourquoi les déclarations de Ron n'avaient pas été enregistrées. Rogers admit d'abord que la police utilisait fréquemment une caméra vidéo et finit par reconnaître, sur les instances de Barney, que les enquêteurs ne la mettaient pas en marche quand ils n'étaient pas sûrs de ce que dirait le témoin. Pourquoi auraient-ils couru le risque d'enregistrer des déclarations préjudiciables au procureur et utiles à l'accusé ?

Gary Rogers reconnut ensuite que le commissariat d'Ada disposait d'un magnétophone et qu'il savait le faire fonctionner. L'appareil n'avait pas été utilisé lors de l'interrogatoire de Ron, car il n'entrait pas dans le cadre de la procédure habituelle. Barney n'en croyait pas un mot.

Rogers reconnut aussi que la police disposait de papier et de stylos mais fut incapable d'expliquer pour quelles raisons Rusty Featherstone et lui-même n'avaient pas permis à Ron de mettre sa déposition par écrit. L'inspecteur avoua ensuite qu'après l'enregistrement, ils avaient refusé de lui montrer la cassette. Quand Barney cuisina Rogers sur cette procédure pour le moins inhabituelle, le policier commit une bourde. Il fit allusion à l'interrogatoire de Ron enregistré en 1983, au cours duquel il avait farouchement nié toute implication dans le meurtre.

Barney n'en crut pas ses oreilles. Pourquoi ne lui avait-on jamais parlé de cette bande ? La procédure obligeait l'accusation à communiquer à la défense, avant le procès, tous les éléments permettant de disculper l'accusé. Barney en avait fait la demande en temps voulu, des mois auparavant. Au mois de septembre, le juge avait ordonné à l'accusation de fournir à la défense toutes les déclarations de Ron liées à l'enquête.

Comment la police et le procureur avaient-ils pu conserver cette bande pendant quatre ans et demi sans que la défense ait été informée de son existence ?

Barney avait très peu de témoins à sa disposition, contrairement à l'accusation qui en faisait comparaître une collection dont les déclarations, si sommaires qu'elles fussent, tendaient à démontrer que Ron, à différentes époques et de différentes manières, avait avoué être le meurtrier. Le seul moyen de s'opposer à ces témoignages était de nier et la seule personne qui pouvait nier avoir fait ces aveux était Ron lui-même. Barney avait prévu d'appeler Ron à la barre mais il redoutait le pire.

La bande de 1983 aurait été une arme maîtresse. Quatre ans et demi plus tôt, bien avant que l'accusation réunisse sa galerie de témoins douteux, bien avant que Ron ait à répondre de multiples infractions, il avait nié devant une caméra toute participation au meurtre.

Dans un arrêt bien connu, remontant à 1963, *Brady contre Maryland*, la Cour suprême des États-Unis avait statué que « la suppression par le ministère public d'éléments de preuves favorables à un accusé quand la demande en a été formulée contrevient à l'application de la loi selon la procédure, quand cet élément de preuve est pertinent pour ce qui est de la culpabilité ou de la sanction, que l'accusation soit de bonne ou de mauvaise foi ».

Les enquêteurs ont tous les moyens à leur disposition. Il leur arrive fréquemment de découvrir un témoin ou un élément de preuve favorable à un suspect ou à un accusé. Pendant des décennies, il leur a été loisible de ne pas en tenir compte, mais l'arrêt *Brady* a rééquilibré les choses et la démarche fait désormais partie intégrante de la procédure pénale. Une demande *Brady* est une des nombreuses requêtes présentées par la défense au début de la procédure. On parle de requête *Brady*, d'audience *Brady*, de preuves *Brady*. Le nom est passé dans le vocabulaire du droit pénal.

Quand Barney s'avança vers le juge, Rogers était encore à la barre des témoins et Bill Peterson gardait la tête obstinément baissée. C'était une violation *Brady* évidente. Il demanda l'annulation du procès pour vice de procédure. Le juge promit de tenir une audience sur la question... après le procès !

C'était le vendredi soir et tout le monde était fatigué. Le juge Jones déclara que l'audience reprendrait le lundi matin, à 8 h 30. Menotté, entouré d'adjoints du shérif, Ron quitta la salle. Jusque-là, il s'était bien conduit et ce n'était pas passé inaperçu.

À la une de l'édition dominicale l'*Ada Evening News*, une manchette proclamait : « Williamson se domine pendant la première journée du procès. »

Le premier témoin à se présenter le lundi matin fut le Dr Fred Jordan, le légiste qui, pour la troisième fois, donna les résultats de l'autopsie et expliqua les causes de la mort. C'était aussi la troisième fois que Peggy Stillwell supportait ces descriptions, une épreuve toujours aussi pénible. Par bonheur, elle ne voyait pas les photographies que les jurés se passaient de main en main mais leurs réactions étaient parlantes.

Au Dr Jordan succédèrent Tony Vick, le voisin de Dennis, Donna Walker, la vendeuse du magasin d'alimentation et Letha Caldwell, la jeune femme avec qui Ron avait eu une aventure nocturne. Trois témoignages aussi oiseux que ceux du procès de Dennis.

Les choses s'animèrent quand Terri Holland vint prêter serment. Pendant l'audience préliminaire, elle avait pu débiter impunément ses mensonges mais là, sous le regard mauvais de Ron, c'était une autre paire de manches.

Dès le début de la déposition du témoin, qui reprit les déclarations prétendument faites en prison par l'accusé au sujet de Debbie Carter, il fut évident que Ron allait sortir de ses gonds. Les dents serrées, il secouait la tête en fusillant le témoin du regard.

— Il a dit, poursuivit Terri Holland, que si elle avait accepté de sortir avec lui, il n'aurait pas été obligé de la tuer.

— Oh ! lâcha Ron.

— Avez-vous surpris une conversation téléphonique ayant un rapport avec Debbie Carter ? demanda Nancy Shew.

— Je travaillais dans la lingerie et Ron téléphonait à sa mère. Il lui a dit... Il voulait qu'elle lui apporte des cigarettes ou je ne sais quoi... En tout cas, il criait après elle. Et puis, il a dit que, si elle ne faisait pas ce qu'il demandait, il la tuerait comme il avait tué Debbie Carter...

— Elle ment ! rugit Ron.

— Madame Holland, poursuivit Nancy Shew, avez-vous, à un moment ou à un autre, entendu l'accusé donner des détails sur les circonstances de la mort de Debbie Carter ?

— Il racontait... C'était dans sa cellule... Il... il disait qu'il lui avait fourré une bouteille de coca dans l'anus et sa culotte dans la gorge.

Ron se dressa d'un bond.

— Tu mens ! hurla-t-il, l'index tendu vers le témoin. Je n'ai jamais dit ça de ma vie ! Je n'ai pas tué cette fille et tu es une menteuse !

— Du calme, glissa Barney.

— Je ne sais même pas ce que tu... Tu me le paieras !

Dans le silence qui suivit, tout le monde retint son souffle tandis que Barney se levait lentement. Il savait exactement ce qui allait se passer. Le témoin de l'accusation s'était planté sur deux faits essentiels : la bouteille de coca et la culotte. C'était souvent le cas dans un témoignage bidon.

L'atmosphère était tendue dans la salle, le témoin vacillait, Barney était prêt à lui sauter à la gorge. Nancy Shew essaya de limiter les dégâts.

— Madame Holland, revenons aux détails que vous venez de mentionner. Faites appel à votre mémoire : êtes-vous sûre que les objets qui auraient été utilisés sont ceux que vous avez indiqués ? Une bouteille de coca ?

— Objection, Votre Honneur ! coupa Barney en s'adressant au juge. J'ai entendu ce qu'a dit le témoin et je ne veux pas que le procureur l'incite à modifier sa déposition.

Holland : — Il a parlé d'une bouteille de coca ou d'une bouteille de ketchup ou d'une bouteille...

Barney : — Vous voyez ce que je veux dire, Votre Honneur.

Holland : — Ça fait quatre ans...
Ron : — Oui, et tu es une...
Barney : — Silence !
Shew : — Madame Holland, pouvez-vous... Je sais que vous avez entendu différentes choses...
Barney : — Votre Honneur...
Shew : — Vous souvenez-vous de...
Barney : — Je proteste contre les questions tendancieuses et suggestives du procureur.
Le juge : — Veuillez poser des questions directes.
Shew : — A-t-il expliqué pourquoi... Vous avez dit qu'il avait dit qu'il avait tué...
Holland : — Il voulait coucher avec Debbie Carter.
Ron : — Menteuse !
Barney : — Taisez-vous !
Ron (*se levant*) : — C'est une menteuse. Je ne vais pas me laisser faire. Je n'ai pas tué Debbie Carter et elle ment.
Barney : — Allons, Ronnie, asseyez-vous.
Peterson : — Pouvons-nous avoir une suspension d'audience, monsieur le juge ? Barney... Je proteste contre les apartés de l'avocat de la défense, Votre Honneur.
Barney : — Ce ne sont pas des apartés, Votre Honneur.
Le juge : — Je vous en prie !
Barney : — Je parle à l'accusé.
Le juge : — Je vous en prie ! Votre prochaine question, madame. Monsieur Williamson, je vous avertis : vous n'avez pas le droit de parler quand vous vous trouvez à la table de la défense.
Shew : — Madame Holland, vous souvenez-vous s'il a dit pourquoi il a fait ce qu'il a fait ?
Holland : — Parce qu'elle ne voulait pas coucher avec lui.
Ron : — Menteuse ! Dis la vérité. Je n'ai jamais tué personne.
Barney : — Monsieur le juge, pourrions-nous avoir une suspension d'audience de quelques minutes ?
Le juge : — D'accord. N'oubliez pas vos instructions. Le jury peut se retirer.
Ron : — Je peux lui parler ? Laissez-moi lui parler. Pourquoi raconte-t-elle ces choses-là ?

La courte interruption apaisa les esprits. Le juge profita de l'absence du jury pour avoir une petite conversation avec Ron, qui l'assura qu'il allait bien se conduire. Quand le jury fut revenu, le juge expliqua que l'affaire serait jugée sur les faits et rien d'autre. Pas de commentaires des avocats et surtout pas de l'accusé.

Mais les jurés avaient entendu les paroles menaçantes de Ron : « Tu me le paieras. » Eux aussi avaient peur de lui.

Nancy Shew n'avait pas réussi à mettre à profit le moment de pagaille pour sauver complètement son témoin. Grâce à ses questions tendancieuses, la bouteille de coca était devenue une bouteille de ketchup mais le petit détail de la culotte dans la bouche n'avait pas été rectifié. Terri Holland n'avait jamais parlé du gant de toilette couvert de sang.

Le témoin suivant cité par l'accusation pour aider à établir la vérité était Cindy McIntosh mais la pauvre fille était si troublée qu'elle ne savait plus quelle histoire on attendait d'elle. Cindy resta sans voix et fut invitée à se retirer sans avoir accompli son devoir.

Mike Tenney et John Christian parlèrent de leurs discussions nocturnes avec Ron dans sa cellule et firent état de choses bizarres qu'il avait dites. Ils ne se donnèrent ni l'un ni l'autre la peine de signaler que Ron avait toujours nié être mêlé à ce meurtre et qu'il lui arrivait de hurler pendant des heures qu'il était innocent.

Après le déjeuner, Bill Peterson fit défiler à la barre les agents de l'OSBI dans le même ordre que pour le procès Fritz. Jerry Peters passa de nouveau le premier. Il raconta qu'il avait repris l'empreinte des mains de Debbie après l'exhumation, car il avait des doutes sur une petite portion de la paume gauche. Barney essaya de le coincer en cherchant à savoir comment et pourquoi la question s'était posée quatre ans et demi après l'autopsie, mais Peters lui glissa entre les doigts. Avait-il eu des doutes sur ses conclusions pendant une si longue période ou bien Bill Peterson lui avait-il téléphoné au début de l'année 1987 pour faire quelques suggestions ? La réponse du témoin resta vague.

Larry Mullins était du même avis que Peters : l'empreinte sanglante sur le morceau de placoplâtre était bien celle de Debbie Carter, pas du mystérieux tueur.

Mary Long déclara ensuite que Ron Williamson était un non-sécréteur, ce qui le plaçait dans la minorité de vingt pour cent de la population. Le violeur appartenait probablement à ce groupe. En insistant, Barney réussit à lui faire donner le nombre exact d'échantillons qu'elle avait analysés. Elle arrivait à un total de vingt, en comptant la victime. Sur ces vingt personnes, douze étaient des non-sécréteurs, soit soixante pour cent. Barney s'amusa un peu avec les chiffres.

Susan Land déclara dans une courte déposition qu'elle avait commencé l'analyse des poils dans l'affaire Carter et transmis peu après le dossier à Melvin Hett. Quand Barney lui en demanda les raisons, elle répondit : « Je travaillais à ce moment-là sur de nombreux homicides, avec toutes les tensions que cela suppose. J'avais le sentiment de ne pouvoir être objective et je ne voulais pas risquer de commettre une erreur. »

Après avoir prêté serment, Melvin Hett reprit le cours magistral qu'il avait donné pendant le procès Fritz. Il décrivit le travail en laboratoire des comparaisons au microscope et réussit à donner l'impression que les résultats des analyses étaient totalement fiables. Il ne pouvait en être autrement : on y avait toujours recours dans les procès criminels. Il affirma au jury qu'il avait travaillé sur « des milliers » d'analyses. Il présenta des diagrammes de différents types de poils et expliqua qu'il est possible de distinguer sur chacun d'eux entre vingt-cinq et trente caractéristiques.

Quand il en vint enfin à Ron Williamson, Melvin Hett affirma que deux poils pubiens collectés sur le lit étaient compatibles à l'examen microscopique avec ceux de Ron Williamson. Deux cheveux trouvés sur le gant de toilette sanglant étaient également compatibles avec ceux de Ron Williamson.

Les quatre indices en question *pouvaient* tout aussi bien *ne pas* provenir de Ron mais Hett n'en fit pas mention.

Il commit ensuite un lapsus. En parlant des deux cheveux, il déclara : « C'étaient les deux seuls qui correspondaient ou étaient compatibles à l'examen microscopique avec ceux de Ron Williamson. »

Le mot « correspondre » est tabou en la matière, car il prête à confusion. Le profane peut avoir de la peine à comprendre le concept de compatibilité à l'examen microscopique, pas celui de correspondance. C'est plus rapide, plus clair, plus facile à saisir. Comme pour une empreinte digitale, le doute est éliminé.

Quand Hett utilisa une deuxième fois le mot, Barney protesta. Le juge Jones rejeta l'objection en déclarant qu'il pourrait y revenir pendant le contre-interrogatoire.

Le plus étonnant était pourtant le ton de cette déposition. Au lieu de la clarté, Hett avait choisi la condescendance.

Pour aider un jury à se faire une idée, les spécialistes apportent le plus souvent au tribunal des agrandissements des poils étudiés. Un montage place côte à côte un poil dont l'origine est connue et un autre trouvé sur la scène de crime. L'expert explique dans le détail les ressemblances et les dissemblances. Comme l'avait dit Hett, chaque poil présente entre vingt-cinq et trente éléments caractéristiques et un bon analyste peut montrer à un jury de quoi il parle.

Hett n'en avait que faire. Après avoir travaillé près de cinq ans sur l'affaire Carter, y avoir consacré des centaines d'heures et avoir rédigé trois rapports, il ne se donna pas la peine de montrer au jury un seul agrandissement de son travail. Pas un seul poil de Ron Williamson ne fut comparé à un poil collecté dans l'appartement de Debbie.

Hett disait simplement au jury de le croire sur parole. « Ne demandez pas de preuve, rangez-vous à mon avis. »

La déposition de l'expert laissait entendre que deux poils et deux cheveux trouvés dans l'appartement de Debbie Carter appartenaient à Ron Williamson. C'était l'unique raison pour laquelle il avait été appelé à comparaître comme témoin.

Sa présence et sa déposition faisaient ressortir la difficulté pour une personne ne disposant pas des ressources suffisantes d'être jugée impartialement sans l'aide d'un expert médicolégal. Barney en avait fait la demande ; le juge avait refusé.

Pourtant, il y était obligé. Trois ans auparavant, une affaire jugée dans l'Oklahoma, *Ake contre Oklahoma*, avait abouti devant la Cour suprême des États-Unis dont l'arrêt avait eu un énorme retentissement dans toutes les juridictions criminelles du pays. Cet arrêt concluait : « Quand un État exerce son pouvoir judiciaire contre un accusé sans ressources dans une affaire criminelle, il doit prendre les mesures nécessaires pour assurer à l'accusé les moyens de présenter sa défense. Il ne peut y avoir de justice équitable si, du seul fait de sa pauvreté, un accusé est privé du droit de prendre part efficacement à une procédure judiciaire dans laquelle sa liberté est en jeu. »

L'arrêt *Ake* imposait que des moyens élémentaires de défense soient fournis par le ministère public à un accusé sans ressources. Cela n'avait pas été plus respecté par le juge Jones dans l'affaire Fritz que dans l'affaire Williamson.

Jerry Peters, Larry Mullins, Mary Long, Susan Land et Melvin Hett étaient des experts. Leurs dépositions constituaient un élément-clé en faveur de l'accusation. Ron ne pouvait compter que sur Barney, un bon avocat malheureusement privé de ses facultés visuelles.

À l'ouverture du procès, Barney avait choisi de ne pas présenter ses arguments, une manœuvre risquée. Les avocats de la défense sont le plus souvent impatients de s'adresser aux jurés dès le commencement des débats afin de semer le doute dans leur esprit avant qu'ils entendent les témoins à charge. La présentation des arguments et la plaidoirie finale sont les deux seules étapes d'un procès où l'avocat de la défense s'adresse directement au jury, deux occasions à ne pas laisser passer.

Barney surprit de nouveau tout le monde en déclinant de prendre son tour de parole. Il ne donna aucune raison, on ne lui en demanda pas, mais la tactique était très inhabituelle.

Il appela à la barre sept surveillants de la prison qui, tous, déclarèrent ne jamais avoir entendu Ron Williamson reconnaître qu'il était mêlé à l'affaire Carter.

Wayne Joplin était la greffière du tribunal du comté de Pontotoc. Barney la fit déposer au sujet de la situation de Terri Holland. Arrêtée au Nouveau-Mexique en octobre 1984, elle avait été transférée à la prison d'Ada d'où elle avait contribué en un tournemain à élucider deux affaires de meurtre, même si elle avait attendu deux ans avant d'informer la police des aveux que lui avait faits Ron Williamson. Elle avait plaidé coupable dans son affaire de chèques sans provision et avait été condamnée à cinq ans de prison, dont trois avec sursis. Elle avait également été condamnée à verser soixante-dix dollars de frais de justice, à rembourser cinq cent vingt-sept dollars de chèques impayés, à régler deux cent vingt-cinq dollars d'honoraires d'avocat à raison de cinquante dollars par mois, à verser cinquante dollars par mois au Fonds de compensation aux victimes de délits.

Elle avait fait un règlement de cinquante dollars au mois de mai 1986, puis plus rien.

Barney en arriva à son dernier témoin, l'accusé lui-même. Faire déposer Ron n'était pas sans risque. Il était instable – il s'en était violemment pris un peu plus tôt à Terri Holland – et il faisait peur aux jurés. Il avait un casier judiciaire chargé, un point sur lequel insisterait Bill Peterson afin de miner sa crédibilité. On ne pouvait savoir avec certitude s'il prenait des médicaments. Il s'emportait pour un rien, avait des réactions imprévisibles et n'avait surtout jamais parlé avec son avocat de ce qu'il devait dire à la barre.

Barney demanda à s'entretenir avec le juge.

— C'est maintenant que les choses se corsent, monsieur le juge. J'aimerais mettre à profit une suspension d'audience pour tenter d'exercer sur lui une influence apaisante. Il semble... disons qu'il n'a pas fait des bonds sur sa chaise. Quoi qu'il en soit, je demande une suspension d'audience.

— Il ne vous reste plus qu'un témoin possible ?

— Oui, monsieur le juge. Et je crois que possible est le mot juste.

L'audience fut suspendue pour le déjeuner. Tandis qu'on le reconduisait à la prison, Ron croisa le père de la victime.

— Charlie Carter, je n'ai pas tué votre fille ! s'écria-t-il.

Les adjoints du shérif qui l'escortaient l'entraînèrent aussi vite que possible.

Ron prêta serment à 13 heures. Après avoir répondu à quelques questions préliminaires, il nia avoir eu une conversation avec Terri Holland et nia avoir jamais rencontré Debbie Carter.

Barney lui demanda quand il avait appris la mort de Debbie.

— Le 8 décembre. Ma sœur, Annette Hudson, a téléphoné à la maison et c'est ma mère qui a répondu. Je l'ai entendue dire : « Je sais que ce n'est pas Ronnie, il était à la maison. » Je lui ai demandé de quoi elle parlait. Elle a dit qu'Annette lui avait appris qu'une fille avait été tuée dans notre quartier.

Le manque de préparation du témoin devint manifeste quelques minutes plus tard, quand Barney lui demanda quand il avait vu Gary Rogers pour la première fois.

— C'est juste après, répondit Ron, que je suis allé au commissariat pour passer au détecteur de mensonge.

Barney faillit s'étrangler.

— Ronnie... Il ne faut pas parler de ça.

Il était interdit de parler de détecteur de mensonge devant un jury. Si le ministère public l'avait fait, cela aurait constitué un vice de procédure. Personne n'avait jugé bon d'en informer Ron. Quelques secondes plus tard, il commit la même erreur.

— J'étais avec Dennis Fritz, on marchait dans la rue et je lui ai dit que Dennis Smith m'avait rappelé pour me dire que les résultats du détecteur de mensonge n'étaient pas nets.

Barney s'empressa de changer de sujet. Il posa quelques questions à Ron sur le chèque falsifié avant de l'interroger sur son emploi du temps du soir du meurtre. Il finit par lui demander s'il avait tué Debbie Carter.

— Non, je ne l'ai pas tuée.

— Je crois que ce sera tout.

Dans sa hâte à limiter les dégâts, Barney n'avait pas pris le temps de réfuter les allégations des témoins de l'accusation. Ron aurait pu parler des prétendus aveux faits à Rogers et à Featherstone le soir de son arrestation. Il aurait pu faire la lumière sur les conversations qu'il avait eues dans sa cellule avec John Christian et Mike Tenney. Il aurait pu faire un dessin de la prison et démontrer au jury qu'il était impossible à Terri Holland d'être la seule à avoir entendu ce qu'elle prétendait avoir entendu. Il aurait pu prouver la fausseté des déclarations de Glen Gore, de Gary Allen, de Tony Vick, de Donna Walker et de Letha Caldwell.

Bill Peterson était impatient d'entamer le contre-interrogatoire, certain de descendre l'accusé en flammes. Il ne s'attendait pas à le trouver nullement intimidé.

Il commença en insistant lourdement sur l'amitié qui unissait Ron à Dennis Fritz, un homme condamné pour meurtre.

— N'est-il pas vrai, monsieur Williamson, que Dennis Fritz et vous n'avez, l'un comme l'autre, pas d'autre ami ? N'est-ce pas la vérité ?

— Je vais vous dire ce que je pense, répondit calmement Ron. Vous lui avez fait porter le chapeau et vous essayez de faire la même chose avec moi.

Peterson resta cloué sur place pendant que les paroles de Ron se répercutaient dans la salle.

Le procureur changea de sujet et demanda à l'accusé s'il se rappelait avoir connu Debbie Carter, ce qu'il avait toujours nié. Le procureur répéta la question.

— Peterson, lâcha Ron, je voudrais que ce soit clair, une fois pour toutes...

Le juge Jones intervint et demanda au témoin de répondre à la question. Ron nia une fois de plus avoir connu Debbie.

Peterson se mit à faire les cent pas en se pavanant et en donnant quelques coups de poing dans le vide. Il revint à la charge sans plus de succès.

— Pouvez-vous me dire où vous étiez, après 10 heures du soir, le 7 décembre ?

Ron : — Chez moi.

Peterson : — Que faisiez-vous ?

Ron : — Après 10 heures du soir, il y a cinq ans, peut-être que je regardais la télé ou que je dormais.

Peterson : — N'est-il pas vrai que vous êtes sorti, que vous avez suivi la ruelle...

Ron : — Non, non... Jamais.

Peterson : — Que vous avez suivi la ruelle et...

Ron : Jamais.

Peterson : — Vous et Dennis Fritz.

Ron : — Qu'est-ce que... Jamais.

Peterson : — Que vous êtes arrivés devant l'appartement...

Ron : — Jamais.

Peterson : — Savez-vous où était Dennis Fritz ce soir-là ?

Ron : — Je sais qu'il n'était pas chez Debbie Carter. C'est tout ce que j'ai à dire.

Peterson : — Et comment le savez-vous ?

Ron : — Vous lui avez fait porter le chapeau.

Peterson : — Comment savez-vous qu'il n'était pas chez Debbie Carter ?

Ron : — J'en suis sûr et certain. C'est tout ce que j'ai à dire.

Peterson : — Expliquez-nous comment vous le savez.

Ron : — Je ne... Ne me posez plus de questions. Vous expliquerez au jury que je ne veux plus répondre, mais je dis que vous lui avez fait porter le chapeau et que vous essayez de faire la même chose avec moi.

Barney : — Ronnie...

Ron : — Ma mère savait que j'étais à la maison. Vous ne me lâchez pas depuis cinq ans. Maintenant, vous pouvez faire de moi ce que vous voulez. Je m'en fous.

Peterson n'avait pas d'autre question.

En présentant ses derniers arguments, Barney ne manqua d'ironiser sur le travail de la police – l'enquête interminable, la disparition des échantillons de Gore, l'aveuglement qui l'avait empêchée de faire de Gore un suspect, les empreintes digitales relevées en dépit du bon sens sur la scène de crime, les différentes demandes d'échantillons de son client, la méthode discutable utilisée pour obtenir des aveux reposant sur un rêve, le refus de communiquer à la défense la première déposition de Ron, les multiples changements d'opinion des techniciens de l'OSBI. La liste des erreurs était longue et révélatrice.

En bon avocat, il affirma qu'il y avait un doute raisonnable et implora les jurés de faire appel à leur bon sens.

Peterson répliqua qu'il n'existait aucun doute. Les policiers avaient mené une enquête exemplaire et le ministère public avait fourni au jury des preuves indiscutables de la culpabilité de l'accusé.

Reprenant ce qu'il avait entendu dans la bouche de Melvin Hett au sujet de l'analyse des poils, il fit un écart de langage.

— Pendant cette longue période, M. Hett, qui travaillait sur plusieurs affaires, a examiné des poils, les éliminant l'un après l'autre jusqu'au jour, en 1985, où il en a trouvé deux qui correspondaient.

Barney était prêt. Il protesta immédiatement.

— Ce terme n'est plus employé, Votre Honneur. Nous protestons contre son utilisation.

L'objection fut accordée par le juge.

Peterson poursuivit en résumant ce que chacun de ses témoins avait dit. Quand il en vint à Terri Holland, Ron se raidit sur son siège.

Peterson : — Terri Holland a dit ce dont elle s'est souvenue au bout de deux ans. Elle a déclaré qu'elle a entendu l'accusé dire à sa mère que si elle ne lui apportait pas quelque chose...

— Arrêtez ! s'écria Ron en se levant brusquement.

Peterson : — ... il la tuerait comme il avait tué Debbie Carter.

Ron : — Taisez-vous ! Je n'ai jamais dit ça !

Barney : — Asseyez-vous et calmez-vous.

Le juge : — Monsieur Williamson...

Ron : — Je n'ai pas dit ça à ma mère.

Barney : — Ronnie.

Le juge : — Écoutez votre avocat.

Ron se rassit, bouillant de rage. Peterson continua de passer en revue les dépositions de ses témoins en leur donnant un éclairage si favorable à l'accusation que Barney ne cessa d'élever des objections et demanda au juge de rappeler au procureur qu'il devait s'en tenir aux faits.

Le jury se retira pour délibérer à 10 h 15. Annette et Renee restèrent quelque temps dans la salle d'audience avant d'aller déjeuner. Elles mangèrent sans appétit. Après avoir écouté attentivement tous les témoins, elles étaient plus convaincues que jamais de l'innocence de leur frère. Mais la salle était acquise à Peterson et le juge s'était souvent prononcé en sa faveur. Il avait cité les mêmes témoins sans présenter plus de preuves que dans l'affaire Fritz, qui s'était conclue sur un verdict de culpabilité.

Elles avaient du mépris pour le procureur. Il parlait fort, il était arrogant, il cherchait à écraser les gens. Elles le détestaient pour ce qu'il faisait subir à leur frère.

Les heures s'écoulèrent lentement. À 16 h 30, le bruit courut que le jury était parvenu à un verdict ; la salle d'audience se remplit rapidement. Le juge Jones fit son entrée, s'installa et mit l'assistance en garde contre toute manifestation bruyante. Annette et Renee se donnèrent la main et commencèrent à prier.

De l'autre côté de l'allée centrale, les membres de la famille Carter se donnaient la main et priaient eux aussi. Leur calvaire touchait à sa fin.

À 16 h 40, le premier juré tendit une feuille de papier au greffier qui y jeta un coup d'œil et la fit passer au juge Jones. Il annonça le verdict : coupable pour tous les chefs d'accusation. Les Carter levèrent les mains en silence en un geste de victoire. Annette et Renee fondirent en larmes, tout comme Peggy Stillwell.

Ron se prit la tête entre les mains, secoué mais pas vraiment surpris. Après onze mois passés dans la prison du comté, il avait compris que le système était pourri. Il savait Dennis Fritz innocent mais il avait été lui aussi condamné par les mêmes policiers et le même procureur, dans la même salle d'audience.

Le juge Jones était impatient de clore le procès. Il demanda au ministère public de faire sans tarder sa réquisition. En s'adressant au jury, Nancy Shew expliqua que le meurtre était particulièrement odieux et cruel, qu'il était très vraisemblable que l'accusé tue de nouveau, qu'il représentait de ce fait une menace permanente pour la société, et qu'il devait par conséquent être condamné à la peine capitale.

Pour en apporter la preuve, l'accusation cita quatre témoins, quatre femmes qui avaient connu Ron mais n'avaient jamais porté plainte contre lui. La première, Beverly Setliff, déclara sous serment que le soir du 14 juin 1981, sept ans auparavant, elle avait vu Ron Williamson devant chez elle, au moment où elle allait se coucher. « Je sais que tu es là et je t'aurai », avait-il crié. Elle avait fermé les portes à double tour et le rôdeur avait disparu.

Elle n'avait pas averti la police et n'avait même pas envisagé de porter plainte. Le lendemain, croisant un policier de sa connaissance, elle lui avait raconté sa mésaventure. Si un rapport avait été établi, elle n'en avait pas été informée.

Trois semaines plus tard, elle revit Ron, qu'une de ses amies connaissait. Six années s'écoulèrent. Quand Ron fut arrêté, elle se rendit au commissariat pour raconter l'histoire du rôdeur.

Lavita Brewer, la femme qui avait témoigné contre Dennis Fritz, lui succéda à la barre. Elle fit le même récit – sa rencontre avec Ron et Dennis dans un bar, la balade en voiture, la conduite dangereuse, sa fuite et sa déclaration à la police. Selon ses dires, Ron ne l'avait ni touchée ni menacée. Elle s'était affolée à cause de Dennis qui ne voulait pas s'arrêter ni la laisser descendre. Ron s'était contenté de lui dire de la fermer.

Elle avait réussi à descendre de la voiture et n'avait pas porté plainte.

Le troisième témoin était Letha Caldwell, qui avait elle aussi déjà déposé. Elle déclara qu'elle connaissait Ron Williamson depuis le collège de Byng et qu'elle avait entretenu de bons rapports avec lui. Au début des années 1980, il avait pris l'habitude de passer chez elle avec Dennis Fritz, tard le soir, toujours avec de l'alcool. Ron était arrivé un après-midi, pendant qu'elle jardinait. Ils avaient discuté mais, comme elle n'interrompait pas son travail, il s'était énervé. À un moment, il l'avait prise par le poignet. Elle avait réussi à se dégager et était rentrée chez elle. Ses enfants étaient à la maison. Ron l'avait suivie mais ne l'avait pas touchée et était reparti peu après. Elle n'avait pas averti la police.

Le dernier témoignage fut de loin le plus préjudiciable à l'accusé. Une divorcée du nom d'Andrea Hardcastle fit le récit poignant d'une pénible épreuve qui avait duré plus de quatre heures. En 1981, Ron et un de ses amis étaient chez elle et cherchaient à la convaincre de sortir avec eux. Ils devaient aller au *Coachlight.* Andrea avait cinq enfants chez elle, les trois siens et deux autres qu'elle gardait. Pas question de les laisser seuls. Les deux hommes avaient fini par partir mais Ron était revenu peu après pour reprendre son paquet de cigarettes qu'il avait oublié. Il était entré sans frapper et avait aussitôt fait des avances à Andrea. Il était plus de 22 heures, les enfants dormaient, elle avait peur. Elle ne voulait pas de relations sexuelles. Il s'était mis en fureur et l'avait frappée à plusieurs reprises au visage et à la tête en exigeant qu'elle lui fasse une fellation. Elle avait refusé et s'était rendu compte que plus elle parlait, moins il la frappait.

Alors, ils avaient parlé. Il avait évoqué sa carrière de joueur de base-ball, son mariage raté, le plaisir qu'il prenait à jouer de la guitare, Dieu et la religion, sa mère. Il avait connu au lycée l'ex-mari d'Andrea, qui travaillait comme videur au *Coachlight.* Tantôt, il était calme, tranquille, au bord des larmes, tantôt il devenait menaçant, il hurlait, contenait difficilement sa colère. Andrea s'inquiétait pour les enfants et cherchait désespérément un moyen de sortir de ce mauvais pas. Il avait repris ses violences et recommencé à la frapper en essayant d'arracher ses vêtements. Il était trop ivre pour rester en érection.

Au dire du témoin, Ron avait déclaré qu'il allait être obligé de la tuer. Andrea s'était mise à prier avec ferveur. Elle avait décidé d'entrer dans son jeu et lui avait proposé de revenir le lendemain après-midi, quand les enfants seraient partis, pour faire l'amour tranquillement. Satisfait, il était parti peu après.

Andrea avait appelé son ex-mari et son père qui s'étaient mis à la recherche de Ron en patrouillant dans les rues, fortement armés et décidés à se faire justice.

Andrea était défigurée. Des coupures, des hématomes, les yeux gonflés. Ron portait une chevalière qui avait déchiré la peau en maints endroits autour des yeux. Elle avait téléphoné au commissariat le lendemain mais refusé catégoriquement de porter plainte. Ron habitait tout près de chez elle ; elle avait trop peur de lui.

Pris au dépourvu, Barney essaya sans conviction d'atténuer l'effet de ce témoignage.

À la fin du contre-interrogatoire, quand Andrea quitta la barre des témoins, le silence se fit dans la salle. Les jurés lancèrent des regards mauvais à l'accusé. Le couperet allait tomber.

Inexplicablement, Barney ne fit comparaître aucun témoin pour limiter les dégâts et essayer de sauver la vie de Ron. Annette et Renee étaient dans la salle, prêtes à apporter leur témoignage. Pas un mot n'avait été dit pendant le procès sur l'aptitude de Ron à passer en jugement. Personne n'avait fait état de son dossier médical.

Les derniers mots que les jurés entendirent à la barre furent ceux d'Andrea Hardcastle.

Quand il prit la parole pour la dernière fois, Bill Peterson demanda la peine de mort. Et il avait des éléments de preuve inédits, un ou deux faits qui n'avaient pas été présentés pendant le procès. Personne n'avait parlé de la chevalière de Ron avant la déposition d'Andrea Hardcastle. Peterson en conclut hâtivement que l'accusé portait la même bague quand il avait frappé Debbie Carter. Ses blessures au visage étaient très certainement les mêmes que les coupures d'Andrea Hardcastle, en 1981. Une idée en l'air qu'aucune preuve ne venait étayer. Il n'y avait pas besoin de preuves.

Le procureur s'adressa au jury d'un ton théâtral et termina sur ces mots :

— Il avait laissé sa signature sur le visage d'Andrea Hardcastle, il l'a soulignée sur celui de Debbie Carter. Quand vous reviendrez dans cette salle, mesdames et messieurs les jurés, je vous demanderai de dire : Ron Williamson, vous méritez de mourir pour ce que vous avez fait à Debra Sue Carter.

— Je n'ai pas tué Debbie Carter, lança aussitôt Ron.

Le jury se retira pour délibérer. Les choses ne traînèrent pas. Moins de deux heures plus tard, il prononça son verdict : Ron était condamné à la peine capitale.

Bizarrement, le juge Jones fixa au lendemain une réunion pour réfléchir à la violation *Brady* commise par le ministère public. Barney était épuisé, il en avait par-dessus la tête de l'affaire Williamson mais il s'indignait encore du procédé de la police et du procureur qui avaient délibérément mis sous le boisseau depuis 1983 l'enregistrement vidéo de l'interrogatoire de Ron.

Mais pourquoi se tracasser ? Le procès était terminé ; la vidéo ne servirait plus à rien.

Personne ne s'étonna de la décision du juge : la suppression de la bande par les autorités n'était pas une violation *Brady*. La bande n'avait pas été véritablement cachée ; elle avait été remise à la justice après le procès, un simple retard.

Pendant ce temps, Ron Williamson était en route vers le Bloc F, le tristement célèbre couloir de la mort du pénitencier d'État de l'Oklahoma, à McAlester.

10.

Dans l'Oklahoma, la peine capitale est une affaire sérieuse. Quand la Cour suprême des États-Unis donna son aval à la reprise des exécutions, en 1976, le corps législatif de l'Oklahoma se réunit en session extraordinaire dans le but de promulguer les textes de loi sur la peine de mort. L'année suivante, les débats du parlement portèrent sur une idée novatrice : la mort par injection létale pour remplacer la bonne vieille chaise électrique. La raison en était que, la technique infligeant une mort plus douce, l'argument utilisé de « traitement cruel et inhumain » deviendrait irrecevable et que, donc, le rythme des exécutions s'en trouverait accéléré. Sous le regard attentif de la presse, poussés par leurs électeurs, les parlementaires passèrent en revue les différentes manières d'ôter la vie aux condamnés. Quelques nostalgiques ne juraient que par la corde et le peloton d'exécution, mais l'injection létale fut choisie à une écrasante majorité. L'Oklahoma devint le premier État à l'adopter.

Mais pas le premier à l'utiliser. Au grand désappointement des parlementaires, de la police, des procureurs et d'une large majorité de la population, l'Oklahoma fut rapidement à la traîne des autres États où la peine de mort était en vigueur. Treize longues années s'écoulèrent sans une seule exécution. Enfin, en 1990, l'attente s'acheva.

Depuis cette date, l'Oklahoma a exécuté plus de détenus

par habitant que n'importe quel autre État. Les autres, y compris le Texas, arrivent loin derrière.

Les exécutions ont lieu à McAlester, une prison de haute sécurité située à un peu moins de deux cents kilomètres au sud-est d'Oklahoma City. C'est là que se trouve le couloir de la mort, dans un bâtiment de sinistre réputation appelé Unité H.

À McAlester, le cérémonial qui précède une exécution capitale est parfaitement huilé. Le dernier jour du détenu dont l'heure a sonné est consacré à des visites – les proches, les amis, souvent son avocat. Ces visites sont d'autant plus déchirantes que tout contact physique est interdit. On parle, on pleure de part et d'autre d'une épaisse paroi vitrée, le téléphone collé à l'oreille. Pas de baiser d'adieu, pas de dernière étreinte, juste un « Je t'aime » poignant dans un combiné. Souvent, le condamné et le visiteur échangent un baiser symbolique en pressant leurs lèvres contre la paroi de verre ou bien ils posent une main de chaque côté du panneau vitré.

Aucune loi n'interdit le contact physique avant une exécution. Chaque État applique ses propres règles : l'Oklahoma est attaché à son rituel rigoureux.

Quand le directeur est dans son bon jour, il autorise le détenu à passer quelques coups de téléphone. Après les visites, vient l'heure du dernier repas dont le coût ne doit pas dépasser quinze dollars et dont le menu est soumis à l'accord du directeur. Cheeseburger, poulet rôti, poisson-chat et crème glacée sont les plats les plus demandés.

Une heure avant le moment fatidique, on prépare le condamné. Il se change pour passer une tenue bleu clair rappelant celle d'un chirurgien et on l'attache sur un lit roulant avec de larges rubans velcro. Tandis qu'il part pour son dernier voyage, ses camarades l'encouragent en secouant les portes des cellules à coups de pied, en poussant des cris, en frappant sur les barreaux avec des objets métalliques. Le raffut se poursuit jusqu'au moment de l'exécution et s'arrête brusquement.

Pendant qu'on préparait le condamné, la salle d'exécution était mise en état de marche. Les témoins, la tête baissée, entrent l'un derrière l'autre dans une des deux pièces qui accueillent la famille de la victime et celle du condamné. Dans la première sont installées vingt-quatre chaises pliantes. Certaines sont réservées à la presse – quatre ou cinq –, deux pour les avocats et quelques-unes pour le directeur et son équipe. Le shérif et le procureur ne ratent pas souvent cet événement. À côté, se trouve la pièce réservée à la famille du tueur. Elle contient douze chaises pliantes ; souvent, plusieurs restent vides. Certains détenus ne veulent pas que leur famille assiste à l'exécution. D'autres n'ont pas de famille.

Certaines victimes n'ont pas de famille non plus. Il arrive que la première pièce soit à moitié vide.

Les deux pièces sont séparées et les deux groupes tenus à distance l'un de l'autre. Pendant que les témoins s'installent, ils ne voient rien : un store cache la salle d'exécution à leur regard.

Le lit roulant entre dans la salle et est mis en position. Des techniciens tiennent de quoi faire deux perfusions intraveineuses, une pour chaque bras. Quand tout est prêt, le store se lève et le condamné apparaît. Une glace sans tain l'empêche de voir la famille de sa victime mais il voit la sienne et, souvent, fait un signe. Un microphone dépasse du mur, soixante centimètres au-dessus de sa tête.

Un médecin installe un moniteur cardiaque. Sur une petite estrade placée dans un angle, un des adjoints du directeur note tout sur un carnet. Tout près de lui se trouve un téléphone mural, pour le cas où il y aurait une décision de justice de dernière minute ou une mesure de clémence prise par le gouverneur. Avant, il y avait un aumônier dans un autre coin de la salle, qui lisait la Bible pendant l'exécution, mais il a pris sa retraite.

Le directeur s'avance vers le condamné et demande s'il a des paroles à prononcer. Le plus souvent, il n'a rien à dire mais il arrive qu'il demande pardon, qu'il clame son innocence, qu'il se mette à prier ou qu'il se lance dans une longue diatribe. Une fois, l'un d'eux a chanté un psaume. Un autre a serré la main du directeur en le remerciant, lui et tout le personnel de l'établissement, d'avoir pris soin de lui pendant son séjour prolongé.

Les dernières paroles d'un condamné sont en principe limitées à deux minutes mais cette règle n'est jamais invoquée.

Les condamnés sont toujours détendus et calmes. Ils ont accepté leur sort et ont eu de longues années pour se préparer au moment fatal. Ils sont nombreux à s'en réjouir. Ils préfèrent la mort à l'horreur de vingt ou trente ans de plus passés dans l'Unité H.

Dans une petite pièce, derrière le lit roulant, trois exécuteurs sont cachés. Ils ne doivent pas se montrer. Nul ne connaît leur identité. Ce ne sont pas des employés de l'État mais des free-lance engagés secrètement par un ancien directeur bien des années auparavant. Ils entrent mystérieusement dans l'enceinte de la prison et quittent les lieux aussi discrètement. Seul le directeur sait qui ils sont, d'où ils viennent et où ils se procurent leurs produits chimiques. Il verse à chacun d'eux trois cents dollars en espèces pour une exécution.

Les tubes des intraveineuses remontent jusqu'à deux trous de cinq centimètres de diamètre percés dans le mur de la petite pièce où officient les exécuteurs.

Quand tout est prêt, quand le directeur est certain qu'il n'y aura pas de coup de téléphone de dernière minute, il incline la tête et l'injection commence.

D'abord une solution saline pour dilater les veines. Le premier produit est le thiopental sodique, qui fait perdre connaissance au condamné. Une deuxième injection de solution saline, puis le bromure de pancuronium qui interrompt la respiration. Encore un peu de solution saline et on injecte le chlorure de potassium qui entraîne un arrêt cardiaque.

Le médecin fait son entrée et, après un examen rapide, constate le décès. Les stores se ferment aussitôt et les témoins, bouleversés pour la plupart, se retirent en silence. On sort le lit roulant pour transporter le corps dans une ambulance. Pour le récupérer, la famille doit prendre des dispositions, sinon il va dans le cimetière d'une prison.

Devant les portes du pénitencier, deux groupes très différents manifestent. Les *Homicide Survivors* attendent la bonne nouvelle de l'exécution près du mémorial aux victimes des tueurs, présenté sur trois panneaux. Des photographies en couleur d'enfants et de jeunes gens, des poèmes dédiés aux défunts, des agrandissements de manchettes de journaux annonçant quelque horrible double meurtre, des quantités de photographies de ceux qui ont été massacrés par les pensionnaires du couloir de la mort. Le mémorial est intitulé : « N'oubliez pas les victimes. »

À une courte distance de là, un prêtre catholique dirige l'autre groupe disposé en cercle, qui prie et chante des cantiques.

À chaque exécution capitale, quelques opposants à la peine de mort sont présents. Ils prient non seulement pour les condamnés mais aussi pour les victimes.

Les deux groupes se connaissent et se respectent mais leurs positions sont inconciliables.

Quand la nouvelle leur parvient que l'exécution est terminée, ils récitent de nouvelles prières. Puis ils éteignent les bougies et rangent les livres de cantiques. Ils se saluent, certains s'étreignent. Rendez-vous à la prochaine exécution.

Quand Ron Williamson arriva à McAlester, le 29 avril 1988, l'Unité H était en projet mais pas encore construite. L'administration pénitentiaire voulait un bâtiment tout neuf pour loger la population croissante de condamnés à mort mais les autorités de l'État refusaient de débloquer les crédits.

Ron fut conduit dans le Bloc F qui abritait quatre-vingt-un autre condamnés à mort. Le Bloc F ou le Couloir, comme il était couramment appelé, occupait les deux premiers étages d'une aile de la vieille prison – la Grande Maison –, une énorme bâtisse construite en 1935 et abandonnée cinquante ans plus tard. Des décennies de surpopulation carcérale, de violences, d'actions judiciaires et d'émeutes avaient inéluctablement conduit à sa fermeture.

De toute la Grande Maison vide et délabrée, seul le Bloc F était utilisé, dans l'unique but de loger les condamnés dans un environnement fermé.

À son arrivée, Ron reçut deux pantalons kaki, deux chemisettes bleues, deux tee-shirts blancs, deux paires de chaussettes blanches et deux caleçons blancs. Tous les vêtements étaient usagés. Ils étaient propres mais certaines taches, surtout sur les caleçons, ne partaient pas. Les chaussures, usagées elles aussi, étaient en cuir noir. On lui remit également un oreiller, une couverture, du papier hygiénique, une brosse à dents et du dentifrice. On lui expliqua ensuite qu'il pourrait se procurer d'autres articles de toilette mais aussi de la nourriture, des boissons non alcoolisées et différentes choses à l'intendance de la prison, que tout le monde appelait la cantine et où il n'était pas autorisé à se rendre. Tout l'argent qu'il recevrait de l'extérieur serait déposé sur son compte et lui permettrait de se procurer sa propre « cantine ». La cantine du détenu était sa réserve personnelle de bonnes choses, qu'il protégeait farouchement dans sa cellule.

Quand Ron eut mis l'uniforme de la prison, on le conduisit dans l'aile du bâtiment où il allait passer plusieurs années dans l'attente de son exécution. Il avait les poignets et les chevilles entravés. Il prit son oreiller, sa couverture, ses vêtements, et les surveillants ouvrirent l'énorme grille. En levant les yeux, il vit sa nouvelle adresse peinte en grosses lettres noires : « Couloir de la mort ».

Long d'une trentaine de mètres, large de trois mètres cinquante, le couloir était bordé de deux rangées de cellules. Le plafond ne dépassait pas deux mètres quarante.

Très lentement, Ron et les gardiens s'engagèrent dans le couloir. C'était un rituel, une brève cérémonie d'accueil. Les détenus étaient au courant de son arrivée. Les quolibets fusèrent. « Un nouveau ! » « De la viande fraîche ! » « Salut, ma poule ! »

Des bras se tendirent à travers les barreaux, presque à le toucher. Des bras blancs, des bras noirs, des bras bruns. Des tatouages partout. « Montre que tu es un dur, se dit Ron. Que tu n'as pas peur. » Ils tapaient dans les portes, hurlaient, l'insultaient, lançaient des menaces sexuelles. « Fais comme si tu étais un dur. »

Il savait ce qu'était la prison, il avait passé onze mois dans celle du comté de Pontotoc. Rien ne pouvait être pire.

Quand ils s'arrêtèrent devant la cellule 16, le vacarme cessa. Bienvenue dans le couloir de la mort. Un maton ouvrit la porte ; Ron entra dans son nouveau logis.

On dit dans l'Oklahoma de celui qui est incarcéré à McAlester : « Il est à Big Mac. » Ron s'étendit sur le lit étroit et ferma les yeux.

La cellule était meublée de deux lits à armature métallique, d'un bureau et d'un tabouret en métal fixé dans le ciment du sol, d'un combiné toilettes/lavabo en inox, avec miroir, et d'étagères en métal. Une ampoule pendait du plafond. La cellule faisait quatre mètres quatre-vingts sur deux mètres. Le sol était recouvert de carrés de linoléum noirs et blancs. Les murs de brique blancs avaient été repeints si souvent que la surface était devenue lisse.

Par bonheur, il y avait une fenêtre. Elle ne donnait sur rien mais laissait entrer la lumière. Il n'y en avait pas dans la prison d'Ada.

Ron s'avança jusqu'à la porte, un assemblage de barreaux avec une ouverture par laquelle passaient les plateaux des repas et les petits colis. De l'autre côté du couloir il voyait trois hommes, celui qui occupait la cellule 9, juste en face de lui, et ceux des cellules contiguës. Ron ne dit rien, les autres non plus.

La plupart des nouveaux ouvraient à peine la bouche, les premiers jours. L'arrivée dans ce lieu où ils allaient passer quelques années avant d'être mis à mort était un événement traumatisant. La peur était partout : peur du lendemain, peur ne jamais revoir ce qu'ils avaient perdu, peur de mourir, peur de se faire poignarder ou violer par un des tueurs sans pitié qui les entouraient.

Ron fit son lit et rangea ses affaires. Il était satisfait d'avoir une certaine intimité – la plupart des détenus du couloir de la mort étaient seuls mais on pouvait aussi demander un compagnon de cellule. Le bruit était permanent : conversations entre les prisonniers, rires des surveillants, un téléviseur qui braillait, une radio, quelqu'un appelant un ami à grands cris, à l'autre bout du couloir. Ron restait aussi loin que possible de la porte afin de se protéger du bruit. Il dormait, lisait des livres, fumait. Tout le monde fumait, dans le couloir de la mort, où flottait un brouillard âcre. Il y avait une ventilation mais elle ne marchait plus depuis longtemps. Il était évidemment interdit d'ouvrir les fenêtres, pourtant munies de gros barreaux. Il n'y avait pas d'emploi du temps, aucune activité à attendre. Une petite heure de promenade, parfois. Le désœuvrement était pesant.

Pour ces hommes enfermés vingt-trois heures par jour sans rien avoir à faire, les temps forts de la journée étaient indiscutablement les repas. Trois fois par jour, un chariot chargé de plateaux suivait le couloir. Les détenus prenaient tous les repas dans leur cellule, seuls. À 7 heures, le petit-déjeuner était le plus souvent composé d'œufs brouillés et de gruau de maïs, du bacon presque tous les jours et deux ou trois toasts. Le café, froid et très léger, était particulièrement apprécié. Pour le déjeuner, ils avaient des sandwiches et des haricots. Le dîner était le pire : une viande infecte accompagnée de légumes à moitié cuits. Les portions étaient ridiculement modestes et la nourriture toujours froide. Préparés dans un autre bâtiment, les repas étaient transportés sur des chariots poussés par les surveillants. Qui s'en souciait ? Pour tout le monde, ces prisonniers-là étaient des hommes morts. La nourriture était dégoûtante mais les repas avaient de l'importance.

Annette et Renee envoyaient de l'argent ; Ron achetait de quoi manger, des cigarettes, des articles de toilette et des sodas à la cantine. Il remplissait un bon de commande donnant la liste des rares articles disponibles et le remettait au coursier, l'homme le plus important du couloir de la mort. C'était un détenu en faveur auprès des surveillants qui, autorisé à passer le plus clair de son temps hors de sa cellule, se chargeait des commissions. Il faisait circuler les derniers potins et des messages, leur remettait le linge propre et leurs achats de la cantine, distribuait des conseils et vendait même un peu de drogue, à l'occasion.

La cour, une enceinte grillagée grande comme deux terrains de basket-ball et proche du Bloc F, était un espace sacré. Une heure par jour, cinq jours par semaine, les détenus sortaient dans la cour pour prendre le soleil, bavarder avec leurs camarades, jouer au basket, aux cartes ou aux dominos. Ils sortaient par petits groupes – pas plus de cinq ou six. On ne se retrouvait qu'entre amis, dans la cour. Un nouveau devait être invité avant de pouvoir se sentir en sécurité. Il y avait des bagarres et des tabassages malgré la vigilance des surveillants. Le premier mois, Ron préféra sortir seul. Le couloir de la mort était rempli de tueurs ; il n'avait rien à faire avec eux.

Les douches étaient le seul autre point de contact. Les détenus y avaient droit trois fois par semaine, un quart d'heure maximum, deux par deux. Si l'un d'eux refusait de prendre sa douche avec un autre, il était autorisé à être seul. Ron y allait seul. Il y avait de l'eau chaude et de l'eau froide en quantité suffisante mais elles ne se mélangeaient pas. La douche était soit brûlante soit glaciale.

À l'arrivée de Ron à McAlester, deux autres victimes du système judiciaire du comté de Pontotoc s'y trouvaient déjà mais il ne le savait pas. Tommy Ward et Karl Fontenot attendaient depuis près de trois ans que leurs appels suivent leur chemin dans les méandres de la justice.

Le coursier tendit à Ron un « cerf-volant », un message non autorisé mais que les surveillants faisaient le plus souvent mine de ne pas voir. Il était de Tommy Ward, qui le saluait et espérait qu'il allait bien. Ron répondit en demandant des cigarettes. Il avait de la peine pour Tommy et Karl mais il était soulagé en même temps de savoir qu'il n'y avait pas que des assassins dans le couloir de la mort. Il avait toujours cru à leur innocence et avait souvent pensé à eux pendant la longue période qui avait précédé le procès.

Tommy avait connu Ron dans la prison d'Ada et savait que c'était un être instable. Les surveillants et les autres détenus aimaient à se moquer méchamment de lui. Une fois, en pleine nuit, une voix avait crié du fond du couloir : « Tommy, c'est Denice Haraway. Dis-leur où est mon corps. » Il avait entendu les chuchotements des policiers et les rires étouffés des autres prisonniers. Comme il refusait d'entrer dans leur jeu, ils avaient fini par le laisser tranquille.

Ron, lui, était incapable de garder son calme. Quand une voix sépulcrale lançait dans la prison d'Ada : « Ron, pourquoi as-tu tué Debbie Carter ? » il bondissait de son lit et se mettait à hurler.

À McAlester, Tommy luttait jour après jour pour conserver sa santé mentale. Horrible pour des meurtriers, l'endroit avait de quoi rendre fou un innocent. Il s'était inquiété pour l'équilibre de Ron dès le jour de son arrivée.

Un surveillant connaissait les détails de l'affaire Carter. Peu après l'arrivée de Ron, Tommy entendit un de ses collègues crier : « Ron, je suis Debbie Carter. Pourquoi m'as-tu tuée ? »

Ron n'avait pas réagi tout de suite. Au bout d'un moment, il s'était mis à hurler en clamant son innocence. Cela avait beaucoup plu aux matons qui avaient continué leur petit jeu. Les autres condamnés s'en amusaient aussi et se mettaient souvent de la partie.

Quelques jours après l'arrivée de Ron, Tommy fut brutalement tiré hors de sa cellule, menotté et enchaîné par un groupe de surveillants bourrus. Il se disait qu'il devait se passer quelque chose de grave mais n'avait pas la moindre idée de l'endroit où on l'emmenait. Ils ne disaient jamais rien.

Ils s'engagèrent dans le couloir, le jeune homme efflanqué et les matons assez nombreux pour assurer la sécurité du président. Il demanda où ils le conduisaient ; la question était beaucoup trop importante pour mériter une réponse. Les chevilles entravées, sous bonne escorte, il suivit le couloir à petits pas, sortit du Bloc F, passa sous la rotonde de la Grande Maison, colonisée par les pigeons, avant d'entrer dans une salle de réunion du bâtiment administratif.

Le directeur attendait ; il avait de mauvaises nouvelles.

On le fit asseoir, toujours enchaîné, au bout d'une longue table autour de laquelle se pressaient des membres du personnel – assistants du directeur, employés, secrétaires, tous ceux qui tenaient à attendre l'annonce macabre. Le visage impénétrable, sur le qui-vive, les surveillants se déployèrent dans son dos, prêts à bondir sur lui si d'aventure il tentait de s'enfuir quand on lui annoncerait la nouvelle. Tout le monde avait un stylo à la main, pour noter ce qui allait se passer.

Le directeur prit la parole. D'un ton empreint de gravité, il expliqua qu'il n'avait pas reçu de notification de sursis à l'exécution, ce qui signifiait que l'heure de Tommy avait sonné. Cela pouvait sembler un peu précipité – ses appels remontaient à peine à trois ans – mais c'était ainsi.

Le directeur était navré mais il ne faisait que son boulot. Il restait quinze jours avant l'exécution.

Tommy respira profondément et essaya d'assimiler la nouvelle. Il avait des avocats ; ses appels, on le lui avait assez répété, n'aboutiraient pas avant plusieurs années. Il y avait des chances qu'un nouveau procès se tienne à Ada.

On était en 1988. L'État de l'Oklahoma n'avait pas eu d'exécution capitale depuis plus de vingt ans. Peut-être les autorités étaient-elles rouillées. Peut-être ne savaient-elles plus ce qu'elles faisaient.

Le directeur poursuivit ses explications. Ils allaient prendre immédiatement toutes les dispositions nécessaires. Un point important était de savoir ce qu'il convenait de faire du corps.

« Quel corps ? se dit Tommy. Le mien ? »

Tous les membres du personnel rassemblés autour de la table se penchèrent sur leur carnet, le front plissé, pour griffonner quelques mots. « Que font là tous ces gens ? » se demanda Tommy.

— Renvoyez-moi à ma mère, dit-il, ou essaya-t-il de dire.

Il se leva, les jambes comme du coton. Les matons le saisirent aux épaules et le ramenèrent au Bloc F. Il se jeta sur son lit et se mit à pleurer, pas sur son sort mais pour sa famille, surtout sa mère.

Quarante-huit heures plus tard, on l'informa qu'il y avait eu une erreur. Des problèmes de papiers dans les rouages de l'appareil judiciaire. Un sursis allait arriver. Sa mère ne récupérerait pas son corps tout de suite.

Les fausses alertes de ce genre étaient monnaie courante. Peu après l'arrivée de son frère à McAlester, Annette reçut une lettre du directeur de l'établissement. Elle supposa qu'il s'agissait d'une correspondance de simple routine.

> Chère Madame,
> J'ai le devoir de vous informer que la date de l'exécution de votre frère, Ronald Keith Williamson, numéro d'écrou 134846, a été fixée au 18 juillet 1988, à 00 h 02, au pénitencier d'État de l'Oklahoma.
> Votre frère sera transféré dans une autre cellule la veille de son exécution et les heures de visite seront modifiées comme suit : 9 heures-12 heures, 13 heures-16 heures et 18 heures-20 heures.
> Au cours des vingt-quatre heures précédant l'exécution, les visites seront limitées aux pasteurs, à l'avocat du condamné et à deux personnes autorisées par le directeur de l'établissement. Votre frère a le droit d'avoir cinq témoins à son exécution. Ces témoins devront être agréés par le directeur.
> Aussi pénible que ce soit, il convient d'envisager de prendre les dispositions pour les obsèques, qui seront de la responsabilité de la famille. Si cette responsabilité ne peut être assumée par la famille, l'État de l'Oklahoma se chargera de l'inhumation. Ayez l'obligeance de m'informer de votre décision.
> Si vous avez besoin de renseignements complémentaires ou si je puis vous être utile en quoi que ce soit, n'hésitez pas à me contacter.
> Croyez à toute ma sympathie.
> Le directeur,
> James L. Saffle

La lettre était datée du 21 juin, moins de deux mois après l'arrivée de Ron au pénitencier d'État. Annette savait qu'un appel était automatique pour un procès capital. Peut-être fallait-il en informer les autorités responsables de l'exécution ?

Si troublante que fût la lettre, Annette réussit à ne pas s'en inquiéter. Son frère était innocent ; un nouveau procès le démontrerait. Elle y croyait dur comme fer et n'en démordrait pas. Elle lisait la Bible, priait à longueur de journée et voyait fréquemment le pasteur de son église.

Cela ne l'empêchait pas de se demander à quoi pensaient les responsables de la prison.

Vers la fin de sa première semaine passée dans le couloir de la mort, Ron s'avança un jour jusqu'à sa porte et salua d'un geste l'occupant de la cellule 9, de l'autre côté du couloir, à quatre petits mètres de la sienne. Greg Wilhoit lui répondit et ils échangèrent quelques mots. Le lendemain, Ron recommença et ils parlèrent un peu plus longtemps. Le surlendemain, Greg lui dit qu'il venait de Tulsa. Ron y avait vécu, avec un type qui s'appelait Stan Wilkins.

Greg demanda s'il était sidérurgiste. Oui, répondit Ron. Greg le connaissait. Ils trouvèrent la coïncidence amusante ; la glace était rompue. Ils parlèrent de Tulsa, des gens qu'ils avaient connus, des endroits qu'ils aimaient.

Greg avait le même âge que Ron, trente-quatre ans, il était lui aussi un fan de base-ball, avait aussi deux sœurs qui le soutenaient de leur mieux.

Lui aussi était innocent.

Ce fut le début d'une belle amitié. Greg invita Ron à l'accompagner à la chapelle, à l'écart du couloir de la mort, pour assister à un office suivi par de nombreux condamnés. Poignets et chevilles entravés, les détenus étaient conduits dans une petite salle où ils priaient sous la houlette de Charles Story, l'aumônier. Ron et Greg manquaient rarement l'office et s'asseyaient toujours côte à côte.

Greg Wilhoit était à McAlester depuis neuf mois. C'était un sidérurgiste, un syndicaliste pur et dur. Il avait déjà été condamné pour possession de marijuana, jamais pour rien de violent.

Quand Greg et sa femme, Kathy, s'étaient séparés en 1985, ils avaient deux petites filles et des tas de problèmes. Greg avait aidé sa femme à emménager dans son nouvel appartement et passait voir ses filles presque tous les soirs. Ils espéraient pouvoir sauver leur mariage mais pensaient avoir besoin de faire le point. Ils continuaient d'avoir des relations sexuelles et restaient fidèles l'un à l'autre.

Le 1er juin, trois semaines après leur séparation, une voisine de Kathy s'inquiéta d'entendre les deux petites pleurer sans arrêt. Elle frappa à la porte ; pas de réponse. Elle appela la police. Les policiers découvrirent le corps de Kathy dans le salon et trouvèrent les deux petites dans leur berceau, affamées et terrifiées.

Kathy avait été violée et étranglée. L'heure de la mort était estimée entre 1 heure et 6 heures du matin. À la police qui l'interrogeait, Greg déclara qu'il était à ce moment-là dans son lit, qu'il y dormait seul. Il n'avait donc pas d'alibi. Il nia farouchement être pour quoi que ce soit dans le meurtre de sa femme et réagit vivement aux questions des policiers.

Une empreinte digitale fut relevée sur le téléphone dont le fil avait été arraché et qui se trouvait par terre, à côté du corps. Elle n'appartenait ni à Greg ni à sa femme. Le police trouva également des poils pubiens et – plus important – ce qui ressemblait à la marque d'une morsure sur la poitrine de Kathy. Un spécialiste du labo de médecine légale confirma que le tueur lui avait profondément mordu un sein pendant l'agression.

En tant que mari séparé de la victime, Greg devint rapidement le principal suspect, même si l'empreinte digitale ne correspondait pas. Melvin Hett déclara que le poil pubien n'était pas compatible à l'examen microscopique avec les échantillons de Greg. La police lui demanda pourtant de fournir une empreinte de ses dents pour la comparer à la morsure.

Greg n'appréciait pas du tout de voir que des soupçons pesaient sur lui. Il se savait innocent et ne faisait pas confiance à la police. Avec l'aide de ses parents, il engagea un avocat auquel il versa une provision de vingt-cinq mille dollars.

Rendus furieux par la démarche, les enquêteurs obtinrent du juge une ordonnance pour le contraindre à fournir une empreinte de ses dents. Il s'exécuta, puis n'eut aucune nouvelle pendant cinq mois. Il élevait ses deux filles tout en travaillant à plein temps. Il se prenait à espérer ne plus avoir affaire à la police quand les enquêteurs débarquèrent en janvier 1986 avec un mandat d'arrêt. Il était accusé d'homicide volontaire et encourait la peine de mort.

Son premier avocat, bien payé et jouissant d'une bonne réputation, pensait surtout à trouver un accord avec le procureur pour revoir à la baisse les chefs d'accusation. Greg s'était séparé de lui un mois avant le procès, commettant l'erreur monumentale d'engager à sa place George Briggs, un avocat sur le retour qui arrivait péniblement au terme d'une carrière mouvementée. Ses honoraires s'élevaient à deux mille cinq cents dollars, ce qui aurait dû mettre la puce à l'oreille de Greg.

Briggs était de la vieille école. Vous avez vos témoins, j'ai les miens. Pas d'étude des pièces du dossier. On se retrouve au tribunal et que le meilleur gagne. Dans le doute, se fier à son instinct et à son agilité d'esprit. Accessoirement, Briggs était alcoolique et prenait des analgésiques depuis qu'un accident de moto lui avait laissé des séquelles cérébrales. Les bons jours, il puait l'alcool mais arrivait à tromper son monde. Les mauvais jours, il lui arrivait de ronfler dans la salle d'audience – il avait même vomi et uriné sur lui dans le bureau du juge. On le voyait souvent tituber dans les couloirs du tribunal. Greg et ses parents s'étaient alarmés en voyant l'avocat descendre plusieurs bouteilles de bière au cours d'un déjeuner.

Son alcoolisme et sa pharmacodépendance étaient connus aussi bien des juges que du barreau de l'Oklahoma mais rien ou presque n'avait été fait pour l'empêcher de continuer, pour l'aider ni pour protéger ses clients.

Les parents de Greg avaient fourni à l'avocat les coordonnées d'un expert en morsures réputé, dans le Kansas, mais Briggs, trop occupé ou le cerveau embrumé par l'alcool, ne s'était pas donné la peine de l'appeler. Il n'interrogeait pas de témoins. Greg n'avait pas l'impression qu'il travaillait sur le dossier.

Le procès fut cauchemardesque. Le ministère public avait cité deux experts en morsures, dont l'un sortait tout juste de l'école dentaire. Briggs n'avait rien pour réfuter leurs conclusions. Après deux heures de délibérations, le jury déclara Greg coupable. Briggs ne fit comparaître aucun témoin à décharge. Après une seule heure de délibération du jury, la sentence tomba : Greg était condamné à la peine capitale.

Greg avait tapissé de journaux les barreaux de la porte de sa cellule afin que personne ne le voie. Il essayait de se convaincre qu'il n'était pas dans le couloir de la mort mais ailleurs, dans une sorte de cocon, où il passait le temps à lire avec avidité et à regarder sa petite télévision. Il ne parlait à personne d'autre qu'au Coursier qui, dès le premier jour, lui avait demandé s'il voulait acheter de la marijuana. Greg avait dit oui.

Au début, il n'avait pas compris que quelques condamnés avaient la chance de sortir en vie du couloir de la mort. De temps en temps, un appel réussissait, de bons avocats prenaient les choses en main, les juges se réveillaient. Il se produisait des miracles mais personne n'avait jugé bon de l'en informer. Il était certain d'être mis à mort et, en son for intérieur, il souhaitait en finir.

Les six premiers mois, il n'avait quitté sa cellule que pour prendre une douche, vite et seul. Puis il avait fait la connaissance d'un ou deux détenus et avait été invité à bavarder dans la cour. Mais aussitôt, il avait été pris en grippe. Greg était une exception dans le couloir de la mort, un fervent partisan de la peine capitale. Celui qui commet un crime de sang doit le payer de sa vie, affirmait-il haut et fort. Jamais personne n'avait professé une telle opinion.

Il avait aussi pris l'habitude irritante de regarder *David Letterman* à la télévision, avec le volume à fond. Le sommeil est précieux, dans le couloir de la mort : nombre de détenus y passent la moitié de leur temps à dormir. Le sommeil est du temps volé au système, du temps qui n'appartient qu'à soi.

Un homme condamné pour meurtre n'hésite pas à proférer des menaces de mort ; il vint bientôt aux oreilles de Greg qu'il était un homme marqué. Il y a toujours chez les condamnés à mort un caïd et plusieurs autres qui rêvent d'être à sa place. Des factions en lutte pour le pouvoir. Elles s'attaquent aux faibles, exigent d'eux qu'ils achètent le droit de « vivre ». Quand Greg apprit qu'on attendait de lui qu'il paie un loyer, il éclata de rire et fit savoir qu'il ne donnerait jamais un dollar à quiconque pour vivre dans cette taule.

Le couloir de la mort était sous la coupe de Soledad, surnom d'un tueur qui était passé par la célèbre prison de Californie du même nom. Soledad n'appréciait pas les déclarations de Greg sur la peine de mort et il ne supportait pas David Letterman. Pour mériter le respect, un caïd doit être prêt à tuer : Greg devint sa cible.

Tout le monde a des ennemis, dans le couloir de la mort. Les querelles sont violentes et surgissent à tout propos. Un paquet de cigarettes peut fournir le prétexte à une agression commise dans la cour ou dans les douches. Deux paquets peuvent coûter la vie à un détenu.

Greg avait besoin de quelqu'un pour se protéger.

La première visite d'Annette à McAlester fut pour elle accablante, même si elle ne s'attendait pas à autre chose. Elle aurait préféré s'abstenir mais Ronnie n'avait personne d'autre que ses sœurs. Des surveillants la palpèrent et fouillèrent son sac à main. Elle avait l'impression, en suivant les couloirs de la Grande Maison, de s'enfoncer dans les entrailles d'un animal. Des portes claquaient, des clés cliquetaient, des gardiens la dévisageaient comme pour lui faire comprendre qu'elle n'avait rien à faire là. Elle marchait en somnambule, l'estomac noué, le cœur battant à tout rompre.

Ils venaient d'une bonne famille habitant une maison coquette. L'église le dimanche, les rencontres de base-ball. Comment avaient-ils pu en arriver là ?

Elle se disait qu'elle finirait par s'y habituer. Qu'elle entendrait chaque fois les mêmes bruits et verrait les mêmes gardiens. Elle demanda si elle pouvait apporter des choses – des cookies, des vêtements, de l'argent liquide. On lui répondit non. De la monnaie, rien d'autre. Elle donna une poignée de petites pièces en espérant qu'on les ferait passer à Ron.

Le parloir était une pièce étroite, toute en longueur, coupée en deux par d'épaisses plaques de plexiglas séparées par des cloisons censées créer un semblant d'intimité. Les conversations se faisaient au téléphone, de part et d'autre d'un guichet. Tout contact était impossible.

Après une longue attente, Ronnie finit par arriver. Personne n'était pressé dans la prison. Il avait l'air en bonne santé, peut-être même un peu grassouillet, mais il avait toujours eu de brusques variations de poids.

Il la remercia d'être venue et l'assura que ça n'allait pas trop mal. Il avait besoin d'argent. La nourriture était infecte et il voulait acheter à manger à la cantine. Il avait aussi besoin d'une guitare, de quelques livres, de revues et d'une petite télévision qu'il pourrait se procurer à la cantine.

— Fais-moi sortir d'ici, Annette, lança-t-il d'un ton implorant. Je n'ai pas tué Debbie Carter, tu le sais.

Jamais elle n'avait douté de l'innocence de son frère, ce qui n'était pas le cas de plusieurs membres de sa famille. Elle travaillait, son mari aussi, ils avaient les enfants à élever et ils essayaient de mettre un peu d'argent de côté. Ils avaient du mal à joindre les deux bouts. Que voulait-il qu'elle fasse ? Les avocats commis à la défense des indigents s'organisaient pour ses appels.

— Vends ta maison et engage un très bon avocat. Vends tout. Fais ce qu'il faut mais sors-moi d'ici.

La conversation était tendue, des larmes coulèrent. Un autre prévenu s'installa dans le box voisin de celui de Ronnie. Annette distinguait à peine son visage à travers le plexiglas. Elle était intriguée : qui était cet homme, qui avait-il tué ?

Ronnie expliqua que c'était Roger Dale Stafford, le célèbre assassin. Il avait été condamné neuf fois à la peine capitale, le record du moment dans le couloir de la mort. Stafford avait exécuté six personnes, dont cinq adolescents, dans l'arrière-cuisine d'un grill d'Oklahoma City – un cambriolage qui avait mal tourné. Après quoi, il avait tué trois personnes de la même famille.

— Ce sont tous des tueurs, répétait Ron, et ils ne parlent que de tuer. Il faut que tu me sortes d'ici !

Annette demanda s'il se sentait en sécurité.

Pas au milieu de tous ces tueurs. Il n'avait jamais été contre la peine de mort mais depuis qu'il était là, il devenait franchement pour. Il jugeait cependant préférable de garder ses idées pour lui.

La durée des visites n'était pas limitée. Ils finirent pourtant par se dire au revoir en se promettant d'écrire et de téléphoner. Quand elle sortit de la prison, Annette était vidée.

Le téléphone... Les surveillants plaçaient l'appareil sur un chariot qu'ils poussaient jusqu'à la porte de la cellule du condamné qui l'avait demandé. Ils composaient le numéro et tendaient le combiné à travers les barreaux de la porte. Tous les appels étant en PCV, les surveillants ne les comptaient pas. Par ennui et par désespoir, Ron se mit bientôt à réclamer le téléphone plus souvent que les autres.

Il commençait le plus souvent en demandant de l'argent. Vingt ou trente dollars pour acheter à manger ou des cigarettes. Annette et Renee faisaient leur possible pour lui envoyer quarante dollars par mois mais une fois qu'elles avaient assumé les charges familiales, il ne leur restait pas grand-chose. Elle n'envoyaient jamais assez d'argent, au goût de Ronnie qui ne cessait de le leur reprocher. Il se mettait en colère et les accusait de ne pas l'aimer – sinon, ne le feraient-elles pas sortir ? Il était innocent, tout le monde le savait et personne d'autre que ses sœurs ne pouvait lui rendre la liberté.

Ces conversations téléphoniques ne leur apportaient pas beaucoup de plaisir mais elles s'efforçaient de ne pas se disputer avec lui. Il réussissait toujours, à un moment ou à un autre, à leur rappeler qu'il les aimait.

Le mari d'Annette avait souscrit pour lui un abonnement à *National Geographic* et l'*Ada Evening News*. Ronnie voulait savoir ce qui se passait dehors.

C'est peu après son arrivée à McAlester qu'il avait entendu parler pour la première fois des étranges aveux de Ricky Joe Simmons. Barney était au courant mais il n'avait jugé bon ni de s'en servir pendant le procès ni d'en parler à son client. Un enquêteur du Système de défense des indigents avait emporté la bande à McAlester pour la montrer à Ron. Il avait pété les plombs. Quelqu'un avait avoué le meurtre de Debbie Carter et le jury ne l'avait jamais su !

La nouvelle ne tarderait pas à se répandre à Ada : il voulait lire ce qu'en dirait le quotidien local.

Ricky Joe Simmons devint une nouvelle obsession, peut-être la principale, sur laquelle Ron se focaliserait pendant des années.

Ron donna des coups de téléphone tous azimuts : il voulait que le monde entier connaisse l'existence de Ricky Joe Simmons. Ses aveux lui ouvriraient les portes de la prison. Il fallait que quelqu'un prenne les choses en main, traîne ce type devant la justice. Il appela Barney, plusieurs de ses confrères, des fonctionnaires du comté, quelques vieux amis mais la plupart refusèrent le PCV.

Le règlement changea et les communications téléphoniques furent restreintes après que deux condamnés eurent été surpris à appeler la famille de leur victimes, histoire de s'amuser. Deux communications par semaine furent autorisées et les numéros demandés devaient être approuvés par la direction.

Une fois par semaine, le Coursier passait dans le Bloc F avec un chariot chargé d'ouvrages de la bibliothèque, des livres de poche usagés. Greg Wilhoit dévorait tout ce qui lui tombait sous la main – biographies, policiers, romans à énigmes. Il avait une faiblesse pour Stephen King mais il aimait par-dessus tout les romans de John Steinbeck.

Il incita Ron à faire comme lui, répétant que la lecture était un moyen d'évasion. Ils en vinrent bientôt à comparer les mérites respectifs des *Raisins de la colère* et de *À l'est d'Éden*, des conversations peu courantes dans un quartier de haute sécurité. Pendant des heures, debout, ils parlaient à travers les barreaux de leurs portes. Ils parlaient de tout : des livres, du base-ball, des femmes, de leurs procès.

Ils avaient tous deux été surpris d'apprendre que la plupart des condamnés à mort ne clament pas leur innocence. Ils ont tendance, au contraire, à broder sur leurs crimes. La mort était un sujet de conversation permanent – assassinats, procès, meurtres qui n'avaient pas été commis.

Constatant que Ron ne cessait de se dire innocent, Greg commença à le croire. Chaque détenu avait le compte rendu de son procès à portée de la main. Greg lut celui de Ron – il y avait deux mille pages – et fut outré par ce qui s'était passé à Ada. Ron lut celui de Greg et fut tout aussi scandalisé par ce qui s'était passé dans le comté d'Osage.

Ils croyaient tous deux à l'innocence de l'autre, malgré le scepticisme de leurs voisins de cellule.

Pendant ces premières semaines passées dans le couloir de la mort, son amitié avec Greg fit le plus grand bien à Ron. Enfin quelqu'un le croyait, quelqu'un à qui il pouvait parler pendant des heures, quelqu'un qui lui prêtait une oreille attentive. Loin de sa cellule oppressante d'Ada, près d'un ami à qui il pouvait tout dire, Ron retrouva un comportement relativement stable. Il ne s'emportait plus, ne marchait plus de long en large comme un animal en cage, ne passait plus son temps à clamer son innocence. Ses sautes d'humeur étaient moins marquées. Il dormait beaucoup, lisait pendant des heures, fumait cigarette sur cigarette et parlait avec Greg. Ils allaient ensemble dans la cour et se protégeaient mutuellement. Annette parvint à envoyer ce qu'il fallait d'argent à Ron pour faire l'acquisition d'un petit téléviseur. Puis, sachant l'importance que cela avait pour son frère, elle fit des pieds et des mains pour lui procurer une guitare. La cantine n'en vendait pas. Après plusieurs lettres et coups de téléphone, elle réussit à convaincre la direction du pénitencier de lui en fournir une, achetée dans un magasin de musique.

Les ennuis commencèrent. Désireux d'impressionner ses codétenus et de faire la preuve de son talent, Ron jouait fort et chantait à tue-tête. Les protestations affluaient mais Ron n'en avait cure. Il aimait sa guitare et il aimait chanter, surtout les chansons de Hank Williams. *Your Cheatin' Heart* retentissait dans le couloir de la mort. Les autres lui lançaient des obscénités auxquelles il répliquait.

Soledad menaça Ron de le tuer. « Je m'en fous, riposta Ron. Je suis déjà condamné à mort. »

Aucun effort n'était fait pour climatiser le Bloc F. Quand l'été arriva, il y régna une atmosphère d'étuve. Les détenus restaient des heures en caleçon devant les petits ventilateurs vendus à la cantine. Il n'était pas rare qu'ils se réveillent avant l'aube sur leurs draps trempés de sueur. Quelques-uns passaient la journée entière nus comme des vers.

La prison, pour des raisons obscures, organisait des visites du couloir de la mort. La plupart des visiteurs étaient des lycéens que leurs parents et leurs conseillers espéraient détourner ainsi des voies de la délinquance. Quand un groupe était annoncé, les surveillants ordonnaient aux détenus de s'habiller. Certains obéissaient, d'autres pas.

Un Indien notamment, qu'on surnommait l'Étalon Nu. Non seulement il montrait un goût prononcé pour le naturisme mais il avait le don étonnant de lâcher des vents à la demande. À l'approche d'un groupe de visiteurs, sa blague favorite consistait à plaquer son derrière contre les barreaux de sa porte pour envoyer un pet retentissant. Les lycéens n'appréciaient pas.

Malgré les protestations des matons, ses camarades l'encourageaient à continuer, du moins pendant les visites. On finit par l'emmener ailleurs quand des visiteurs arrivaient. Plusieurs autres détenus essayèrent de l'imiter mais ils n'avaient pas son talent.

Ron, lui, grattait de la guitare et chantait pour ces jeunes gens de passage.

Le 4 juillet 1988, il se réveilla de méchante humeur. C'était l'*Independance Day*, un jour de fête, et il était enfermé pour un crime qu'il n'avait pas commis. Qu'en était-il de son indépendance ?

Il se mit à hurler et à jurer en criant son innocence. Ce vacarme déclencha des quolibets et des sifflets d'un bout à l'autre du couloir. Ron entra dans une rage folle. Il envoya balader tout ce qui lui tombait sous la main : livres, revues, articles de toilette, sa petite radio, sa bible, des vêtements. Les surveillants lui recommandèrent de se calmer. Il recommença de plus belle, les insulta et balança des stylos, du papier, ses provisions. Puis il s'en prit au téléviseur qu'il lança de toutes ses forces contre le mur de briques, où il se fracassa. Il ne restait plus que sa chère guitare. Il saisit l'instrument et frappa à coups redoublés sur les barreaux de la porte de la cellule.

La plupart des condamnés à mort prenaient quotidiennement un antidépresseur léger, le Sinequan, censé calmer les nerfs et aider à dormir. Les surveillants finirent par convaincre Ron de prendre quelque chose de plus fort. Le psychotrope l'apaisa. Un peu plus tard, il entreprit de remettre de l'ordre dans sa cellule. Quand il eut terminé, il appela Annette et lui expliqua, en larmes, ce qui s'était passé.

Quand elle vint lui rendre visite, les choses se passèrent plutôt mal, au parloir. Ron hurla dans le combiné, l'accusant de ne rien faire pour le remettre en liberté. Il exigea qu'elle vende tout ce qu'elle avait et qu'elle engage un grand avocat pour réparer cette injustice. Elle le supplia de cesser de crier. Comme il continuait, elle menaça de partir.

Avec l'aide de Renee, elle remplaça en quelques mois le téléviseur, la radio et la guitare.

En septembre 1988, Mark Barrett, un avocat de Norman, se rendit à McAlester pour faire la connaissance de son nouveau client. Barrett était un des quatre avocats qui prenaient en charge les appels des accusés sans ressources dans les affaires de meurtre. On lui avait confié le dossier Williamson. Barney Ward était hors circuit.

Dans un procès capital, l'appel est automatique. Toute la paperasse avait été remplie et l'affaire suivait lentement son cours. Barrett expliqua tout cela à Ron et écouta patiemment ses interminables protestations d'innocence. Il n'était pas surpris, même s'il ne s'était pas encore penché sur le compte rendu du procès.

Pour aider son nouveau défenseur, Ron lui remit une liste de tous les témoins qui avaient menti pendant le procès et détailla la nature et l'ampleur de leurs mensonges.

Barrett trouva Ron intelligent, raisonnable, parfaitement conscient de sa situation. Il s'exprimait bien et lui avait clairement exposé à quels mensonges la police et le procureur avaient eu recours contre lui. Il semblait un peu angoissé mais il fallait s'y attendre. Barrett ignorait tout des antécédents médicaux de Ron.

Le père de l'avocat était un pasteur des Disciples du Christ. Apprenant ce détail, Ron se lança dans une longue discussion sur la religion. Il tenait à convaincre Barrett qu'il était un chrétien zélé, qu'il avait été élevé dans le giron de l'Église et qu'il lisait souvent la Bible. Pour impressionner l'avocat, il cita de mémoire des versets des Évangiles. L'un d'eux le perturbait ; il s'en ouvrit à Barrett et lui demanda une interprétation. Ils en discutèrent longuement. Ce verset était important pour Ron, qui s'agaçait manifestement de ne pas en saisir le sens. Les visites des avocats n'étaient pas limitées dans le temps et les condamnés ne demandaient pas mieux que de rester loin de leur cellule. Leur entretien dura plus d'une heure.

La première impression de Mark Barrett fut que Ron était un fondamentaliste doublé d'un beau parleur. Il se méfiait toujours des protestations d'innocence de ses clients mais gardait un esprit ouvert. L'avocat avait également la charge de l'appel de

Greg Wilhoit, sur lequel il n'avait aucun doute : ce type n'avait pas tué sa femme.

Mark Barrett savait qu'il y avait des innocents dans le couloir de la mort. Plus il en apprenait sur Ron, plus il avait tendance à le placer lui aussi dans cette catégorie.

11.

Les douze mois passés dans la prison d'Ada dans l'attente de son procès avaient aidé Dennis Fritz à se préparer aux rigueurs de la vie carcérale.

Il arriva au Centre pénitentiaire de Conner au mois de juin, dans un fourgon rempli de détenus, encore hébété, terrifié, refusant d'admettre ce qui lui arrivait. Il était important de montrer de l'assurance ; il s'y employait. Conner avait la réputation d'être un « dépotoir » des établissements pénitentiaires et Dennis ne cessait de se demander pourquoi on l'avait envoyé là-bas.

Il suivit la procédure d'entrée, on l'informa du règlement intérieur et il se retrouva dans une cellule qu'il partageait avec un autre détenu. Comme Ron, il fut soulagé de constater qu'il y avait une fenêtre. À Ada, pendant de longues semaines, il n'avait pas vu la lumière du jour.

Son compagnon de cellule était un Mexicain qui ne baragouinait que quelques mots d'anglais, ce qui convenait parfaitement à Dennis. Il ne parlait pas espagnol et n'avait aucune envie d'apprendre la langue. La priorité était pour lui de trouver quelques moments d'intimité dans cet espace qu'il partageait avec un autre homme.

Dennis fit le vœu de consacrer tout son temps à essayer de recouvrer la liberté. Il aurait pu baisser les bras, tellement le système était défavorable aux prisonniers. Mais il était résolu à avoir gain de cause.

Conner était un établissement surpeuplé, connu pour sa violence. Il y avait des bandes, des meurtres, des tabassages, des viols, de la drogue à volonté et des matons qui se sucraient au passage. Il ne fallut pas longtemps à Dennis pour trouver les endroits les plus sûrs et éviter ceux qui pouvaient représenter un danger. La peur était un atout. Au bout de quelques mois, la plupart des détenus tombaient sans s'en rendre compte dans le train-train de la prison. Ils baissaient leur garde, prenaient des risques, se croyaient en sécurité.

C'était le meilleur moyen de s'attirer des ennuis. Dennis se promit de ne jamais oublier d'avoir peur.

Les prisonniers étaient debout à 7 heures. On leur ouvrait les portes des cellules et ils allaient prendre le petit-déjeuner à la caféteria. Les Blancs occupaient un côté de la salle, les Noirs prenaient l'autre. Les Hispaniques et les Indiens étaient coincés entre les deux groupes, avec une préférence pour les hommes de couleur. La nourriture n'était pas mauvaise – œufs, gruau de maïs, bacon. Les conversations étaient animées, les détenus soulagés de rompre leur solitude.

La plupart d'entre eux voulaient travailler ; tout plutôt que de rester dans le bâtiment abritant les cellules. Dennis, qui avait enseigné, fut recruté pour donner des cours aux autres prisonniers en vue du diplôme d'équivalence général. Il enseignait jusqu'à midi, pour un salaire mensuel de sept dollars et vingt cents.

Sa mère et sa tante lui envoyaient cinquante dollars par mois, une somme qu'elles avaient de la peine à économiser mais dont elles avaient fait une priorité. Il les dépensait à la cantine, pour acheter du tabac, du thon en boîte, des crackers et des cookies. La plupart des détenus fumaient ; les cigarettes servaient de monnaie d'échange. Un paquet de Marlboro représentait une pleine poche de pièces de monnaie.

Dennis découvrit rapidement la bibliothèque juridique et fut enchanté d'apprendre qu'il pourrait y consulter des ouvrages de 13 à 16 heures, sans interruption. Il n'avait jamais touché à un livre de droit mais il était résolu à mener à bien ses recherches. Deux membres de l'aide juridique – des détenus qui s'y connaissaient assez bien et qui, du coup, se prenaient pour des avocats – lui apprirent à s'y retrouver parmi les ouvrages touffus de la bibliothèque.

Il commença son éducation par la lecture de plusieurs centaines d'affaires jugées dans l'Oklahoma, en cherchant des similitudes et des erreurs potentielles qui auraient pu être commises pendant le procès. Son appel était en bonne voie et il voulait en savoir aussi long que son avocat. Il découvrit les résumés d'affaires jugées par des tribunaux fédéraux et prit des milliers de notes sur des litiges jugés dans tous les États-Unis.

Entre 16 et 17 heures, les surveillants faisaient l'appel et comptaient les détenus. Le dîner était terminé à 19 h 30. Jusqu'au dernier appel, qui avait lieu à 22 h 15, les détenus avaient quartier libre. Ils faisaient de l'exercice, jouaient aux cartes, aux dominos ou au basket. Ils étaient nombreux à ne rien faire. Assis par petits groupes, ils tuaient le temps en discutant et en fumant.

Dennis, lui, retournait à la bibliothèque de droit.

Il entretenait une correspondance suivie avec sa fille Élizabeth, alors âgée de quinze ans. Elle était élevée par sa grand-mère maternelle qui lui apportait la stabilité et beaucoup d'affection. Elle croyait son père innocent – sans pouvoir s'empêcher de douter, supposait Dennis. Ils échangeaient des lettres et se parlaient au téléphone au moins une fois par semaine mais Dennis ne l'autorisait pas à venir le voir. Il ne voulait pas que sa fille s'approche de la prison. Elle ne le verrait pas dans son uniforme de détenu, derrière les barbelés.

Wanda, sa mère, s'était rendue à Conner peu de temps après son arrivée. Les visites avaient lieu le dimanche, de 10 à 16 heures, dans une salle où s'alignaient des rangées de tables pliantes et de chaises. C'était le cirque. Les détenus se succédaient par fournées d'une vingtaine d'hommes. Les familles attendaient – femme, enfants, parents. L'émotion était forte. Les enfants s'agitaient bruyamment. Les détenus n'avaient pas de menottes et les contacts physiques étaient tolérés.

Des contacts physiques, c'est précisément ce que les hommes voulaient mais les baisers et les caresses trop appuyées étaient interdits. Le truc consistait à trouver un autre détenu qui détournerait l'attention du surveillant pendant quelques secondes. On voyait ainsi des couples se glisser entre deux distributeurs de boissons et avoir des relations sexuelles à la va-vite. Des épouses tranquillement assises disparaissaient brusquement sous la table pour une fellation rapide.

Dennis avait réussi à garder l'attention de sa mère au milieu de cette activité frénétique, mais cette visite avait été un moment stressant. Il la dissuada de revenir.

Ron hurlait en marchant de long en large dans sa cellule. Si on n'était pas fou en arrivant dans le couloir de la mort, on le devenait rapidement. Accroché aux barreaux de sa porte, il criait « Je suis innocent ! Je suis innocent ! » pendant des heures, jusqu'à ce que sa voix s'éraille. Avec l'habitude, ses cordes vocales se renforcèrent et il parvint à tenir plus longtemps : « Je n'ai pas tué Debbie Carter ! Je n'ai pas tué Debbie Carter ! »

Il apprit par cœur l'intégralité des déclarations de Ricky Joe Simmons et les ressortit mot à mot en braillant à tue-tête, pour en faire profiter les gardiens et ses voisins de cellule. Il était aussi capable de réciter des pages entières du compte rendu de son procès, les dépositions des témoins qui l'avaient envoyé dans le couloir de la mort. Les autres s'émerveillaient d'une telle mémoire. À 2 heures du matin, ils n'étaient plus aussi admiratifs.

Renee reçut une lettre bizarre d'un codétenu. Elle disait :

> Chère Renee,
> Je m'appelle Jay Neill, numéro d'écrou 141128. Je vous écris de la part et à la demande de votre frère Ron. Sa cellule est à côté de la mienne. Il arrive à Ron d'avoir des moments très difficiles qui se répètent jour après jour. J'ai l'impression qu'il prend des médicaments pour essayer de stabiliser et de modifier son comportement. Au mieux, le nombre restreint du type de médicaments distribués aura des effets négligeables. Le problème numéro un de Ron est la mauvaise opinion qu'il a de lui-même. Et je suis sûr que des gens ici lui disent qu'il a un Q.I. très bas. Les pires moments sont entre minuit et 4 heures du matin.
> Parfois, pendant des périodes espacées, il hurle différentes choses à pleins poumons. Cela a perturbé beaucoup de prisonniers du voisinage. Au début, ils ont essayé de le raisonner, puis de le supporter. Mais beaucoup ont commencé à perdre leur calme. (Certainement à cause des nuits sans sommeil.)
> Je suis chrétien et je prie tous les jours pour Ron. Je lui parle et je l'écoute. Il vous aime beaucoup, Annette et vous. Je suis son ami. J'ai servi de tampon entre Ron et ceux que ses hurle-

ments dérangent en me levant et en lui parlant jusqu'à ce qu'il se calme.
Que Dieu vous bénisse, vous et votre famille.
Salutations distinguées,

Jay Neill

L'amitié de Neill avec un autre pensionnaire du couloir de la mort était toujours suspecte, et sa conversion au christianisme également. Avant de se retrouver en prison, lui et l'homme avec qui il partageait sa vie avaient décidé d'aller s'établir à San Francisco, dans un environnement plus tolérant. Comme ils n'avaient pas d'argent, ils avaient eu l'idée de braquer une banque, une opération dont ils n'avaient aucune expérience. Ils avaient choisi une agence dans la ville de Geronimo. Ils pénétrèrent dans l'établissement, annoncèrent bruyamment leurs intentions et l'histoire se termina dans un bain de sang. Dans l'affolement général, Neill et son compagnon poignardèrent trois caissiers, abattirent un client d'une balle et en blessèrent trois autres. Neill se rendit compte qu'il était à court de munitions quand, en pressant la détente de son arme collée sur la tête d'un gamin, il entendit un déclic. L'enfant était indemne, du moins physiquement. Les deux tueurs prirent la fuite avec vingt mille dollars en espèces et gagnèrent rapidement San Francisco, où ils firent des folies : manteaux de vison, foulards griffés, etc. Ils claquèrent le reste de leur argent dans les bars gay et menèrent la grande vie pendant un peu plus de vingt-quatre heures. Après quoi, on les arrêta et on les ramena dans l'Oklahoma. Neill serait finalement exécuté. En attendant, dans le couloir de la mort, il passait le temps qui lui restait à lire la Bible et à prêcher, sans grand succès.

Dans le couloir de la mort, les soins médicaux n'étaient pas une priorité. Les détenus disaient qu'on perdait d'abord la santé du corps avant de perdre celle de l'esprit. Ron eut un entretien avec un médecin de la prison qui était en possession de son dossier médical. Il y était noté qu'il avait des antécédents de consommation de drogue et d'alcool, ce qui pour un détenu du Bloc F n'avait rien d'étonnant. Il était sujet aux dépressions et souffrait de cyclothymie depuis dix ans. Il y avait des signes de schizophrénie et des troubles de la personnalité.

Le médecin lui prescrivit du Mellaril, qui eut pour effet de le calmer.

La plupart des détenus pensaient que Ron se faisait passer pour un cinglé dans l'espoir d'échapper à la mort. La deuxième cellule à droite de celle de Greg Wilhoit était occupée par un vieillard du nom de Sonny Hays. Nul ne savait exactement depuis combien de temps Sonny attendait mais il était arrivé avant tous les autres. Il allait sur ses soixante-dix ans, était en très mauvaise santé et refusait de parler. Il recouvrait la porte de sa cellule de journaux et de couvertures, n'allumait jamais la lumière et ne mangeait que ce qu'il fallait pour rester en vie. Il ne prenait jamais de douche, ne se rasait pas et laissait ses cheveux longs. Il n'avait jamais de visite et refusait de rencontrer ses avocats. Il n'envoyait ni ne recevait de courrier, ne téléphonait pas, n'achetait rien à la cantine, ne lavait pas son linge, n'avait ni téléviseur ni radio. Il ne quittait jamais sa tanière et des journées entières s'écoulaient sans qu'aucun bruit en sorte.

Sonny était complètement fou. Comme une personne reconnue irresponsable ne peut être exécutée, on le laissait pourrir dans sa cellule en attendant qu'il meure. Il y avait maintenant un deuxième cinglé dans le couloir de la mort, même si Ron avait eu beaucoup de mal à convaincre les autres du fait.

Une de ses crises, pourtant, avait retenu leur attention. Après avoir bouché les toilettes et inondé sa cellule, il avait ôté tous ses vêtements et s'était mis à sauter du haut des lits superposés dans les cinq centimètres d'eau qui recouvraient le sol en hurlant des propos incohérents. Les surveillants avaient réussi à le maîtriser et lui avaient administré un calmant.

Il n'y avait pas de climatisation dans le Bloc F mais il existait un système de chauffage. Quand l'hiver arrivait, on pouvait raisonnablement s'attendre à ce que de l'air chaud soit soufflé dans les vieux conduits. Il n'en était rien. Les cellules devenaient si froides que de la glace se formait à l'intérieur des vitres pendant la nuit. Les détenus, emmitouflés, restaient au lit aussi longtemps que possible.

Pour dormir, le seul moyen était de disposer l'un au-dessus de l'autre tous les vêtements qu'on avait sous la main – chaussettes, caleçons, tee-shirts, pantalons, chemises et tout ce qu'on avait pu acheter à la cantine. Les couvertures supplémentaires étaient un luxe que les autorités pénitentiaires ne fournissaient pas. La nourriture, déjà froide en été, était à peine mangeable en hiver.

Les avocats de Tommy Ward et de Karl Fontenot obtinrent de la cour d'appel de l'Oklahoma la réformation du jugement rendu en première instance. Les aveux de chaque accusé avaient été utilisés pour incriminer l'autre et, comme aucun des deux n'avait été appelé à la barre pendant le procès, il n'y avait pas eu de confrontation.

S'il y avait eu des procès distincts, le problème ne se serait pas posé.

Si les aveux n'avaient pas été produits, il n'y aurait pas eu de condamnations.

On les renvoya à Ada. Tommy Ward fut jugé de nouveau, cette fois à Shawnee, dans le comté de Pottawatomie, toujours avec Bill Peterson et Chris Ross pour l'accusation. Le juge autorisa la projection de l'enregistrement des aveux au jury. Tommy fut de nouveau déclaré coupable et condamné à la peine capitale. Tout au long du procès, Annette Hudson servit de chauffeur à la mère de Tommy pour la conduire au tribunal. Karl Fontenot fut rejugé à Holdenville, dans le comté de Hughes. Lui aussi fut encore une fois déclaré coupable et condamné à la peine capitale.

Enthousiaste quand il apprit la réformation des jugements, Ron fut accablé par la confirmation des condamnations. Son appel suivait lentement son cours. L'affaire dépendait maintenant du Bureau de l'aide juridictionnelle. En raison du nombre croissant de crimes capitaux, il avait fallu engager de nouveaux avocats. Surchargé de travail, Mark Barrett avait dû se défaire d'un ou deux dossiers. Il attendait avec impatience la décision de la cour d'appel dans l'affaire Wilhoit. Elle avait une réputation de grande sévérité envers les accusés, mais Barrett était convaincu qu'en ce cas précis, il y aurait un nouveau procès.

Le nouvel avocat de Ron s'appelait Bill Luker. Il affirmait avec force dans son pourvoi que le procès n'avait pas été équitable, s'en prenait à la représentation de Barney Ward, assurant que son client avait reçu une « assistance inefficace de son défenseur », un argument majeur dans une affaire de ce genre. Le principal reproche adressé à Barney était de ne pas avoir soulevé la question de l'aptitude de Ron à passer en jugement. Aucun dossier médical n'avait été produit. Luker chercha les erreurs commises par Barney ; il en dressa la longue liste.

Il s'attaquait aux méthodes et à la tactique de la police et du ministère public. Il critiquait également les décisions du juge Jones qui avait fait écouter au jury les aveux du rêve de Ron, n'avait tenu aucun compte des nombreuses violations *Brady* commises par l'accusation et n'avait globalement pas assuré à Ron le droit à un procès équitable.

La culpabilité de l'écrasante majorité des clients de Bill Luker ne faisait aucun doute. Son rôle consistait à faire en sorte que leur appel soit examiné avec impartialité. Le cas de Ron était différent. Plus il avançait dans ses recherches et plus les questions étaient nombreuses, plus sa conviction devenait forte qu'il pouvait gagner cet appel.

Ron se montrait très coopératif. Il avait des opinions tranchées dont il faisait part sans réserve à son avocat. Il l'appelait fréquemment et lui envoyait de longues lettres. Ses remarques et ses observations étaient pour la plupart fort pertinentes. Il se souvenait avec une étonnante précision de certains détails de son dossier médical.

Ron revenait sans cesse sur les aveux de Ricky Joe Simmons et considérait que, le jury n'en ayant pas eu connaissance, son procès avait été une parodie de justice Dans une de ses lettres à Luker, il écrivait :

> Cher Bill,
> Comme vous le savez, je crois que Ricky Joe Simmons a tué Debbie Carter. S'il ne l'avait pas fait, il ne l'aurait jamais avoué. Ma vie est depuis longtemps un enfer et je pense qu'il serait juste que Simmons paie pour ce qu'il a fait et que je sois libéré. Ils ne veulent pas vous communiquer ses aveux, parce qu'ils savent que vous vous en serviriez pour qu'il y ait tout de suite un nouveau procès. Alors, pour l'amour de Dieu, dites à ces salauds que vous voulez les aveux.
>
> Votre ami,
> Ron

Ron entretenait une correspondance régulière avec ses sœurs. Elles savaient que c'était important pour leur frère et trouvaient le temps de lui répondre. Il abordait presque toujours la question de l'argent dans ses lettres. Incapable d'avaler la nourriture de la prison, il s'approvisionnait comme il pouvait à la cantine. Dans une lettre à Renee, il disait :

> Renee,
> Je sais qu'Annette fait ce qu'elle peut mais la situation ne fait qu'empirer. Karl Fontenot est ici et il ne reçoit jamais rien de personne. Pourrais-tu m'envoyer un petit supplément, même si ce n'est que dix dollars.
> Ton frère,
> Ron

Juste avant son premier Noël dans le couloir de la mort, il écrivait dans une autre lettre à Renee :

> Renee,
> Merci pour l'argent. Il passera dans des achats particuliers, des cordes de guitare et du café.
> J'ai reçu cinq cartes de Noël cette année, en comptant la tienne. Noël peut avoir du bon.
> Renee, tes vingt dollars sont tombés à pic. Je venais d'emprunter de l'argent à un ami pour acheter des cordes de guitare et je l'aurais remboursé sur les cinquante dollars qu'Annette m'envoie tous les mois. Cela m'aurait gêné financièrement. Je sais que cinquante dollars par mois, cela peut paraître beaucoup, mais j'en donnais un peu à un type dont la mère n'a pas d'argent. Elle lui a envoyé une fois dix dollars mais c'est tout ce qu'il a reçu depuis septembre, depuis que je suis à côté de lui. Je lui donne du café, des cigarettes, etc. Pauvre garçon.
> Nous sommes vendredi. Demain, vous ouvrirez tous vos cadeaux ; j'espère que tout le monde aura ce qu'il désire. Les enfants grandissent vite, c'est sûr. Si je ne me reprends pas, je vais me mettre à pleurer.
> Dis-leur que je vous aime tous.
> Ronnie

Il était difficile d'imaginer que la période de Noël avait « du bon » pour Ron. Il était horrible de se trouver dans le couloir de la mort mais le fait d'être coupé de sa famille le mena à un niveau de souffrance et de désespoir qui lui devint insupportable. Au début du printemps 1989, il commença à craquer sérieusement. La tension nerveuse, les conditions de vie, le sentiment d'injustice éprouvé par celui qui est envoyé dans un enfer pour un crime qu'il n'a pas commis, eurent raison de son équilibre mental. Il fit une tentative de suicide en s'ouvrant les veines des poignets. Les blessures étaient superficielles mais elles laissèrent des cicatrices. Il recommença et fit l'objet d'une surveillance attentive des gardiens. En désespoir de cause, il réussit à mettre le feu à son matelas et offrit ses mains et ses pieds aux flammes. On soigna ses brûlures, qui finirent par guérir. Le personnel le surveilla d'encore plus près.

Le 12 juillet 1989, il écrivait à Renee :

> Chère Renee,
> Si tu savais les souffrances que j'endure. Des tissus sont brûlés et j'ai des brûlures aux deuxième et troisième degrés. La pression est énorme ici. Parfois, la souffrance devient intolérable, Renee, et j'ai des maux de tête affreux, à me taper la tête sur le ciment. Je me suis mis par terre et je me suis tapé la tête sur le ciment. Le lendemain, mon visage était si douloureux de tous ces coups. On est serrés comme des sardines ici. Je suis sûr que je n'ai jamais autant souffert de toute ma vie. La solution magique à tous les problèmes, c'est l'argent. Je veux dire que je n'ai jamais rien de mangeable dans ma gamelle. C'est comme si je devais me contenter de rations de survie sur une île déserte. Autour de moi, les gens sont pauvres mais j'ai eu tellement faim qu'il a fallu que je mendie un morceau de quelque chose pour calmer la douleur. J'ai perdu du poids. Il y a tant de souffrance ici.
> Aide-moi, je t'en prie.
> Ron

Pendant une période prolongée de dépression, Ron rompit toute communication avec le monde. Les surveillants le trouvèrent sur son lit, en chien de fusil, sans réaction.

Le 29 septembre, il s'ouvrit de nouveau les veines. Il prenait irrégulièrement ses médicaments et ne parlait que de suicide. On estima qu'il représentait une menace pour lui-même et on le transféra à l'hôpital Eastern State, à Vinita. Dès son entrée, il ne cessa de répéter : « On m'a infligé un traitement injustifié. »

Il eut un entretien avec un médecin de l'établissement, le Dr Lizarraga. Celui-ci trouva devant lui un homme de trente-six ans intoxiqué depuis de longues années par l'usage des stupéfiants et de l'alcool, pas rasé, portant de longs cheveux grisonnants et une moustache, en uniforme défraîchi de la prison, présentant des brûlures sur les jambes et des cicatrices sur les poignets, qu'il tournait ostensiblement vers le médecin. Il reconnut sans difficulté avoir commis des délits mais nia farouchement avoir tué Debbie Carter. L'injustice dont il était victime lui avait fait perdre toute envie de vivre.

Il resta trois mois à l'hôpital et son état se stabilisa. Il vit différents spécialistes – un neurologue, un psychologue, plusieurs psychiatres. Ils notèrent qu'il était instable sur le plan émotionnel, qu'il était égocentrique et avait une mauvaise opinion de lui-même, qu'il était parfois coupé de la réalité et sortait rapidement de ses gonds. Ses sautes d'humeur étaient frappantes.

Ron se montrait exigeant. À la longue, il devint agressif aussi bien avec le personnel qu'avec les autres patients. Ce comportement étant inacceptable, il fut renvoyé à McAlester. Le Dr Lizarraga prescrivit du carbonate de lithium, du Navane et du Cogentin, un médicament utilisé le plus souvent dans le traitement des symptômes de la maladie de Parkinson mais qui pouvait réduire les tremblements et la nervosité provoqués par les tranquillisants.

Pendant ce temps, à McAlester, un surveillant du nom de Savage s'était fait sauvagement agresser par un certain Mikell Patrick Smith, généralement tenu pour le tueur le plus dangereux de tout l'établissement pénitentiaire. Smith avait fixé un couteau à l'extrémité d'un manche à balai qu'il avait lancé à travers le passe-plat au moment où le gardien servait le déjeuner. La lame s'était enfoncée dans la poitrine et avait touché le cœur mais, par miracle, le surveillant s'en était sorti.

Deux ans auparavant, Smith avait poignardé un détenu.

L'agression n'avait pas eu lieu dans le couloir de la mort mais dans le Bloc D, où Mikell Smith était enfermé pour des raisons disciplinaires. Les autorités avaient déjà décidé qu'il fallait moderniser le couloir de la mort. La nouvelle de l'agression avait fait du bruit ; les crédits furent rapidement débloqués.

On dessina les plans de la nouvelle Unité H, destinée à « apporter le maximum de sécurité et de contrôle tout en offrant aux détenus et au personnel un environnement moderne et sûr pour vivre et travailler ». Elle contiendrait deux cents cellules sur deux niveaux, réparties en quatre sections.

D'emblée, le personnel de la prison avait déterminé les grandes orientations de la nouvelle installation. Dans l'atmosphère tendue provoquée par l'agression sur leur collègue, les surveillants avaient poussé à la création d'un bâtiment « sans contact ». Dès le lancement du projet, trente-cinq représentants du personnel avaient rencontré les architectes de Tulsa engagés par l'administration pénitentiaire.

Jamais un seul détenu du couloir de la mort ne s'était évadé de McAlester mais les architectes de l'Unité H avaient pourtant opté pour une construction enterrée.

Après deux années passées dans le couloir de la mort, la santé mentale de Ron se dégradait de plus en plus. Ses crises – hurlements, insultes lancées à tue-tête jour et nuit – allaient en empirant. Il devenait de plus en plus agressif, se mettait en rage pour un rien et jetait tout ce qui lui tombait sous la main. Il crachait pendant des heures dans le couloir et même, un jour, sur un surveillant. Mais quand il se mit à lancer ses excréments à travers les barreaux de la porte de sa cellule, c'en fut trop pour le personnel.

La fois suivante, un surveillant lança l'alerte : « Il recommence ! » et tout le monde se mit à l'abri. Le danger passé, on le sortit de sa cellule et on le reconduisit à Vinita pour une nouvelle évaluation.

Il resta un mois à l'hôpital Eastern State, entre juillet et août 1990, toujours suivi par le Dr Lizarraga, qui fit le même diagnostic. Au bout de trois semaines, Ron demanda à regagner la prison. Il pensait à son appel ; il avait le sentiment qu'il pourrait mieux s'y consacrer à McAlester, où il y avait une bibliothèque de droit. Son traitement était adapté, son état semblait stabilisé. On le renvoya dans le couloir de la mort.

12.

Après treize longues années passées à se dépêtrer des procédures d'appel, l'État de l'Oklahoma réussit enfin à fixer la date d'une exécution capitale. L'infortuné détenu se nommait Charles Troy Coleman, un Blanc qui avait tué trois personnes et croupissait depuis onze ans dans le couloir de la mort. Il y était le chef d'une petite bande qui aimait à provoquer des conflits entre prisonniers et l'idée de ne plus avoir à supporter sa présence n'attristait pas particulièrement ses voisins. D'un autre côté, les condamnés savaient que c'était mauvais signe. Si la machine se mettait en marche, elle ne s'arrêterait pas facilement.

L'exécution de Coleman fut un événement médiatisé ; les journalistes se pressaient devant les portes du pénitencier. Il y eut des veillées à la lueur des bougies, des interviews de victimes, de manifestants, de pasteurs, de curieux. La tension augmentait à mesure qu'approchait l'heure fatale.

Greg Wilhoit et Coleman étaient devenus proches malgré un désaccord sur le sujet de la peine de mort.

La nuit de l'exécution, le couloir de la mort, sévèrement gardé, était silencieux. Dehors, dans une effervescence qui évoquait le Nouvel An, la presse effectuait le compte à rebours des derniers moments du condamné. Dans sa cellule, Greg suivait l'événement à la télévision. Juste après minuit, la nouvelle se répandit : Charles Troy Coleman était mort.

Plusieurs détenus applaudirent en poussant des hourras. La plupart restèrent silencieux ; quelques-uns se mirent à prier.

Greg réagit d'une manière totalement inattendue. Submergé par l'émotion, il en voulut à ceux qui applaudissaient. Son ami avait perdu la vie mais le monde n'était pas plus sûr pour autant. L'exécution ne dissuaderait personne de commettre un meurtre. Greg savait comment fonctionnait un tueur et ce qui le poussait à passer à l'acte. La famille de la victime pouvait être satisfaite, et pourtant, cela ne lui permettrait pas de tourner la page. Élevé dans la foi de l'église méthodiste, Greg lisait la Bible tous les jours depuis quelque temps. Jésus n'avait-il pas enseigné le pardon des offenses ? S'il était mal de tuer, pourquoi les autorités avaient-elles le pouvoir de le faire ? Qui avait qualité pour décider de la mort d'un homme ? De tels arguments l'avaient souvent frappé mais ils prenaient maintenant une tout autre résonance.

L'exécution de Charles Coleman fut pour lui une révélation. Son opinion sur le sujet vira à cent quatre-vingts degrés. Il renonça à jamais à la loi du talion.

Il s'en ouvrit à Ron, qui se montra plutôt d'accord avec lui. Mais, dès le lendemain, ce dernier se présentait comme un partisan ardent de la peine de mort et réclamait que Ricky Joe Simmons soit abattu sur-le-champ.

Le 15 mai 1991, la cour d'appel de l'Oklahoma confirma à l'unanimité la culpabilité de Ron Williamson et la sentence de mort. Dans ses attendus, le juge Gary Lumpkin constatait un certain nombre de fautes commises pendant le procès mais les « preuves accablantes » apportées contre l'accusé l'emportaient de loin sur les erreurs insignifiantes commises par Barney Ward, la police, le procureur et le juge Jones. Le jugement ne précisait pas quelles preuves avaient été accablantes.

Bill Luker téléphona à Ron pour lui annoncer la mauvaise nouvelle. Il ne le prit pas trop mal : il avait étudié le pourvoi et s'était souvent entretenu avec Luker, qui l'avait mis en garde contre tout excès d'optimisme.

Au même moment, Dennis Fritz recevait la même mauvaise nouvelle de la même juridiction. Là aussi, les magistrats avaient constaté des erreurs mais les « preuves accablantes » avaient prévalu.

Dennis n'avait pas été impressionné par les arguments invoqués dans le pourvoi ; la confirmation du jugement ne fut pas une surprise pour lui. Après trois années passées à potasser des ouvrages juridiques, Dennis avait le sentiment d'en savoir plus long que son avocat.

Il était déçu mais ne baissa pas les bras. Comme Ron, il avait d'autres arguments à faire valoir devant d'autres juridictions. Pas question de renoncer. Mais, contrairement à Ron, Dennis était seul : comme il n'avait pas été condamné à la peine capitale, il ne bénéficiait pas de l'aide juridictionnelle pour la procédure d'appel.

La cour d'appel de l'Oklahoma ne se rangeait pourtant pas toujours aux thèses de l'accusation. Mark Barrett apprit avec ravissement le 16 avril 1991 que Greg Wilhoit aurait un nouveau procès. La cour d'appel avait été obligée de prendre en compte les insuffisances de son défenseur et avait décidé qu'il n'avait pas disposé d'une représentation adéquate.

Il convient pour celui qui risque sa tête de choisir soit le meilleur avocat soit le plus mauvais. Sans le savoir, Greg avait pris le plus mauvais, ce qui allait lui permettre d'être rejugé.

Quand un détenu quittait le couloir de la mort pour être emmené ailleurs, aucune explication n'était jamais fournie. Des matons entraient dans sa cellule et lui ordonnaient de s'habiller.

Greg savait qu'il avait gagné son appel. Quand les surveillants se présentèrent à la porte de sa cellule, il comprit que le grand jour était arrivé. « Prépare tes affaires », lança un maton. Deux minutes plus tard, après avoir rempli un carton de toutes ses possessions, il s'éloignait avec son escorte. Il ne put faire ses adieux à Ron, qu'on avait changé de cellule et qui se trouvait à l'autre bout du couloir. En sortant de McAlester, les pensées de Greg allèrent à l'ami qu'il laissait derrière les murs du pénitencier.

Quand il arriva à la prison du comté d'Osage, Mark Barrett obtint du juge qu'il fixe rapidement le montant de la caution. Toujours sous le coup d'une condamnation à mort, Greg n'était pas vraiment un homme libre. Au lieu de demander, comme c'était souvent le cas, une somme exorbitante, le juge fixa la caution à cinquante mille dollars, une somme que les parents et les sœurs de Greg furent en mesure de réunir rapidement.

Après cinq années passées en prison dont quatre dans le couloir de la mort, Greg était libre. Il ne retournerait pas derrière les barreaux.

La construction de l'Unité H avait commencé en 1990. Sol, murs, plafonds, lits et étagères, tout était en béton. Pas de métal, pour éviter que les détenus se fabriquent des armes. Il y avait des barreaux et du verre mais pas dans les cellules.

Les travaux achevés, on recouvrit le bâtiment de terre. Économie d'énergie, telle fut la raison officielle. La lumière naturelle et la ventilation étaient exclues.

Pour l'inauguration de l'Unité H, en septembre 1991, la direction donna une grande fête. On invita des huiles, on coupa des rubans. On demanda à la fanfare de la prison de jouer quelques morceaux. On organisa des visites des nouveaux locaux – les futurs locataires étaient encore dans la Grande Maison. On donna à des invités la possibilité de payer pour passer une nuit sur un lit de béton tout neuf, dans la cellule de leur choix.

Les festivités terminées, quelques détenus considérés comme non dangereux furent enfermés sous une surveillance attentive dans les nouveaux locaux pour voir quelles bêtises ils pourraient commettre. Ayant acquis la certitude que l'Unité H était solide, fonctionnelle et que toute évasion était impossible, les autorités décidèrent qu'il était temps d'y envoyer les durs du Bloc F.

Les récriminations ne se firent pas attendre. Pas de fenêtres, ni lumière du jour ni air pur. Sous les doubles plafonds, les cellules étaient trop petites pour deux hommes. Les lits de béton, trop durs, n'étaient séparés que par quatre-vingt-dix centimètres. Le combiné lavabo-toilettes en inox était coincé entre les deux ; lorsqu'un détenu allait à la selle, son compagnon de cellule était aux premières loges. Les portes étaient disposées de telle manière que toute conversation – une activité vitale – devenait impossible. Les locaux avaient non seulement été conçus pour éviter le contact physique entre les détenus et le personnel mais pour isoler les prisonniers. La nourriture était encore pire que dans le Bloc F. La cour, l'endroit le plus apprécié dans la journée, se réduisait à une enceinte de béton plus petite qu'un court de tennis. Les murs faisaient cinq mètres cinquante de hauteur et tout l'espace était recouvert par une épaisse grille empêchant le puits de lumière de jouer pleinement son rôle. Impossible de voir un seul brin d'herbe.

Le béton n'avait reçu ni revêtement d'étanchéité ni peinture. Il y avait de la poussière partout. Elle s'amoncelait dans les coins des cellules, s'accrochait aux plafonds, restait en suspension dans l'air et pénétrait dans les poumons des prisonniers. Il n'était pas rare qu'un avocat, après une visite à un client, sorte de la prison en toussant.

Le système de ventilation ultramoderne était « fermé », ce qui signifiait que la circulation de l'air était intérieure au bâtiment, sans apport extérieur. C'était supportable, sauf quand il y avait des coupures d'électricité, ce qui arrivait souvent, pendant qu'on réparait le système.

Leslie Delk, une avocate de l'aide juridictionnelle commise à la défense de Ron, abordait ces différents problèmes dans une lettre adressée à un de ses confrères qui avait porté plainte contre le pénitencier :

> La situation alimentaire est affreuse et presque tous mes clients sont amaigris. L'un d'eux a perdu quarante kilos en dix mois. J'en ai fait part à la direction qui m'a évidemment assuré que tout allait bien. J'ai découvert à l'occasion d'une récente visite à l'infirmerie que les repas viennent de l'ancienne prison, où ils sont préparés. À leur arrivée à l'Unité H, certains détenus sont chargés de faire le service. Comme on leur a dit qu'ils pourraient manger les restes, les portions distribuées aux condamnés à mort sont réduites de moitié par rapport à celles des autres prisonniers. J'ai cru comprendre qu'il n'y a aucun contrôle de la nourriture quand elle est placée sur les plateaux dans l'Unité H. Tous mes clients se plaignent d'avoir des repas froids, une nourriture si mal cuisinée qu'elle rend les détenus malades et des portions si réduites que la plupart d'entre eux sont obligés de faire des achats à la cantine pour avoir assez à manger. La cantine est le magasin de la prison, qui fixe librement le prix de la nourriture en vente. (En général, beaucoup plus élevé qu'à l'extérieur.) La plupart de mes clients n'ayant pas de famille en mesure de les aider, ils ne peuvent rien acheter à la cantine.

L'Unité H fut donc une mauvaise surprise pour les détenus. Après les rumeurs qui avaient couru pendant deux ans sur la construction de locaux ultramodernes d'un coût de onze millions de dollars, il furent horrifiés en découvrant cette prison souterraine, offrant moins d'espace et plus de restrictions que le Bloc F.

Ron partageait une cellule avec Rick Rojem, pensionnaire du couloir de la mort depuis 1985, qui exerçait sur lui une influence apaisante. Rick était bouddhiste. Il passait des heures en méditation et aimait jouer de la guitare. Toute intimité était impossible dans la cellule exiguë mais ils tendirent une couverture entre les deux lits pour essayer de se ménager un espace plus intime.

Rojem s'inquiétait pour son compagnon d'infortune. Ron avait perdu tout intérêt pour la lecture et il était incapable de fixer son esprit sur un sujet de conversation. Il prenait des médicaments d'une manière irrégulière mais ne suivait pas un traitement adéquat. Il dormait plusieurs heures d'affilée, puis il tournait toute la nuit dans la petite cellule en marmonnant des paroles incohérentes ou en s'abandonnant à des accès de délire. Après quoi, il se plaçait devant la porte et poussait des cris déchirants. Rick, qui vivait avec lui vingt-trois heures par jour, le voyait sombrer dans la démence et restait impuissant.

Ron perdit quarante kilos dans l'Unité H. Avec ses cheveux devenus gris, il avait l'air d'un spectre.

Un jour, au parloir, Annette se demanda qui était le vieillard desséché qu'elle voyait entrer. Elle n'avait pas reconnu son frère.

« J'ai vu les surveillants amener cet homme aux cheveux longs, au visage émacié, qui n'avait plus que la peau sur les os, tellement changé que je ne l'aurais pas reconnu si je l'avais croisé dans la rue. En rentrant chez moi, j'ai écrit au directeur pour lui demander de faire le test du sida à Ronnie. Il était squelettique et avec tout ce qu'on raconte sur ce qui se passe en prison, je voulais savoir s'il avait le sida. »

Le directeur l'assura dans sa réponse que Ron n'était pas atteint du sida. Annette écrivit aussitôt une autre lettre pour se plaindre de la nourriture et des prix élevés pratiqués à la cantine dont les bénéfices étaient versés à une caisse destinée à financer l'achat de matériel de sport pour les surveillants.

En 1992, la prison fit appel à un psychiatre du nom de Ken Foster. À son premier entretien avec Ron Williamson, il se trouva en face d'un homme débraillé, désorienté, coupé de la réalité, très amaigri, en mauvais état physique. Il lui sauta aux yeux que ce détenu était mal parti.

L'état mental de Ron était encore pire. Ses crises et ses vociférations n'avaient aucune commune mesure avec les revendications des détenus, et le personnel était conscient qu'il avait perdu le contact avec la réalité. Le Dr Foster, qui assista à plusieurs crises de Ron, constata qu'elles tournaient autour de trois thèmes principaux : 1. Ron était innocent ; 2. Ricky Joe Simmons avait avoué le meurtre et devait être jugé ; 3. Ron souffrait énormément, surtout dans la poitrine, et il avait peur de bientôt mourir.

Les symptômes étaient évidents et pourtant les dossiers médicaux consultés par le psychiatre indiquaient que Ron ne recevait aucun traitement depuis longtemps. L'absence de médication pour un malade tel que Ron provoque en général l'apparition de troubles psychotiques.

Le Dr Foster nota : « La réaction psychotique et la détérioration de l'état mental qui l'accompagne sont aggravées par les multiples tensions subies par celui qui vit dans l'environnement du couloir de la mort et qui sait qu'il sera exécuté. L'échelle GAF utilisée dans les manuels de santé mentale qui font autorité considère l'emprisonnement comme un facteur de stress catastrophique. »

Impossible d'estimer l'ampleur de cette catastrophe pour un innocent.

Le Dr Foster décida que Ron avait besoin d'un traitement plus adapté et administré dans un meilleur environnement. Ron serait toujours malade mais des améliorations étaient envisageables, même pour un condamné à mort. Le psychiatre ne tarda pas à apprendre que l'aide aux prisonniers malades n'était vraiment pas une priorité.

Il eut un entretien avec James Saffle, un directeur régional de l'administration pénitentiaire, un autre avec Dan Reynolds, le directeur de McAlester. Les deux fonctionnaires connaissaient bien Ron Williamson et étaient au courant de ses problèmes ; ils avaient des sujets de préoccupation plus importants.

Ken Foster était un esprit opiniâtre et indépendant, qui détestait les décisions bureaucratiques et voulait sincèrement aider ses patients. Il ne cessait d'adresser des rapports à Saffle et à Reynolds pour les informer en détail de la gravité des problèmes mentaux et physiques de Ron. Il obtint de Reynolds la tenue d'une réunion hebdomadaire afin de passer en revue la situation des détenus. Le psychiatre n'oubliait jamais Ron. Il s'entretenait tous les jours avec un adjoint du directeur pour faire le point sur ses patients et s'assurer que ses comptes rendus étaient transmis au directeur du pénitencier.

Le Dr Foster expliquait inlassablement que Ron ne bénéficiait pas des soins dont il avait besoin et que sa santé mentale et physique se dégradait, faute de traitement adéquat. Il s'offusquait du refus de la direction de transférer Ron dans l'Unité de soins spéciaux, qui se trouvait tout près de l'Unité H.

Les détenus atteints de sérieux problèmes mentaux étaient normalement transférés dans l'Unité de soins spéciaux mais la politique de l'administration en interdisait l'accès aux condamnés du couloir de la mort. La raison officielle restait vague ; les avocats des détenus soupçonnaient que cette politique avait été instaurée pour permettre d'accélérer les exécutions. Si un pensionnaire du couloir de la mort souffrant de graves troubles mentaux subissait une évaluation psychologique, il pouvait être déclaré irresponsable et échapper ainsi à l'exécution capitale.

Mise en question à de nombreuses reprises, cette politique demeurait intangible.

Il en fallait plus pour décourager Ken Foster. Le psychiatre expliquait sans se lasser à Saffle et à Reynolds qu'il ne pouvait traiter correctement Ron Williamson sans qu'il soit placé dans l'Unité de soins spéciaux, où il serait en mesure de surveiller son état et d'adapter son traitement. Mais Dan Reynolds restait inébranlable : il ne voyait pas la nécessité de transférer Ron dans l'Unité de soins spéciaux ni de lui donner un traitement adapté. « Ne vous compliquez pas la vie avec les détenus de l'Unité H, répétait-il. De toute façon, ils vont mourir. »

Excédé par les interventions du psychiatre en faveur de Ron, le directeur finit par lui interdire l'accès de la prison. Dès que l'interdiction fut levée, Ken Foster revint à la charge. Il lui fallut quatre ans pour avoir gain de cause.

Après le rejet de son appel direct, le dossier de Ron passa à l'étape suivante, qui devait permettre de présenter de nouveaux éléments de preuve non évoqués au procès.

Comme cela se faisait à l'époque, Bill Luker transmit le dossier à Leslie Delk, l'avocate du bureau de l'aide juridictionnelle. Elle se fixa comme priorité d'obtenir pour son client un meilleur traitement médical. Déjà, dans le Bloc F, elle avait compris que Ron était très malade. Après son transfert dans l'Unité H, son état devint un sujet d'inquiétude.

Leslie Delk n'était ni psychologue ni psychiatre mais elle avait reçu une formation poussée dans la détection et la nature des maladies mentales. Une partie de son travail d'avocate consistait à déterminer ces problèmes et à les traiter comme il convenait. Elle s'appuyait pour ce faire sur l'opinion de spécialistes mais, avec Ron, c'était difficile, car un examen approfondi était impossible. Personne dans l'Unité H n'avait le droit de se trouver dans la même pièce que le condamné, pas même son avocat. Il fallait tant bien que mal examiner Ron à travers une paroi de verre et lui parler au téléphone.

Leslie Delk demanda au Dr Pat Fleming de réaliser une évaluation psychologique du détenu, conformément aux règles de la procédure d'appel. Le Dr Fleming fit trois tentatives sans réussir à poser un diagnostic. Le patient était agité, et refusait de coopérer, il délirait, avait des hallucinations. Le personnel informa la psychiatre que ce comportement n'était pas rare. Il s'agissait à l'évidence d'un homme très perturbé qui n'était pas en état d'aider son avocat. Elle n'avait pu mener à bien son évaluation, n'ayant pas été autorisée à avoir un entretien confidentiel pour l'interroger, l'observer et le soumettre à des tests.

La psychiatre s'entretint avec le médecin de l'Unité H et lui fit part de ses inquiétudes. On l'assura que Ron avait été examiné par des spécialistes employés par la prison mais elle ne constata aucune amélioration. Elle recommanda fermement un séjour prolongé à l'hôpital d'Eastern State afin de stabiliser l'état de Ron et de l'évaluer correctement.

Sa recommandation resta lettre morte.

Leslie Delk harcela les autorités du pénitencier. Elle vit le personnel de surveillance, le personnel médical et des membres de la direction pour se plaindre et exiger un meilleur traitement.

On lui fit des promesses qui ne furent pas tenues. On fit des petits gestes – des modifications légères de ses médicaments – sans plus. Elle exprima ses doléances dans une suite de lettres adressées à la direction. Elle venait voir Ron aussi souvent que possible. Son état, pensait-elle, ne pouvait pas empirer. Elle se trompait. Elle commença à craindre pour sa vie.

Tandis que le personnel médical faisait de son mieux pour traiter Ron, les surveillants s'amusaient à ses dépens. Pour se distraire, quelques matons jouaient avec l'interphone tout neuf de l'Unité H. Chaque cellule était reliée par un appareil de communication intérieure à la salle de contrôle, un gadget de plus pour permettre aux surveillants de rester aussi loin que possible des détenus. Pas assez loin, encore.

— Ron, c'est Dieu, lançait en pleine nuit une voix sépulcrale. Pourquoi as-tu tué Debbie Carter ?

Un silence, puis les surveillants se mettaient à ricaner quand ils entendaient hurler à travers la porte.

— Je n'ai tué personne ! Je suis innocent !

Sa voix rauque et grave se répercutait dans le couloir sud-est, déchirant le silence de la nuit. La crise durait une heure ; elle empêchait les autres détenus de dormir mais amusait beaucoup les matons.

Dès que le calme était revenu, la voix se faisait de nouveau entendre.

— Ron, c'est Debbie Carter. Pourquoi m'as-tu tuée ?

Les cris déchirants recommençaient de plus belle.

— Ron, c'est Charlie Carter. Pourquoi as-tu tué ma fille ?

Les autres détenus imploraient les surveillants de cesser leur petit jeu mais ils s'amusaient trop. Rick Rojem pensait que deux des matons en particulier étaient de vrais sadiques. La torture dura plusieurs mois.

— Ne t'occupe pas d'eux, répétait Rick à son compagnon de cellule. Si tu ne réagis pas, ils arrêteront.

Ron ne comprenait pas. Il était déterminé à convaincre de son innocence tous ceux qui l'entouraient ; beugler de toutes ses forces lui semblait être le meilleur moyen d'y parvenir. Souvent, quand il ne pouvait plus crier, quand il était épuisé ou trop enroué pour continuer, il collait son visage sur l'interphone et débitait en chuchotant des propos incohérents pendant des heures.

Quand Leslie Delk fut informée du petit jeu auquel se livraient les surveillants, elle envoya au responsable de l'Unité H une lettre incendiaire, en date du 12 octobre 1992 :

> J'ai déjà mentionné que j'avais appris de différentes sources que Ron était harcelé à l'interphone par certains surveillants qui trouvent apparemment très drôle de torturer les « cinglés » pour les faire réagir. Les mêmes échos me reviennent. J'ai appris récemment que le surveillant Martin s'était arrêté devant la porte de Ron et avait commencé à le harceler et à se moquer de lui. (J'ai cru comprendre que ces railleries tournent autour de deux noms : Ricky Joe Simmons et Debra Sue Carter.) On m'a rapporté que son collègue Reading était intervenu pour demander au surveillant Martin de changer de comportement mais qu'il lui avait fallu insister pour que Martin arrête.
>
> J'ai eu confirmation de différentes sources que le surveillant Martin est l'un de ceux qui harcèlent régulièrement Ron. J'aimerais savoir s'il vous est possible de mener une enquête et de prendre les mesures appropriées. Il serait peut-être bénéfique d'organiser des séances de formation pour les surveillants amenés à s'occuper des détenus présentant des troubles mentaux.

Tous les gardiens n'étaient pas cruels. Une surveillante s'arrêta une nuit devant la cellule de Ron pour échanger quelques mots avec lui. Il avait une mine épouvantable. Il lui confia qu'il mourait de faim, qu'il n'avait pas mangé depuis plusieurs jours. Elle le crut. Elle s'éloigna et revint quelques minutes plus tard avec un pot de beurre de cacahuètes et une tranche de pain rassis.

Dans une lettre à Renee, Ron raconta qu'il avait fait un « festin » et s'était tellement régalé qu'il n'avait pas laissé une miette.

Kim Marks, enquêtrice du Système de défense des indigents de l'Oklahoma, passa plus de temps avec Ron dans l'Unité H que n'importe qui d'autre. Quand on lui confia le dossier, elle commença par étudier les procès-verbaux d'audience, les rapports de police et les pièces à conviction. C'était une ancienne journaliste que sa curiosité poussa à mettre en question la culpabilité de Ron.

Elle dressa une liste des suspects potentiels – douze en tout, qui avaient pour la plupart un casier judiciaire chargé. Glen Gore arrivait en tête de cette liste, pour des raisons évidentes. Il avait été vu en compagnie de Debbie le soir du meurtre. Comme ils se connaissaient depuis des années, il avait pu entrer chez elle sans avoir à forcer sa porte. Il avait des antécédents de violence avec les femmes. Pour finir, il avait orienté les recherches vers Ron.

Pourquoi la police s'était-elle si peu intéressée à Gore ? Plus Kim Marks se plongeait dans l'étude des rapports de police et des procès-verbaux d'audience, plus elle était convaincue du bien-fondé des protestations de Ron.

Elle allait souvent le voir dans l'Unité H et, tout comme Leslie Delk, assistait à sa déchéance. Elle éprouvait à chaque visite un mélange de curiosité et d'appréhension. Jamais elle n'avait vu un détenu vieillir aussi rapidement. Ses cheveux étaient chaque fois un peu plus gris, et il n'avait pas quarante ans. Il était d'une pâleur cadavérique, ses habits crasseux flottaient sur son corps décharné. Dans ses yeux creusés se lisait une angoisse indicible.

Une grande partie du travail de Kim Marks consistait à déterminer si un client souffrait de troubles mentaux, puis à essayer de trouver un traitement adéquat mais aussi des experts susceptibles d'en témoigner. Il était évident pour Kim (comme pour tout observateur) que Ron était atteint de troubles mentaux et qu'il en avait conscience. Comme le Dr Foster, elle s'était heurtée au refus de l'administration qui interdisait l'accès à l'Unité de soins spéciaux aux condamnés à mort et, comme elle, elle allait mener ce combat pendant des années.

Kim réussit à se procurer la bande du deuxième interrogatoire de Ron, sous détecteur de mensonge, fait en 1983. Dépression, cyclothymie et peut-être schizophrénie avaient déjà été diagnostiquées mais il se montrait alors cohérent, se contrôlait et réussissait à se présenter comme un individu normal. Neuf ans plus tard, il n'y avait plus rien de normal chez lui. Il délirait, il avait perdu le contact avec la réalité, il était rongé par des obsessions – Ricky Joe Simmons, la religion, les mensonges des témoins, le manque d'argent, Debbie Carter, la justice, sa musique, le procès qu'il intenterait un jour à l'État de l'Oklahoma, sa carrière sportive avortée, les mauvais traitements et les injustices dont il était victime.

En interrogeant le personnel de surveillance, Kim Marks apprit que Ron était capable de hurler pendant toute une journée. Elle en eut un aperçu alors qu'elle se trouvait dans les toilettes de l'Unité H, où elle l'entendit beugler comme un malade par un conduit d'aération qui portait les sons du couloir où se trouvait la cellule de Ron.

Bouleversée, elle redoubla ses efforts avec l'aide de Leslie pour obliger la direction à mieux traiter Ron. Elles demandèrent que l'on fasse une exception pour le transférer dans l'Unité de soins spéciaux. Elles insistèrent pour que l'on effectue une évaluation psychologique à l'hôpital Eastern State.

La direction leur opposa une fin de non-recevoir.

En juin 1992, Leslie Delk fit une demande d'audience pour déterminer si Ron était apte à passer en jugement dans le comté de Pontotoc. Bill Peterson protesta et le juge rejeta la demande.

Elle fit immédiatement appel de ce refus devant la cour d'appel de l'Oklahoma, qui le confirma.

En juillet, Leslie rédigea une autre demande, cette fois de mise en liberté, fondée sur le volumineux dossier médical de Ron. Elle arguait que la question de son aptitude à passer en jugement aurait dû être abordée pendant le procès. Deux mois plus tard, cette demande fut, elle aussi, rejetée et Leslie se tourna de nouveau vers la cour d'appel de l'Oklahoma.

Comme il fallait s'y attendre, elle perdit encore. L'étape suivante était la saisine – sans espoir – de la Cour suprême des États-Unis. Au bout d'un an, la Cour fit connaître sa décision : le pourvoi était rejeté. D'autres demandes furent faites et rejetées. Le 26 août 1994, toutes les voies de recours ayant été épuisées, la cour d'appel de l'Oklahoma fixa la date de l'exécution de Ron Williamson au 27 septembre de la même année.

Il avait passé six ans et quatre mois dans le couloir de la mort.

Après deux années de liberté, Greg Wilhoit se retrouvait au tribunal pour être de nouveau jugé pour le meurtre de son épouse.

Après sa sortie de McAlester, il était retourné à Tulsa en s'efforçant de reconstruire une vie à peu près normale. Ce n'était pas facile. Il conservait des cicatrices affectives et psychologiques de l'épreuve qu'il venait de traverser. Ses deux filles de huit et neuf ans, élevées par un couple d'amis de son église, deux professeurs, avaient une vie stable. Ses parents et ses sœurs lui apportaient un soutien qui ne s'était jamais démenti.

Son affaire avait attiré l'attention. Son défenseur en première instance, George Briggs, avait passé l'arme à gauche après avoir été radié du barreau de l'Oklahoma. À la suite de quoi, plusieurs avocats de premier plan l'avaient appelé pour lui proposer de le représenter. Les avocats sont attirés par les caméras comme les fourmis par un pique-nique. Cela amusait Greg de voir son dossier susciter autant d'intérêt.

Le choix de son défenseur s'imposait. Mark Barrett, devenu un ami, avait obtenu sa mise en liberté ; il comptait sur lui pour l'innocenter définitivement.

Dans le premier procès, le témoignage le plus préjudiciable avait été celui des deux experts « en morsure ». Les deux fonctionnaires avaient affirmé au jury que les marques découvertes sur la poitrine de Kathy Wilhoit avaient été faites par le mari dont elle était séparée. La famille Wilhoit trouva un autre expert réputé, le Dr Thomas Krauss, de Kansas City. Le Dr Krauss fut frappé quant à lui par les différences entre l'empreinte de la denture de Greg et les marques trouvées sur le corps de la victime.

Mark Barrett envoya l'empreinte de Greg à onze autres experts reconnus sur le plan national, à qui il arrivait souvent de témoigner pour le ministère public. Au nombre de ces experts se trouvait le consultant numéro un du FBI et celui qui avait témoigné contre Ted Bundy. Le verdict fut unanime : les douze experts conclurent que l'empreinte de la denture ne pouvait être celle de Greg Wilhoit. Aucun doute n'était permis.

Un expert cité par la défense identifia vingt différences majeures entre la denture de Greg et les marques de morsure. Chacune d'elles disculpait Greg.

Mais le procureur continuait de réclamer un procès, qui tourna rapidement à la farce. Mark Barrett parvint à discréditer les deux experts de l'accusation et détruisit la crédibilité du spécialiste des empreintes génétiques cité par le ministère public.

Après le réquisitoire du procureur, Mark Barrett demanda avec force que soient rejetés les éléments de preuve présentés par l'accusation et que soit prononcé un verdict en faveur de Greg Wilhoit. Le juge ordonna une suspension d'audience pour le déjeuner. À la reprise de l'audience, en présence du jury, le magistrat, contrairement à toute attente, annonça que la demande de la défense était acceptée. Il prononçait le non-lieu.

— Monsieur Wilhoit, déclara-t-il, vous êtes maintenant un homme libre.

Après une longue nuit de fête avec sa famille et ses amis, Greg fila à l'aéroport et s'envola pour la Californie. Il ne reviendrait dans l'Oklahoma que pour rendre visite à sa famille et prendre part à la lutte contre la peine de mort. Huit ans après l'assassinat de Kathy, il avait recouvré la liberté.

En focalisant leur attention sur un suspect qui n'était pas le bon, la police et le procureur avaient laissé s'effacer la piste du véritable tueur. Il n'a, à ce jour, pas été identifié.

Les exécutions capitales allaient bon train dans l'Unité H. Le 10 mars 1992, Robyn Leroy Parks, un Noir de quarante-trois ans, reçut une injection létale pour le meurtre d'un pompiste commis en 1978. Il était resté treize ans dans le couloir de la mort.

Trois jours plus tard, Olan Randle Robison, un Blanc de quarante-six ans, fut exécuté pour l'assassinat d'un couple chez qui il avait pénétré par effraction.

Ron Williamson serait le troisième pensionnaire de l'Unité H à être sanglé sur un lit roulant avant de recevoir l'injection mortelle.

Le 30 août 1994, Ron découvrit devant la porte de sa cellule une escouade de matons au visage fermé et menaçant venus le chercher pour le conduire quelque part. On lui passa les menottes, on lui attacha les chevilles et on réunit les entraves par une chaîne passant sur son ventre. C'était sérieux.

Ron était sale, pas rasé, décharné et instable, comme de coutume. Les surveillants, parmi lesquels se trouvait Martin, étaient au nombre de cinq.

On le fit sortir de l'Unité H et monter dans une camionnette qui parcourut quelques centaines de mètres et s'arrêta devant les bureaux de l'administration, à l'entrée du pénitencier. Il entra avec son escorte dans le bureau du directeur, une pièce meublée d'une longue table autour de laquelle de nombreuses personnes se préparaient à assister à quelque chose de dramatique. Toujours enchaîné et surveillé de près par les gardiens, il prit place à un bout de la table, face au directeur qui ouvrit la séance en présentant Ron à tous ceux qui attendaient, la mine sinistre, autour de la table.

Les politesses terminées, le directeur remit à Ron la copie d'une « notification » qu'il commença à lire à voix haute.

> Vous avez été condamné à mort pour meurtre. L'exécution aura lieu le mardi 27 septembre 1994, à 00 h 01. Le but de cette réunion est de vous informer des règles et des procédures à suivre d'ici là et de discuter de certains privilèges qui pourront vous être accordés.

Bouleversé, Ron affirma qu'il n'avait tué personne. Peut-être avait-il fait des choses assez moches dans sa vie mais jamais un meurtre.

Le directeur poursuivit sa lecture. Ron répéta qu'il n'avait pas tué Debbie Carter.

Le directeur et le responsable de l'Unité H discutèrent quelques minutes avec lui et réussirent à le calmer. Ils n'étaient pas là pour le juger, juste pour suivre les règles et les procédures.

Ron avait la bande vidéo où Ricky Joe Simmons avouait le crime ; il tenait à la montrer au directeur. Il nia encore une fois avoir tué Debbie Carter et marmonna qu'il passerait à la télévision à Ada pour proclamer son innocence. Il indiqua que sa sœur avait fait des études supérieures à Ada.

Le directeur reprit sa lecture.

> Le matin précédant la date de l'exécution, vous serez placé dans une cellule spéciale où vous resterez jusqu'à l'heure de l'exécution, sous la surveillance constante de gardiens.

Ron l'interrompit en hurlant qu'il n'avait pas tué Debbie Carter.

Le directeur poursuivit sa lecture, plusieurs pages relatives aux visites, aux effets personnels et aux dispositions à prendre pour les obsèques. Ron cessa d'écouter et prit un air absent.

— Que faudra-t-il faire de votre corps ? demanda le directeur.

Ron ne s'attendait pas à cette question. Il proposa au bout d'un moment de l'envoyer à Annette.

Comme il n'avait pas de questions à poser, après avoir affirmé qu'il avait tout compris, on le reconduisit dans sa cellule. Le compte à rebours commença.

Il oublia d'appeler Annette. Quarante-huit heures plus tard, elle trouva dans le courrier une enveloppe du pénitencier de McAlester. L'enveloppe contenait une lettre signée par un sous-directeur.

> Madame Hudson,
> J'ai le devoir de vous informer que la date de l'exécution de votre frère, Ronald Keith Williamson, numéro d'écrou 134846, a été fixée au mardi 27 septembre 1994, à 00 h 01, au pénitencier d'État de l'Oklahoma.
> Pendant la journée précédant l'exécution, les visites seront limitées à des pasteurs, à l'avocat du condamné et à deux autres personnes autorisées par le directeur de l'établissement.
> Aussi pénible que ce soit, il convient d'envisager de prendre des dispositions pour les obsèques, qui seront de la responsabilité de la famille. Si cette responsabilité ne peut être assumée par la famille, l'État de l'Oklahoma se chargera de l'inhumation. Ayez l'obligeance de m'informer de votre décision.
> Croyez à toute ma sympathie.
> Ken Klingler

Annette téléphona à Renee pour lui annoncer l'horrible nouvelle. Désespérées, elles essayèrent mutuellement de se convaincre que ce n'était pas vrai. Elles se rappelèrent pour décider d'un commun accord de ne pas ramener le corps à Ada. Elles ne voulaient pas qu'il soit offert aux regards des curieux venus flâner chez Criswell, le salon funéraire. Elles préféraient un service funèbre et une inhumation à McAlester, dans l'intimité. Seuls les proches seraient invités.

Elles furent informées par le pénitencier qu'elles pourraient assister à l'exécution. Renee ne s'en sentait pas capable. Annette était décidée à assister Ron dans ses derniers moments.

La nouvelle se propagea dans la ville. Peggy Stillwell fut surprise d'apprendre par la chaîne locale de télévision qu'une date avait été fixée pour l'exécution de Ron Williamson. Une bonne nouvelle, certes, mais elle était furieuse de ne pas en avoir été informée personnellement. On lui avait promis qu'elle pourrait assister à l'exécution et elle comptait bien y aller.

Annette s'enferma chez elle ; elle refusait de reconnaître la réalité. Ces derniers temps, ses visites au pénitencier étaient devenues plus espacées et plus courtes. Ronnie n'avait plus toute sa tête : il criait après elle ou faisait comme si elle n'était pas là. Elle était repartie plusieurs fois après l'avoir vu moins de cinq minutes.

13.

Quand les juridictions de l'Oklahoma en eurent terminé avec l'affaire Williamson et que la date de l'exécution fut fixée, les avocats de Ron se tournèrent vers les tribunaux fédéraux pour passer à l'étape suivante des procédures d'appel, à savoir obtenir l'ordonnance d'*habeas corpus* qui enjoint de produire le « corps » du détenu devant le tribunal pour déterminer la légalité de sa détention.

Le dossier Williamson fut confié à Janet Chesley, une avocate du Système de défense des indigents de Norman, qui avait une longue habitude de cette procédure et du rythme frénétique des requêtes et des recours in extremis. Au cours d'un entretien, elle expliqua à Ron le déroulement de la démarche et l'assura qu'il bénéficierait d'un sursis. En règle générale, ses clients, malgré leur angoisse, lui faisaient confiance : personne n'était mis à mort avant la fin des recours. Il en allait différemment pour Ron. Connaître la date de son rendez-vous avec la mort l'avait enfoncé un peu plus dans la démence. Il comptait les jours, incapable d'ajouter foi aux promesses de Janet. L'horloge continuait de tourner. La salle d'exécution l'attendait.

Une semaine s'écoula, puis une autre. Ron passait des heures à prier et à lire la Bible. Il dormait beaucoup et ne hurlait plus ; ses médicaments étaient généreusement administrés. Le couloir de la mort était silencieux. Attentifs au comportement de

Ron, les autres condamnés se demandaient si ce malade mental allait réellement être exécuté.

La troisième semaine s'acheva.

La cour fédérale pour le District est de l'Oklahoma a son siège à Muskogee. En 1994, elle comptait deux juges qui ne raffolaient ni l'un ni l'autre de la procédure d'*habeas corpus* ni des nombreuses actions intentées contre les établissements pénitentiaires. Tous les détenus avaient des griefs ; la plupart se prétendaient innocents et victimes d'abus. Les condamnés du couloir de la mort disposaient de vrais avocats – certains venant de gros cabinets faisaient du bénévolat. Les recours étaient volumineux, ingénieux et ne pouvaient être traités par-dessus la jambe. La plupart des prisonniers non représentés par un avocat bénéficiaient de l'aide de certains détenus qui occupaient les bibliothèques juridiques des prisons et vendaient des conseils avisés contre quelques cigarettes. Ceux qui ne faisaient pas de demande d'*habeas corpus* portaient plainte contre la nourriture, les douches froides, la méchanceté des surveillants, les menottes trop serrées, l'absence de lumière du jour. La liste n'avait pas de fin.

Dépourvues de valeur pour la plupart, ces plaintes étaient rejetées et transmises à la cour d'appel du 10e Circuit, à Denver, siège du district fédéral comprenant l'Oklahoma.

La demande d'*habeas corpus* envoyée par Janet Chesley atterrit sur le bureau du juge Frank Seay. Nommé par l'administration de Jimmy Carter, il exerçait depuis 1979. Originaire de Seminole, il avait occupé pendant onze ans la charge de juge d'instance du 22e district, auquel appartenait le comté de Pontotoc. Il connaissait le tribunal d'Ada, la ville et ses avocats.

En mai 1971, le juge Seay s'était rendu à Asher pour prononcer un discours au lycée de la ville à l'occasion de la remise des diplômes. Un des dix-sept élèves de terminale s'appelait Ron Williamson.

En poste depuis quinze ans, le magistrat ne voyait pas d'un bon œil les demandes d'*habeas corpus* qui arrivaient sur son bureau. La requête concernant Ron Williamson lui parvint quelques jours avant la date de l'exécution. Il soupçonnait – en fait, il savait – que les avocats des condamnés à mort attendaient le dernier moment pour adresser leurs requêtes aux juges fédéraux afin de les obliger à accorder un sursis le temps de régler la paperasse. Il se demandait souvent comment réagissait le pauvre bougre qui comptait les heures dans le couloir de la mort pendant que ses avocats tentaient leur coup de poker.

C'était de bonne guerre, certes, mais le juge Seay n'appréciait pas le procédé. Il avait déjà accordé quelques sursis mais jamais un nouveau procès pour *habeas corpus*.

Comme les autres, la requête Williamson passa d'abord entre les mains de Jim Payne. Payne était connu pour ses penchants conservateurs et son aversion de l'*habeas corpus* mais il était aussi réputé pour son sens inné de la justice. Son travail consistait depuis de longues années à se plonger dans l'étude des demandes d'*habeas corpus* pour tenter d'y trouver des arguments justifiés. Le cas était rare mais suffisamment fréquent pour que cette lecture reste intéressante.

Aux yeux de Jim Payne, ce travail était de la plus haute importance. S'il laissait passer quelque chose dans la masse de requêtes et de procès-verbaux, un innocent pouvait être exécuté.

La demande de Janet Chesley était si bien rédigée qu'elle retint son attention dès le premier paragraphe. À peine eut-il terminé sa lecture qu'il avait des doutes sur l'équité du procès de Ron. Les arguments de Janet tournaient autour des insuffisances de son avocat, de son état mental et du manque de fiabilité des analyses des poils.

Jim Payne emporta le dossier chez lui pour le lire le soir. Le lendemain matin, il s'entretint avec le juge Seay et recommanda un sursis. Le juge le tenait en haute estime ; après une longue discussion, il accepta d'ajourner l'exécution.

Après avoir compté les heures et prié avec ferveur pendant vingt-trois jours, Ron fut informé que l'exécution était renvoyée à une date indéterminée. Il s'en était fallu de cinq jours qu'il soit présent à son rendez-vous avec la mort.

Jim Payne fit passer la requête à son assistante, Gail Seward, qui convint qu'une étude en profondeur s'imposait. Il transmit ensuite le dossier à Vicky Hildebrand, la petite nouvelle, à qui, en raison de son manque d'ancienneté, on avait collé le titre officieux de « mademoiselle peine de mort ». Avant de faire ses études de droit, Vicky avait été assistante sociale : elle assumait discrètement le rôle d'âme sensible dans l'équipe du juge Seay.

Le dossier Williamson était pour elle le premier d'un condamné à mort. Dès le premier paragraphe, elle fut captivée :

> Il s'agit d'une affaire bizarre, l'histoire d'un rêve qui a tourné au cauchemar pour Ronald Keith Williamson. Son arrestation a eu lieu près de cinq ans après le crime – après la mort du témoin qui lui fournissait un alibi solide. Les charges reposaient presque entièrement sur des « aveux » présentés comme un rêve de Ron Williamson, un homme atteint de graves troubles mentaux.

Vicky poursuivit sa lecture et fut frappée par la minceur des preuves produites lors du procès et par la stratégie flottante de l'avocat de l'accusé. En refermant le dossier, elle doutait fortement de la culpabilité de Ron.

Elle se demanda aussitôt si elle aurait le cran de faire ce travail. Est-ce que chaque demande d'*habeas corpus* n'était pas convaincante ? Allait-elle se ranger du côté de chaque condamné à mort ? Elle s'en ouvrit à Jim Payne qui conçut un plan : ils allaient enrôler Gail Seward et lui demander son opinion. Vicky consacra une journée entière à photocopier le volumineux procès-verbal d'audience – trois copies, une pour chaque membre du petit complot. Ils passèrent le week-end à le lire avec minutie et se retrouvèrent le lundi matin. Le verdict fut unanime. Quelle que fût leur sensibilité politique, ils étaient d'accord : justice n'avait pas été rendue. Non seulement ils avaient la conviction que le procès n'avait pas été conforme à la constitution, mais il se pouvait que Ron fût innocent.

Ils étaient intrigués par la référence à l'ouvrage intitulé *Les Rêves d'Ada*. Dans sa requête, Janet Chesley parlait beaucoup des prétendus aveux de Ron faits sous forme de rêve. Il avait lu le livre peu après son arrestation et il l'avait dans sa cellule quand il avait parlé à John Christian d'un autre rêve. Publié sept ans auparavant, l'ouvrage était épuisé mais Vicky réussit à en dénicher trois exemplaires dans des librairies d'occasion et une bibliothèque. Ils dévorèrent le livre et cette lecture ne fit qu'accroître leur défiance à l'égard des autorités d'Ada.

Le juge Seay ayant la réputation d'être assez cassant en matière d'*habeas corpus*, il fut décidé que ce serait Jim Payne qui aborderait avec lui le dossier Williamson. L'affaire demandait du doigté. Le juge l'écouta avec attention, puis il interrogea Gail et Vicky qui abondèrent dans le sens de Jim. Ils avaient tous trois le sentiment qu'un nouveau procès s'imposait. Le juge accepta d'étudier la demande.

Il connaissait Bill Peterson, Barney Ward et la plupart des acteurs de l'affaire. Barney était un vieux copain mais Peterson non. Il n'avait pas une haute opinion de lui. Au vrai, il n'était pas étonné par ce procès bâclé où le dossier de l'accusation était presque vide. Il se passait de drôles de choses à Ada et la police traînait depuis des années une mauvaise réputation. Il déplorait tout particulièrement le manque de rigueur du juge Jones. Que la police fasse mal son travail et que l'accusation manque d'objectivité, passe encore, mais le juge était censé faire preuve d'impartialité.

Il n'était pas étonné non plus que la cour d'appel n'ait rien trouvé à redire à tout cela.

Quand il fut convaincu que justice n'avait pas été faite, il entreprit avec son équipe de décortiquer le dossier.

Dennis Fritz n'était plus en contact avec Ron. Il avait envoyé à son vieux copain une lettre restée sans réponse. Quand elles se rendirent à Conner pour interroger Dennis dans le cadre de leur enquête, Kim Marks et Leslie Delk apportèrent l'enregistrement des aveux de Ricky Joe Simmons. Dennis fut outré de constater que quelqu'un d'autre avait avoué le meurtre pour lequel ils avaient été condamnés et que cet élément de preuve n'avait pas été mentionné pendant le procès. Dès lors, il entretint une correspondance avec Kim Marks qui le tenait informé des développements du dossier de Ron.

Dennis, qui passait ses journées dans la bibliothèque juridique, suivait de près avec les autres détenus passionnés de droit toutes les décisions des juridictions criminelles. Il dévora tout ce qu'il trouvait sur le sujet des analyses ADN, apparues au début des années 1990.

En 1993, une partie de l'émission *Donahue* avait été consacrée à quatre hommes disculpés grâce aux analyses ADN. Suivi par un large public, surtout dans les prisons, le talk-show servit de catalyseur au « mouvement pour l'innocence » qui gagnait du terrain dans tout le pays.

Un groupe avait déjà retenu l'attention, le Projet Innocence, créé en 1992 par deux avocats new-yorkais, Peter Neufeld et Barry Scheck. Ils s'étaient établis dans les locaux de la faculté de droit Benjamin N. Cardozo, sous la forme d'une structure juridique à but non lucratif. Les étudiant effectuaient le travail de recherches sous la supervision d'avocats enseignant à l'université. Neufeld était connu à Brooklyn pour ses actions sociales. Scheck, un spécialiste des empreintes génétiques, était devenu célèbre en sa qualité d'avocat de O. J. Simpson.

Dennis suivit avec attention le procès Simpson. Quand il fut terminé, il envisagea de prendre contact avec Barry Scheck.

En 1994, après avoir reçu de nombreuses plaintes au sujet de l'Unité H, Amnesty International se livra à une enquête approfondie. Elle constata quantité de violations des normes internationales, y compris des critères retenus dans des traités signés par les États-Unis et des règles minimales telles qu'elles avaient été déterminées par l'ONU. Au nombre de ces violations, les cellules trop exiguës, insuffisamment équipées, sans éclairage ni ventilation, sans ouverture donnant accès à la lumière du jour. Les cours de promenade constituaient des espaces trop fermés et bien trop petits. Nombre de condamnés préféraient se passer de promenade pour profiter d'une heure d'intimité dans leur cellule. Hormis la préparation d'un diplôme du second degré, il n'y avait aucun programme éducatif et les détenus n'avaient pas la possibilité de travailler. La pratique du culte était trop restreinte, l'isolement cellulaire trop rigoureux. Le service des repas devait être entièrement revu.

En conclusion, Amnesty International estimait que les conditions d'incarcération dans l'Unité H constituaient un traitement cruel, inhumain ou dégradant, en violation des normes internationales. Ces conditions « appliquées sur une période prolongée peuvent avoir un effet néfaste sur la santé physique et mentale des détenus ».

Le rapport fut publié mais il n'avait pas de valeur astreignante. Il permit cependant de fournir des arguments aux plaintes déposées par certains détenus.

Après une interruption de trois années, la machine des exécutions se remit en marche. Le 20 mars 1995, Thomas Grasso, un Blanc de trente-deux ans, fut exécuté après avoir passé seulement deux ans dans le couloir de la mort. Grasso lui-même, non sans difficulté, avait réussi à stopper les procédures d'appel pour en finir au plus vite.

Ce fut ensuite le tour de Dale Stafford, le tristement célèbre assassin qui avait tué cinq personnes. Un massacre commis dans une grande ville attire la presse : Stafford partit auréolé de gloire. Il avait passé quinze ans dans le couloir de la mort. Son cas était cité en exemple par la police, les parquets et les politiciens pour monter en épingle les lenteurs des procédures d'appel.

Le 11 août 1995, une autre exécution eut lieu dans des conditions bizarres. Robert Brecheen, un Blanc de quarante ans, faillit échapper à l'injection mortelle. Il avait avalé la veille une poignée de pilules, des calmants, qu'il avait réussi à se procurer et dont il avait fait une réserve. Son suicide devait être un ultime pied de nez au système. Trouvé inconscient dans sa cellule par un surveillant, il avait été transporté d'urgence à l'hôpital, où on lui avait fait un lavage d'estomac. Son état étant stabilisé, on l'avait ramené dans l'Unité H pour être exécuté selon les règles.

Le juge Seay attela son équipe à l'étude minutieuse de tous les aspects de l'affaire Williamson. Ils regardèrent à la loupe les procès-verbaux, y compris celui de l'audience préliminaire et ceux des différentes comparutions de Ron. Ils firent le tri dans son volumineux dossier médical et épluchèrent les dossiers de la police ainsi que les rapports des experts de l'OSBI.

Jim Payne, Gail Seward et Vicky Hildebrand se répartirent ensuite la tâche. C'était un travail de groupe inventif et enthousiaste. Le procès avait été bâclé, l'erreur judiciaire était manifeste ; ils voulaient la réparer.

Le juge Seay s'était toujours méfié des analyses de poils. Il avait un jour présidé dans un tribunal fédéral un procès capital dont le témoin-vedette devait être l'expert numéro un du FBI, un spécialiste aux références irréprochables, qui avait l'habitude de présenter ses conclusions à la justice. Le juge Seay n'en avait que faire ; il avait refusé que l'expert soit appelé à la barre.

Vicky se proposa pour faire des recherches sur l'analyse des poils. Après avoir étudié des dizaines d'affaires et d'études sur le sujet, elle acquit la conviction que c'était une science si peu fiable qu'elle n'aurait jamais dû avoir sa place dans un tribunal. Conclusion à laquelle était arrivé le juge Seay avant elle.

Gail Seward consacra son attention sur Barney Ward et les erreurs qu'il avait commises. Jim Payne s'occupa de ce qui contrevenait à l'arrêt *Brady* sur la dissimulation de preuves.

Pendant plusieurs mois, l'équipe se consacra ainsi à l'affaire Williamson, qu'elle ne laissait de côté qu'en cas d'urgence. Le juge Seay ne leur avait pas fixé de délai mais il avait coutume de mener ses subordonnés à la baguette et ne supportait pas que l'on traînasse sur un dossier. Ils travaillaient le soir et le week-end. Ils confrontaient leurs conclusions et se corrigeaient l'un l'autre. Plus ils creusaient, plus ils découvraient d'erreurs et plus leur enthousiasme croissait.

Le juge lut l'avant-projet, fit ses propres corrections et les renvoya au travail.

Quand il devint évident qu'un nouveau procès aurait lieu, l'histoire commença à tracasser le magistrat. Barney Ward était un vieil ami qui serait profondément blessé par les critiques. Et comment réagirait-on à Ada en apprenant que l'ancien juge du 22e district avait pris parti pour le tueur Ron Williamson ?

Jim Payne et les autres savaient que leur travail serait épluché à l'étape suivante, par la cour d'appel du 10e Circuit, à Denver. Et si elle rejetait leurs conclusions ? Étaient-ils assez convaincus du bien-fondé de leur opinion ? Trouveraient-ils les arguments pour emporter la décision ?

Finalement, un an après que le sursis eut été accordé, le 19 septembre 1995, le juge Seay rédigea une ordonnance d'*habeas corpus* et décida qu'un nouveau procès aurait lieu.

L'*opinion* accompagnant l'ordonnance, longue de cent pages, était un chef-d'œuvre d'analyse et de raisonnement. Dans une langue à la fois claire et savante, le juge Seay s'en prenait à Barney Ward, à Bill Peterson, à la police d'Ada et à l'OSBI. Il tempérait ses critiques contre le malheureux juge Jones sans pour autant laisser de doute quant à l'opinion qu'il avait de lui.

Ron méritait d'avoir un nouveau procès pour quantité de raisons, en premier lieu à cause de l'inefficacité de son avocat. Les fautes commises par Barney étaient nombreuses et préjudiciables à son client. Il n'avait pas soulevé la question de l'aptitude de Ron à être jugé ; il n'avait pas enquêté ni fait part de ses soupçons contre Glen Gore ; il n'avait pas mis en évidence le fait que Terri Holland avait également témoigné contre Karl Fontenot et Tommy Ward ; il n'avait pas informé le jury que Ricky Joe Simmons avait avoué le meurtre et que ses aveux étaient enregistrés sur une bande qui était en sa possession ; il n'avait pas mis en question la validité des aveux de Ron ; il n'avait pas fait comparaître de témoin à décharge dans la dernière phase du procès, avant que le jury délibère pour se prononcer sur la peine.

Bill Peterson et la police étaient particulièrement épinglés, pour avoir tu l'existence de la bande vidéo de 1983, pour avoir utilisé au tribunal des aveux, y compris le rêve de Ron, obtenus par des moyens discutables, pour avoir fait témoigner sous serment des mouchards de la prison du comté, pour avoir constitué un dossier dépourvu ou presque de preuves matérielles et pour avoir dissimulé tout ce qui aurait permis de disculper l'accusé.

Le juge abordait ensuite la question de l'analyse des poils et déclarait sans ambages que, manquant par trop de fiabilité, elle ne devrait pas être admise en justice. Il critiquait les experts de l'OSBI pour la manière dont ils avaient traité les échantillons de Fritz et de Williamson.

Bill Peterson et les juges Jones et Miller étaient critiqués pour ne pas avoir interrompu la procédure afin de faire évaluer la santé mentale de Ron.

Le juge Jones avait eu tort de se prononcer sur la dissimulation d'éléments de preuve permettant de disculper l'accusé *après le procès*. Son refus d'accéder à la demande de Barney d'engager un expert pour récuser les témoignages des agents de l'OSBI n'était pas acceptable.

Avec la précision d'un chirurgien, le juge Seay disséquait le procès sous tous ses aspects et mettait en lumière la parodie de justice. Contrairement à la cour d'appel de l'Oklahoma, un tribunal auquel l'affaire avait été soumise deux fois, le magistrat estimait la condamnation injustifiée et contestait toute la procédure en bloc.

À la fin de son *opinion*, il ajoutait – chose assez rare – un épilogue :

> Pendant que je réfléchissais à la décision que j'allais prendre dans cette affaire, j'ai confié à un ami profane en la matière que je laissais parler les faits et que la loi exigeait que

j'accorde un nouveau procès à un homme déclaré coupable et condamné à mort.

Mon ami a demandé : « Cet homme a-t-il tué ? »

J'ai répondu simplement : « Nous ne le saurons que lorsqu'il aura été jugé impartialement. »

Que Dieu nous vienne en aide si dans notre grand pays nous détournons les yeux quand des hommes sont exécutés sans avoir eu un procès équitable. Cela a failli arriver dans cette affaire.

Par politesse, le juge envoya une copie à Barney Ward avec un petit mot pour dire qu'il était désolé mais qu'il n'avait pas eu le choix. Barney ne lui adressa plus jamais la parole.

Vicky Hildebrand, Gail Seward et Jim Payne avaient mis tout leur cœur dans ce travail mais ils redoutaient les suites de sa publication. Accorder un nouveau procès à un condamné à mort n'était pas bien vu dans l'Oklahoma.

Le ministère public s'opposera à la tenue d'un nouveau procès, proclamait la manchette de l'*Ada Evening News* en date du 27 septembre 1995. Deux photographies, l'une de Ron Williamson quand il était au lycée, l'autre de Bill Peterson, s'étalaient à la une du quotidien. L'article commençait ainsi :

> Furieux, le procureur Bill Peterson a déclaré qu'il serait « plus qu'heureux » d'être entendu, si nécessaire, par la Cour suprême des États-Unis afin de faire annuler la récente ordonnance d'un juge fédéral qui a décidé la tenue d'un nouveau procès pour le meurtrier Ronald Keith Williamson, condamné dans le comté de Pontotoc.

Heureusement pour lui, jamais l'occasion ne lui serait donnée de se rendre à Washington pour plaider sa cause. Peterson déclarait ensuite qu'il avait reçu l'assurance du procureur général de l'Oklahoma qu'il se chargerait personnellement du pourvoi « immédiat » devant la cour d'appel du 10e Circuit, à Denver. Et il ajoutait :

> Je suis sidéré, estomaqué, hors de moi, plongé dans un abîme de perplexité et j'en passe. Cette affaire a suivi tant de procédures d'appel et a été examinée si souvent sans que le bien-

fondé de la condamnation soit mis en question que cette ordonnance me paraît aberrante.

Il omettait de préciser, comme le journaliste, que toute condamnation à la peine capitale passe nécessairement par une procédure d'*habeas corpus* qui aboutit à une cour fédérale où, tôt ou tard, un juge est appelé à se prononcer.

Il en fallait plus pour arrêter Peterson qui ajoutait :

> L'affaire a été portée deux fois devant la Cour suprême des États-Unis. En ces deux occasions, la Cour a confirmé les condamnations.

Pas exactement. En réalité, la Cour ne s'était jamais prononcée sur le fond de l'affaire. Elle avait renvoyé le dossier dans l'Oklahoma, selon la procédure la plus courante.

Perterson gardait le plus beau pour la fin. Le juge Seay avait mentionné dans une note en bas de page l'ouvrage de Robert Mayer *Les Rêves d'Ada* et fait allusion au nombre de condamnations prononcées dans le même tribunal et fondées sur des aveux reposant sur un rêve. Vexé de voir ce livre mentionné dans l'ordonnance du juge, Peterson déclarait avec le plus grand sérieux :

> Il n'est pas vrai de dire que ces trois hommes – Williamson, Fontenot et Ward – ont été condamnés parce qu'ils avaient avoué avoir fait un rêve.

Le parquet général de l'Oklahoma fit appel de l'ordonnance du juge Seay devant la cour d'appel du 10e Circuit, à Denver. Ron était évidemment ravi de la tournure des événements et de la perspective d'un nouveau procès mais il était toujours en prison et le temps s'écoulait lentement.

Kim Marks, Janet Chesley et le Dr Foster se battaient inlassablement pour obtenir qu'il soit traité comme il convenait. Depuis près de quatre ans, les autorités du pénitencier refusaient d'admettre Ron dans l'Unité de soins spéciaux, où il aurait bénéficié de soins et de meilleures conditions de vie. L'accès à l'Unité de soins spéciaux, pourtant toute proche, était officiellement interdit aux condamnés à mort.

Kim Marks fit cette description de son client :

J'ai très peur, pas de lui mais pour lui. Je pense que nous devons absolument essayer de toucher quelqu'un de plus haut placé dans le système pénitentiaire. Ses cheveux ont poussé jusqu'aux épaules et on y voit des traînées jaunes aux endroits où il avait la manie de tirer dessus. Les taches de nicotine ne sont pas visibles seulement au bout des doigts mais tout le long et jusqu'aux mains. Ses dents sont complètement pourries et ne tiennent plus ; il a dû les remuer en les tordant. Sa peau est grisâtre : il ne s'est manifestement pas douché depuis des semaines. Il est squelettique. Sa chemise donne l'impression de ne pas avoir été lavée ni même suspendue à un cintre depuis des mois. Quand je l'ai vu, il allait et venait dans sa cellule, arrivant à peine à parler. Quand il parvenait à prononcer quelques mots, de la salive coulait de sa bouche. Ce qu'il disait n'avait ni queue ni tête. J'ai vraiment peur que nous le perdions, qu'il meure en prison de ses problèmes de santé physique liés à ses problèmes de santé mentale.

Janet Chesley, Kim Marks et Ken Foster ne laissaient aucun répit aux directeurs qui se succédaient à McAlester pas plus qu'à leurs adjoints ni au personnel d'encadrement. Susan Otto, la directrice du Bureau fédéral d'aide juridictionnelle et la supérieure hiérarchique de Janet, fit jouer ses relations au ministère. Enfin, en février 1996, James Saffle, un haut fonctionnaire, accepta de s'entretenir avec Kim et Janet. Il leur annonça d'entrée de jeu qu'il avait autorisé Ron Ward, le directeur de McAlester, à faire une exception pour Ron Williamson et à le transférer sans tarder dans l'Unité de soins spéciaux.

Dans sa note de service adressée au directeur de l'Unité de soins spéciaux, Ron Ward rappelait qu'elle était interdite aux détenus du couloir de la mort. Il écrivait :

J'autorise une exception au règlement intérieur du pénitencier de l'Oklahoma qui stipule que tous les détenus de l'établissement peuvent être admis dans l'Unité de soins spéciaux, sauf les condamnés à la peine capitale.

Qu'y avait-il derrière ce changement de cap ? Quinze jours auparavant, un psychologue de la prison avait envoyé une note confidentielle à un sous-directeur au sujet de Ron Williamson. Il y donnait de bonnes raisons de transférer le détenu dans l'Unité de soins spéciaux :

> Au cours d'une réunion de groupe, nous nous sommes accordés à dire que M. Williamson est psychotique et qu'il serait bon d'ajuster son traitement. Nous avons constaté qu'il refusait obstinément d'envisager cette solution et même d'en parler.
> Comme vous le savez, l'Unité de soins spéciaux a la latitude de contraindre, si nécessaire, les détenus à suivre un traitement approprié.

Le personnel de surveillance de l'Unité H en avait assez de Ron et avait besoin de souffler. La note confidentielle se poursuivait comme suit :

> Il n'y a pas de doute que la santé de M. Williamson se dégrade de semaine en semaine. Je l'ai remarqué et les surveillants de l'Unité H abordent régulièrement le sujet. Aujourd'hui encore, Mike Mullens a insisté sur cette dégradation et sur les effets néfastes que les crises du détenu ont sur ses voisins.

Mais la meilleure raison invoquée pour le transfert de Ron était que cela permettrait d'accélérer son exécution. La note confidentielle se concluait ainsi :

> À mon sens, à en juger par l'état où se trouve aujourd'hui M. Williamson, sa psychose a atteint un niveau qui empêcherait son exécution. Un séjour dans notre Unité de soins spéciaux serait susceptible de lui redonner la stabilité nécessaire.

Ron fut conduit à l'Unité de soins spéciaux, où on lui donna une cellule plus agréable, avec une fenêtre. Le Dr Foster modifia son traitement et s'assura qu'il prenait bien ses médicaments. Ron n'avait pas retrouvé la santé mais il était calme et ne souffrait plus.

Il demeurait extrêmement fragile, sa psychose maniaco-dépressive restait latente. Des signes d'amélioration apparaissaient quand, brusquement, le 25 avril, on vint le chercher pour le ramener dans l'Unité H où il passa quinze jours. Le transfert avait eu lieu sans autorisation médicale ; le Dr Foster n'était même pas au courant. Aucune raison ne fut donnée. Quand il revint dans l'Unité de soins spéciaux, il avait considérablement régressé. Ken Foster envoya une note au directeur pour lui faire part des dommages que ce brusque transfert avait causés chez son patient.

Par une curieuse coïncidence, le retour de Ron dans l'Unité H avait eu lieu la veille d'une exécution. Le 26 avril, Benjamin Brewer reçut une injection mortelle pour avoir poignardé en 1978 une étudiante de vingt ans, à Tulsa. Il avait passé plus de dix-sept ans dans le couloir de la mort.

Même s'il se trouvait depuis quelque temps dans l'Unité de soins spéciaux, Ron restait un pensionnaire de l'Unité H. Pour rien au monde on ne lui aurait fait manquer une exécution.

Pour Janet Chesley, ce brusque transfert n'était pas sans rapport avec les manœuvres du parquet général de l'Oklahoma. Un recours contre l'ordonnance du juge Seay avait été porté devant la cour d'appel du 10e Circuit et une date avait été fixée pour un échange d'arguments. Pour l'empêcher d'avancer l'argument que la santé mentale de son client avait nécessité son transfert dans l'Unité de soins spéciaux, on lui avait fait réintégrer l'Unité H. Elle protesta vigoureusement auprès de la direction du pénitencier et des avocats en charge de l'appel mais elle dut s'engager à ne pas faire valoir que Ron avait été admis dans l'Unité de soins spéciaux.

Dennis Fritz apprit avec joie que Ron avait obtenu le soutien d'un juge fédéral et qu'il aurait un nouveau procès. Dennis n'avait pas eu cette chance. N'ayant pas été condamné à mort, il ne bénéficiait pas de l'assistance d'un avocat et avait été obligé de faire lui-même sa demande d'*habeas corpus*. Il avait perdu une première fois en 1995 et présentait un pourvoi devant la cour d'appel du 10e Circuit.

Cette heureuse nouvelle laissait en même temps un goût amer à Dennis. Il était écœuré d'avoir été condamné à cause des mêmes témoins à charge et avec les mêmes éléments de preuve, et de voir sa demande d'*habeas corpus* rejetée. Mais il était ravi de savoir que Ron aurait une deuxième chance.

C'est en mars 1996 qu'il écrivit au Projet Innocence pour solliciter de l'aide. Un étudiant en droit bénévole répondit et envoya un questionnaire. En juin, il demanda à Dennis de lui faire parvenir les résultats des analyses de laboratoire – poils, sang et salive. Dennis avait tout dans sa cellule, bien classé. Il expédia à New York ce qu'on lui demandait. Au mois d'août, il envoya la copie de ses appels et en novembre la transcription des débats de son procès. À la fin du même mois, il reçut à son tour une bonne nouvelle : le Projet Innocence acceptait officiellement de défendre son dossier. La correspondance se poursuivit pendant plusieurs mois.

La cour d'appel du 10e Circuit rejeta son pourvoi et, au mois de mai 1997, quand la Cour suprême refusa d'examiner son dossier, Dennis eut un moment de dépression. Il avait épuisé toutes les voies de recours. Tous ces juges en robe noire, avec leurs gros recueils de lois, n'avaient rien trouvé à redire à son procès. Pas un seul d'entre eux n'avait discerné ce qui aurait dû leur sauter aux yeux : un innocent avait été injustement condamné.

La perspective de passer le reste de ses jours derrière les barreaux, qu'il avait jusque-là rejetée de toutes ses forces, n'était plus à exclure.

Dans le courant du mois de mai, il envoya quatre lettres au Projet Innocence.

En 1979, dans la petite ville d'Okarche, au nord d'Oklahoma City, deux hommes, Steven Hatch et Glen Ake, pénétrèrent par effraction chez le révérend Richard Douglas. Le pasteur et son épouse furent abattus de plusieurs balles et leurs deux jeunes enfants laissés pour morts. L'assassin, Glen Ake, jugé et condamné à mort, bénéficia d'un nouveau procès, car le juge avait refusé qu'il soit examiné par un spécialiste des maladies mentales. Son appel déboucha sur l'arrêt *Ake contre Oklahoma*, qui fait jurisprudence. À l'issue du second procès, Ake fut condamné à la réclusion à perpétuité, une peine qu'il purge encore.

La participation de Steven Hatch au massacre avait suscité bien des doutes et alimenté bien des débats mais il n'en avait pas moins été condamné à la peine capitale. Le 9 août 1996, Hatch entra dans la salle d'exécution de l'Unité H. Dans la salle réservée à la famille des victimes se trouvaient les enfants Douglas, devenus alors deux jeunes adultes.

Glen Ake, l'auteur des meurtres, a été condamné à perpétuité. Steven Hatch, qui n'avait tué personne, a été exécuté.

En 1994, Scott Dawn Carpenter, un Amérindien de vingt ans, avait dévalisé une boutique à Lake Eufaula et tué le propriétaire. Après avoir passé seulement deux ans dans le couloir de la mort, il réussit à mettre un terme aux procédures d'appel et reçut l'injection létale.

Le 10 avril 1997, à Denver, la cour d'appel du 10ᵉ Circuit approuva l'avis du juge Seay. Elle critiqua sa position sur l'analyse des poils mais confirma que Ron Williamson avait été injustement condamné.

En vue du nouveau procès, le dossier de Ron fut transféré au service des procès capitaux du Système de défense des indigents, dont le directeur, Mark Barrett, était à la tête d'une équipe de huit avocats. En raison de la complexité du dossier et de ses relations avec Ron, il décida de s'en charger personnellement. Les pièces qu'il reçut remplissaient seize cartons.

Au mois de mai 1997, Mark Barrett et Janet Chesley se rendirent à McAlester pour voir leur client. Le rôle de Janet consistait à rappeler à Ron qui était Mark. Ils ne s'étaient pas revus depuis 1988, peu après l'arrivée de Ron dans le Bloc F, quand Mark Barrett avait été chargé du premier appel du détenu.

Mark connaissait Janet, Kim Marks et la plupart des avocats de l'aide juridictionnelle. Il avait entendu quantité d'histoires sur Ron et ses mésaventures dans le couloir de la mort, mais il fut stupéfait en découvrant ce que le condamné était devenu. En 1988, Ron avait trente-cinq ans. Il pesait cent kilos, avait une carrure d'athlète, une démarche assurée, une face de chérubin et les cheveux châtains. Neuf ans plus tard, alors qu'il était à peine âgé de quarante-quatre ans, on lui en aurait donné soixante-cinq. Malgré une année passée dans l'Unité de soins spéciaux, il était encore hâve, hirsute et visiblement très malade.

Mais il était capable de suivre une conversation prolongée. De loin en loin, il partait dans des monologues sans queue ni tête mais la majeure partie du temps, il savait ce dont il était question et où en était son dossier. Mark lui expliqua que des analyses ADN permettraient de comparer les échantillons de son sang, de ses poils et de sa salive avec les poils et le sperme collectés sur la scène de crime. Les résultats seraient garantis, irréfutables. L'ADN ne ment pas.

Ron ne marqua aucune hésitation. Il se montra même impatient d'avoir le résultat des analyses.

« Je suis innocent, affirma-t-il à plusieurs reprises. Je n'ai rien à cacher. »

Mark Barrett et Bill Peterson se mirent d'accord pour que Ron soit soumis à une évaluation de son état mental. Ils se mirent également d'accord sur les analyses ADN. Peterson y était très favorable, car il avait la conviction qu'elles prouveraient la culpabilité de Ron.

Il faudrait malheureusement attendre ; le budget modeste de Mark Barrett ne lui permettait pas de faire face à cette dépense. Le coût initialement prévu était de l'ordre de cinq mille dollars, une somme dont il ne disposerait pas avant plusieurs mois. En fait, elle serait largement dépassée.

En attendant, Mark commença à préparer l'audience destinée à évaluer la santé mentale de Ron. Avec l'aide de son équipe, il se plongea dans l'étude des dossiers médicaux de Ron. Ils trouvèrent un psychologue qui les examina, eut un entretien avec Ron et accepta de se rendre à Ada pour témoigner.

Après avoir été soumise deux fois à la cour d'appel de l'Oklahoma, fait une halte d'un an dans le bureau du juge Seay, attendu deux autres années la décision de la cour d'appel du 10e Circuit et fait deux allers et retours inutiles mais obligatoires devant la Cour suprême des États-Unis, l'affaire *État de l'Oklahoma contre Ronald Keith Williamson* était revenue à son point de départ.

Revenue à Ada, dix ans après que quatre policiers eurent encerclé un homme torse nu, pas rasé, bricolant une tondeuse à trois roues et l'eurent arrêté sous l'inculpation d'homicide.

14.

Tom Landrith était originaire du comté de Pontotoc. Il avait fréquenté le lycée d'Ada et participé deux fois à la finale du championnat de l'État de football. Après ses études de droit à l'université de l'Oklahoma et après avoir réussi l'examen du barreau, il s'était installé dans sa ville natale, où il avait été recruté par un petit cabinet. En 1994, il s'était porté candidat au poste de juge d'instance et l'avait emporté haut la main sur G.C. Mayhue qui avait lui-même battu Ronald Jones quatre ans plus tôt.

Le juge Landrith connaissait bien l'affaire Carter et le dossier Williamson. Quand la cour d'appel du 10e Circuit avait donné raison au juge Seay, il avait compris que l'affaire reviendrait à Ada et serait jugée dans sa salle d'audience. À l'époque où il était avocat, il avait représenté Ron pour une inculpation de conduite en état d'ivresse et ils avaient joué quelque temps dans la même équipe de softball. D'autre part, il avait joué au football avec Johnny Carter, l'oncle de Debbie, et Bill Peterson était un de ses vieux amis. Pendant le procès de Ron, en 1988, Landrith était venu plusieurs fois assister aux débats. Il connaissait naturellement Barney Ward.

À Ada, tout le monde se connaissait.

Landrith était apprécié pour son naturel et son humour mais il faisait régner une stricte discipline dans sa salle d'audience. Il n'avait jamais été convaincu ni de la culpabilité de Ron ni de son innocence. Comme la plupart des habitants d'Ada, il considérait que Ron avait une case de vide mais il n'était pas mécontent de le revoir et il ferait en sorte qu'il ait un procès équitable.

Le meurtre, qui remontait à quinze ans, n'avait toujours pas été élucidé. Le juge Landrith avait de la sympathie pour la famille Carter et souhaitait mettre un terme à son interminable épreuve.

Le dimanche 13 juillet 1997, Ron Williamson quitta le pénitencier de McAlester pour ne jamais y revenir. Deux adjoints du shérif du comté de Pontotoc le conduisirent à l'hôpital Eastern State, à Vinita. Le shérif, Jeff Glase, confia à un journaliste que le prisonnier s'était bien conduit. « Mes adjoints n'ont rien signalé, déclarait-il. Il est vrai qu'avec des menottes, des fers aux chevilles et une camisole de force, on ne peut pas faire grand-chose. »

C'était la quatrième fois que Ron était admis à l'hôpital de Vinita. Il allait y être traité et soumis à une évaluation de ses facultés mentales afin de pouvoir passer en jugement.

Le juge Landrith fixa la date du procès au 28 juillet, puis il la reporta, dans l'attente de l'évaluation qui devait être réalisée par les médecins de l'hôpital. Peterson ne s'opposait pas à cette évaluation mais il ne faisait pas mystère de son opinion. Dans une lettre adressée à Mark Barrett, il écrivait : « Mon point de vue est qu'il était apte à passer en jugement, conformément au code pénal de l'Oklahoma, et que les perturbations dont il était l'auteur au tribunal ne faisaient que traduire la colère qu'il éprouvait d'être jugé et condamné. » Le procureur ajoutait : « Cela s'est relativement bien passé, en prison. »

L'idée des analyses ADN plaisait à Bill Peterson. Il avait toujours cru dur comme fer à la culpabilité de Ron : on allait en apporter scientifiquement la preuve. Peterson et Mark Barrett échangèrent plusieurs lettres et se chicanèrent sur des détails – quel laboratoire, qui paierait quoi, quand commenceraient les tests – mais ils étaient d'accord sur le fond. Les analyses seraient faites.

Aidé par un traitement adéquat, Ron allait mieux. Tout, même un hôpital psychiatrique, était préférable à McAlester. Il était enfermé dans l'unité de haute sécurité de l'hôpital, avec des barreaux aux fenêtres et du fil de fer barbelé sur les murs. Dans cette aile surpeuplée, les chambres étaient petites, vieilles, peu agréables. Certains patients dormaient dans les couloirs. Ron, lui, avait la chance d'être seul.

Dès son arrivée, il fut examiné par le Dr Curtis Grundy, qui le déclara inapte à passer en jugement. Ron avait conscience de la nature des charges portées contre lui mais il était incapable d'assister ses avocats. Le psychiatre écrivit cependant au juge Landrith qu'après son traitement, Ron pourrait passer en jugement.

Deux mois plus tard, à l'issue d'une nouvelle évaluation, le Dr Grundy envoya au juge un rapport de quatre pages. Il considérait que Ron : 1. avait conscience de la nature des charges portées contre lui ; 2. était en mesure de s'entretenir avec son avocat et de l'assister rationnellement dans la préparation de sa défense ; 3. souffrait de troubles mentaux et avait besoin de continuer un traitement. « Il lui faudra poursuivre un traitement psychiatrique pendant sa participation au procès, dans le but de maintenir son aptitude. »

Le Dr Grundy ajoutait que Ron était inoffensif. « M. Williamson, précisait-il, ne semble pas constituer une menace directe et significative ni pour lui-même ni pour autrui, s'il devait être remis en liberté sans être hospitalisé. Il nie toute idéation ou intention suicidaire ou meurtrière. Il n'a eu de comportement agressif ni envers lui-même ni envers autrui pendant son hospitalisation. La présente évaluation du danger qu'il représente repose sur le fait qu'il est placé dans un cadre structuré et sécurisant ; il se peut qu'elle ne soit pas applicable à un environnement non structuré. »

Le juge Landrith ayant fixé la date de l'audience au 10 décembre, Ron prit la route d'Ada. À son arrivée dans la prison du comté de Pontotoc, il salua son vieux copain John Christian et retrouva son ancienne cellule. Annette vint le voir peu après, avec de la nourriture ; elle le trouva optimiste, plein d'espoir, très heureux d'être de retour « chez lui ». Il était impatient d'avoir un nouveau procès et de pouvoir faire la preuve de son innocence. Il parlait sans arrêt de Ricky Joe Simmons. Annette lui demandait de changer de sujet mais il en était incapable.

La veille de l'audience, il passa quatre heures avec le Dr Sally Church, une psychologue engagée par Mark Barrett pour apporter son témoignage en justice. Le Dr Church, qui avait déjà vu deux fois Ron, consulta son dossier médical. Il ne faisait guère de doute pour elle qu'il restait inapte à passer en jugement.

De son côté, Ron était décidé à prouver qu'il était prêt pour le procès. Pendant neuf longues années, il avait rêvé de se retrouver face à Bill Peterson, Dennis Smith, Gary Rogers, tous les menteurs et tous les mouchards. Il n'avait tué personne et il brûlait d'impatience de le prouver. Il aimait bien Mark Barrett mais il en voulait à son avocat d'essayer de prouver qu'il était fou.

Ron voulait un nouveau procès.

Le juge Landrith avait choisi une salle d'audience différente, plus petite que celle où Ron avait été condamné. Le matin du 10 décembre, la salle était comble. Annette était là. Janet Chesley et Kim Marks attendaient d'être appelées à la barre. Barney Ward brillait par son absence.

La dernière fois que Ron, les menottes aux poignets, avait parcouru les quelques dizaines de mètres séparant la prison du tribunal, il avait entendu le jury le condamner à mort. Il avait à l'époque trente-cinq ans, une solide charpente et un complet neuf. Neuf ans plus tard, c'est un vieil homme aux cheveux prématurément blanchis, l'uniforme de la prison flottant sur son corps décharné, qui pénétra d'un pas chancelant dans l'enceinte du tribunal. En le voyant entrer dans la salle d'audience, Tom Landrith retint un mouvement de surprise. Ron se montra ravi de voir « Tommy » dans sa robe noire.

Quand il lui sourit en inclinant la tête, le juge remarqua qu'il avait perdu la plupart de ses dents. Des traînées de nicotine étaient visibles sur ses cheveux blancs.

Bill Peterson, le représentant du ministère public, chargé de contester la demande d'inaptitude de Ron Williamson, ne cachait ni son agacement ni son mépris. Mark Barrett était assisté par Sara Bonnell, une avocate au criminel expérimentée.

Les avocats ne perdirent pas de temps : ils appelèrent d'emblée Ron Williamson à la barre. Quelques secondes lui suffirent pour semer le trouble dans les esprits. Mark Barrett lui demanda de décliner ses noms et prénoms, puis il commença à lui poser des questions.

Mark : — Y a-t-il, monsieur Williamson, une autre personne que vous-même qui ait pu commettre ce crime ?

Ron : — Oui, il y a quelqu'un. Il s'appelle Ricky Joe Simmons, il habite 323, 3e Rue Ouest et le 24 décembre 1987, il a fait des aveux à la police d'Ada. C'est l'adresse où il a dit qu'il habitait. J'ai fait vérifier et il y avait bien des Simmons qui vivaient à cette adresse, dont Ricky Joe Simmons. Il y avait un Cody et une Debbie Simmons qui habitaient là.

Mark : — Avez-vous essayé de parler à quelqu'un de Ricky Simmons ?

Ron : J'ai parlé à beaucoup de gens de M. Simmons. J'ai écrit à Joe Gifford, j'ai écrit à Tom et Jerry Criswell, du funérarium, sachant que s'ils achetaient une pierre tombale à Ada, il faudrait passer par Joe Gifford, parce qu'il est le seul à en faire. Et le fleuriste *Le Myosotis* s'occupait de la décoration florale. Je lui ai écrit. Et j'ai écrit à la société Solo qui était son ancien employeur. J'ai écrit à la verrerie, son ancien employeur et à l'ancien employeur de la défunte.

Mark : — Pouvons-nous revenir un peu en arrière ? Pourquoi était-il important pour vous d'écrire au fabricant de pierres tombales ?

Ron : — Parce que je connais Joe Gifford. Quand j'étais jeune, je tondais sa pelouse, j'étais gamin, avec Burt Rose, mon voisin. Sachant ça, si M. Carter et Mme Stillwell achetaient une pierre tombale ici, à Ada, Oklahoma, ils l'achèteraient chez Joe Gifford, parce qu'il est le seul qui en fabrique. J'ai grandi à côté de chez lui.

Mark : — Pourquoi avez-vous écrit au magasin de fleurs Le Myosotis ?

Ron : — Parce que, sachant que s'ils achetaient des fleurs à Ada, Mme Stillwell est de Stonewall, Oklahoma, sachant que s'ils achetaient des fleurs à Ada, il était possible qu'ils les achètent au *Myosotis*.

Mark : — Et pour le funérarium ?

Ron : — Le funérarium, il s'appelle Funérarium Criswell, je l'ai lu dans le pourvoi de Bill Luker, qui dit que ce sont les gens responsables des dispositions à prendre pour les obsèques et l'inhumation de la défunte.

Mark : — Et il était important pour vous de leur faire savoir que Ricky...

Ron : — Oui, cet homme était extrêmement dangereux et je demandais de l'aide pour le faire arrêter.

Mark : — Parce qu'ils s'occupaient des obsèques de Mlle Carter ?

Ron : — C'est exact.

Mark : — Avez-vous également écrit au directeur sportif des Florida Marlins ?

Ron : — J'ai écrit à l'entraîneur de troisième base des Oakland Athletics qui est devenu plus tard, oui, le directeur sportif des Florida Marlins.

Mark : — Lui avez-vous demandé de garder pour lui des renseignements qu'il vous avait donnés confidentiellement ?

Ron : — Non, je lui ai raconté toute l'histoire de la bouteille de ketchup Del Monte, de Dennis Smith tenant une bouteille de ketchup Del Monte dans sa main droite à la barre des témoins et de Ricky Joe Simmons déclarant qu'il avait violé la défunte avec une bouteille de ketchup, alors j'ai écrit à Renee pour lui dire que je n'avais jamais vu quelque chose d'aussi choquant depuis quarante-quatre ans que suis en vie.

Mark : — Vous savez que le directeur sportif des Florida Marlins en a parlé à plusieurs personnes, n'est-ce pas ?

Ron : — Probablement, parce que Rene Lachemann est un bon ami à moi.

Mark : — Avez-vous entendu quelque chose qui vous fait croire cela ?

Ron : — Oh oui ! J'écoutais le *Football du lundi soir* et j'ai suivi les World Series et j'ai entendu dans des reportages à la télévision et par les médias que la bouteille de ketchup Del Monte est devenue tristement célèbre.

Mark : — Vous les entendez donc parler...

Ron : — Oui, absolument...

Mark : — Dans le *Football du lundi*...

Ron : — Absolument.

Mark : — Et pendant les World Series...

Ron : — C'est une épreuve horrible que je traverse, si vous saviez, mais il n'en est pas moins nécessaire pour moi que l'on fasse avouer à Simmons qu'il a violé, commis un viol avec instrument et un viol par sodomie suivi d'un meurtre sur la personne de Debra Sue Carter à son domicile du 1022 8e Rue Est, le 8 décembre 1982.

Mark : — Entendez-vous aussi prononcer le nom de Debra Carter pendant...

Ron : — Oui.

Mark : — Également pendant le *Football du lundi soir* ?

Ron : — J'entends continuellement le nom de Debra Sue Carter.

Mark : — Vous n'avez pourtant pas de téléviseur dans votre cellule.

Ron : — J'entends la télévision des autres. Je les ai entendus à Vinita. J'avais la télévision dans le couloir de la mort. J'entends, j'en suis sûr, que je suis mêlé à ce crime affreux et je fais absolument tout mon possible pour me laver de cette sale affaire.

Mark fit une pause pour permettre aux auditeurs de reprendre leur souffle. On échangeait des regards perplexes. Certains prenaient un air réprobateur. Le juge Landrith griffonnait sur une feuille de papier. Les avocats aussi prenaient des notes mais il ne devait pas être facile de coucher sur leur carnet quelque chose de cohérent.

Du point de vue de l'avocat lui-même, il était extrêmement difficile d'interroger un témoin inapte, car personne, y compris le témoin, ne savait quelles réponses allaient jaillir de sa bouche. Mark décida de le laisser parler.

Parmi les membres de la famille Carter présents, il y avait Christy Sheperd, la nièce de Debbie, qui avait grandi près de chez les Williamson. Conseillère socio-psychologique diplômée, elle travaillait depuis plusieurs années avec des adultes souffrant de graves troubles mentaux. Après avoir écouté Ron quelques minutes, son opinion fut faite. Elle confia à sa mère et à Peggy Stillwell que Ron Williamson était très malade.

Le Dr Curtis Grundy, le principal témoin de Bill Peterson, était également dans l'assistance.

Les questions reprirent mais elles ne servaient à rien. Soit Ron faisait comme s'il n'avait rien entendu, soit il donnait une réponse succincte avant de revenir à Ricky Joe Simmons, une logorrhée interrompue par la question suivante. Au bout de dix minutes, Mark Barrett jeta l'éponge.

Annette succéda à son frère à la barre des témoins. Elle parla de son instabilité et de son obsession de Ricky Joe Simmons.

Dans sa déposition, Janet Chesley raconta par le menu ses tentatives pour faire transférer Ron dans l'Unité de soins spéciaux, à McAlester. Elle évoqua elle aussi les délires obsessionnels de Ron sur Ricky Joe Simmons et affirma qu'il n'était pas en mesure d'assister son avocat pour sa défense, car il n'était capable de parler de rien d'autre. Elle estimait que l'état de Ron allait en s'améliorant et espérait qu'il pourrait un jour avoir un nouveau procès. Mais ce n'était pas pour demain.

Kim Marks aborda les mêmes sujets. Elle n'avait pas vu Ron depuis plusieurs mois et se réjouissait qu'il eût meilleure mine. Elle décrivit dans le détail les conditions de vie de Ron dans l'Unité H et confia qu'elle avait souvent cru à sa mort prochaine. Il faisait des progrès mais demeurait incapable de fixer son esprit sur autre chose que Ricky Joe Simmons. Il n'était pas prêt pour un nouveau procès.

Le Dr Sally Church était le dernier témoin. Si étrange que cela puisse paraître, elle était aussi le premier expert à donner un diagnostic. Il était maniacodépressif et schizophrène, deux des maladies les plus difficiles à traiter, car le patient ne comprend pas toujours l'utilité de ses médicaments. Ron arrêtait souvent de prendre ses pilules, une réaction commune aux deux maladies. Sally Church décrivit les effets, les traitements et les causes potentielles de la psychose maniacodépressive et de la schizophrénie.

La veille, pendant qu'elle examinait Ron dans la prison du comté, il avait demandé si elle entendait le bruit d'une télévision au loin. Elle avait répondu qu'elle ne savait pas. Ron, lui entendait; on était en train de parler de Debbie Carter et de la bouteille de ketchup. Cela s'était passé de la manière suivante : il avait écrit à Rene Lachemann, un ancien joueur et entraîneur d'Oakland, pour lui parler de Ricky Simmons, de Debbie Carter et de la bouteille de ketchup. Ron était sûr que Rene Lachemann avait raconté l'histoire à deux présentateurs sportifs qui avaient commencé à en parler à l'antenne. La nouvelle s'était répandue – *Le Football du lundi soir*, les World Series, etc. – et on n'entendait plus que ça à la télé.

« Vous ne les entendez pas? s'était mis à hurler Ron. Ils sont en train de crier *Ketchup*! *Ketchup! Ketchup!* »

Sally Church déclarait en conclusion que Ron, incapable d'assister son avocat, n'était pas prêt pour un procès.

Pendant la suspension d'audience du déjeuner, le Dr Grundy demanda à Mark Barrett s'il pouvait voir Ron seul à seul. L'avocat avait confiance dans le Dr Grundy ; il ne s'y opposa pas. Le psychiatre et le patient/détenu se virent dans une salle de la prison.

À la reprise de l'audience, Bill Peterson demanda la parole au juge.

— Votre Honneur, déclara-t-il, l'air penaud, je me suis entretenu avec mon témoin, le Dr Grundy, pendant l'interruption de séance et je pense que le ministère public accepterait de stipuler que l'aptitude à passer en jugement est concevable... mais que M. Williamson, ce jour, est inapte.

Après avoir écouté Ron au tribunal et discuté un quart d'heure avec lui pendant l'interruption de séance, le Dr Grundy avait donc fait volte-face. Il considérait que Ron n'était pas prêt à passer en jugement.

Le juge Landrith déclara Ron inapte et demanda à le revoir trente jours plus tard. Juste avant que l'audience s'achève, Ron demanda :

— « Je peux poser une question ?

Le juge :

— Allez-y.

Ron : — Tommy, je t'ai bien connu et j'ai connu ton père, Paul. Je te jure que je ne comprends pas comment cette histoire de Duke Graham et de Jim Smith, tu vois ce que je veux dire, comment cela peut avoir un rapport avec Ricky Joe Simmons. Vraiment, je ne sais pas. Et pour ce qui est de mon aptitude à être jugé, quand je reviendrai dans trente jours, il faut que Simmons soit arrêté, il faut lui faire prêter serment, passer la bande vidéo et essayer de lui faire avouer ce qu'il a fait.

Le juge : — Je comprends ce que vous dites.

Si « Tommy » comprenait, il était bien le seul.

Contre son gré, Ron repartit à l'hôpital East Central pour une nouvelle période d'observation et de soins. Il aurait préféré rester à Ada pour en finir au plus vite avec le procès et il en voulait à ses avocats de l'avoir renvoyé à Vinita. Mark Barrett avait absolument voulu le faire sortir de la prison d'Ada, de crainte que de nouveaux mouchards apparaissent.

Ron se plaignait d'une douleur dans la voûte du palais. Un dentiste de l'hôpital pratiqua une biopsie et découvrit une tumeur maligne. Elle était indurée et facile à retirer. Le chirurgien confia à Ron que s'il n'avait pas été traité, ce qui aurait été le cas dans la prison d'Ada ou à McAlester, le cancer aurait atteint le cerveau.

Ron téléphona à Mark pour le remercier de l'avoir renvoyé à l'hôpital. Il lui avait sauvé la vie, lui dit-il.

En 1995, les autorités de l'Oklahoma effectuèrent un prélèvement sanguin sur tous les détenus de toutes les prisons et entreprirent de les analyser. Les résultats furent réunis dans un tout nouveau fichier des empreintes génétiques.

Le laboratoire de l'OSBI, à Oklahoma City, détenait encore les éléments de preuve de l'affaire Carter. Les empreintes digitales, les échantillons de sang, de sperme et de poils collectés sur la scène de crime ainsi que les empreintes et les nombreux échantillons de sang, de poils et de salive fournis par les témoins et les suspects y étaient conservés.

Il n'y avait pas pour Dennis Fritz de quoi être rassuré. Il ne faisait confiance ni à Bill Peterson ni aux policiers d'Ada et se méfiait comme de la peste de leurs acolytes de l'OSBI. Gary Rogers n'était-il pas lui-même un agent de l'OSBI ?

Dennis attendait. Il entretint pendant toute l'année 1998 une correspondance avec le Projet Innocence en prenant son mal en patience. Dix années derrière les barreaux lui avaient appris la persévérance et il savait ce qu'étaient les espoirs déçus.

Une lettre de Ron lui avait fait du bien. Une missive de sept pages, complètement décousue, rédigée sur du papier à en-tête de l'hôpital Eastern State. Dennis n'avait pu s'empêcher de rire en la lisant. Malgré tout, son vieux copain n'avait perdu ni son humour ni sa combativité. Ricky Joe Simmons était encore en liberté et Ron comptait bien le coincer.

Pour conserver sa santé mentale, Dennis passait ses journées dans la bibliothèque de droit. Il y fit une découverte qui lui rendit espoir : sa demande d'*habeas corpus* avait été présentée à la cour fédérale pour le district ouest de l'Oklahoma. Le comté de Pontotoc se trouvait dans le district est. Il consulta les autres détenus férus de droit et ils arrivèrent à la conclusion que son affaire ne relevait pas de la juridiction du district ouest. Il réécrivit son recours et l'adressa au tribunal compétent. Il y avait peu de chances pour que cela réussisse mais cela lui redonna de l'énergie et une raison de se battre.

En janvier 1999, il eut une conversation téléphonique avec Barry Scheck, qui luttait sur plusieurs fronts. Le Projet Innocence était submergé de dossiers. À Dennis qui s'inquiétait de savoir si les autorités étaient en possession de tous les éléments de preuve, Barry Scheck répondit qu'il en allait presque toujours ainsi. Il l'assura qu'il n'arriverait rien aux échantillons. Il savait comment les protéger afin qu'ils ne soient pas trafiqués.

Ce qui fascinait Scheck dans le dossier de Dennis était simple : la police n'avait pas enquêté sur le dernier homme à avoir été vu en compagnie de la victime. Une erreur grossière. Il n'en fallait pas plus à Scheck pour prendre l'affaire en main.

Les 26 et 27 janvier 1999, dans une société portant le nom de Laboratory Corporation of America (LabCorp), près de Raleigh, Caroline du Nord, les échantillons de sperme de la scène de crime – culotte déchirée, draps, prélèvements vaginaux sur écouvillon – furent comparés aux profils de Ron Williamson et de Dennis Fritz. Un expert venu de Californie, Brian Wraxall, avait été engagé par les avocats de Ron et de Dennis pour surveiller l'opération.

Deux jours plus tard, le juge Landrith annonça ce dont Mark Barrett et tant d'autres rêvaient depuis longtemps. Les résultats des tests ADN réalisés par LabCorp sur le sperme de la scène de crime disculpaient Ron Williamson et Dennis Fritz.

Annette, qui était en contact avec Mark Barrett, savait que les analyses étaient en cours. Le téléphone sonna, elle décrocha : c'était Mark.

— Annette, annonça-t-il de but en blanc, Ron est innocent.

— Vous en êtes sûr ? demanda-t-elle, sur le point de défaillir.

— Ron est innocent, répéta-t-il. Nous venons de recevoir les résultats du labo.

Presque incapable de parler, le visage inondé de larmes, elle promit de le rappeler. Elle se laissa tomber sur une chaise et se mit à prier. Elle remercia le Seigneur de sa bonté. Sa foi lui avait permis de tenir bon pendant cette interminable épreuve et Dieu exauçait ses prières. Elle fredonna quelques chants d'action de grâce, versa encore des larmes et commença à prévenir la famille et les amis. La réaction de Renee fut semblable à celle de sa sœur.

Le lendemain, elles firent les quatre heures de route jusqu'à Vinita, où les attendaient Mark Barrett et Sara Bonnell. Au moment où on amenait Ron, le Dr Grundy vint à passer. Ron était son patient et ils avaient noué une relation solide. Après dix-huit mois d'hospitalisation, l'état de Ron s'améliorait, et il prenait du poids.

— Nous avons d'excellentes nouvelles, annonça Mark à son client. Le labo nous a communiqué les résultats des tests ADN : ils prouvent que Dennis et vous êtes innocents.

Submergé par l'émotion, Ron se jeta dans les bras de ses sœurs. En pleurs, ils entonnèrent instinctivement *I'll Fly Away*, un gospel de leur enfance.

Mark Barrett adressa sans perdre de temps une requête au juge Landrith pour que les charges soient levées. Bill Peterson s'y opposa : il voulait des analyses ADN des poils. Le juge fixa la date d'une audience au 3 février.

Bill Peterson était incapable de se taire. Peu avant l'audience, il déclara dans les colonnes de l'*Ada Evening News* : « L'analyse ADN des échantillons de poils, qui n'avait pas cours en 1982, prouvera qu'ils sont les auteurs du meurtre de Debbie Carter. »

Cette déclaration fit l'effet d'une douche froide à Mark Barrett et à Barry Scheck. Si Peterson se permettait d'affirmer publiquement cela si peu de temps avant l'audience, il se pouvait qu'il sache quelque chose qu'ils ignoraient. Avait-il accès aux indices collectés sur la scène de crime ? Les échantillons pouvaient-ils être intervertis ?

Il n'y avait pas une place libre dans la salle d'audience principale, le matin du 3 février. Ann Kelley, une journaliste de l'*Ada Evening News*, se passionnait pour l'affaire ; les articles qu'elle signait à la une du quotidien touchaient un large public. Quand le juge Landrith fit son entrée, la salle était remplie de proches des deux familles, de policiers, d'employés du tribunal et d'avocats du comté.

Barney Ward était présent. Il ne voyait rien mais entendait tout. Il avait digéré la décision prise en 1995 par le juge Seay.

D'un autre côté, il avait toujours été convaincu que son client était victime d'un coup monté mis en œuvre par les enquêteurs et Peterson. Il se réjouissait de voir leur dossier s'amenuiser sous les feux des projecteurs. Après quarante-cinq minutes de chicanes entre les avocats, le juge Landrith déclara qu'il attendrait les résultats des analyses ADN des poils avant de prendre une décision. Il demanda aux avocats de faire vite.

Bill Peterson prit publiquement l'engagement d'accepter un non-lieu si Williamson et Fritz étaient disculpés par les tests ADN.

Le 10 février 1999, Mark Barrett et Sara Bonnell se rendirent au pénitencier de Lexington afin de voir Glen Gore, pour ce qu'ils présentaient comme un entretien de routine. La date du nouveau procès de Ron n'avait pas encore été fixée mais ils s'y préparaient d'ores et déjà.

Glen Gore les surprit en affirmant qu'il attendait leur visite. Il lisait les journaux et suivait les rebondissements de l'affaire. Il avait appris la décision du juge Seay et savait qu'un nouveau procès était à l'ordre du jour. Les avocats en discutèrent un moment avec lui, puis la conversation roula sur Bill Peterson, que Glen Gore méprisait, parce qu'il l'avait fait condamner à quarante ans d'emprisonnement.

Barrett lui demanda pourquoi il avait témoigné contre Williamson et contre Fritz.

Il répondit que c'était à cause de Peterson. Le procureur l'avait menacé de le lui faire payer cher s'il ne l'aidait pas à coincer Williamson et Fritz.

— Accepteriez-vous de vous soumettre au détecteur de mensonge ? demanda Barrett.

Gore répondit que cela ne le dérangeait pas. Il avait proposé à la police de le faire mais on ne lui en avait pas reparlé.

Les avocats demandèrent ensuite à Gore s'il voulait bien leur fournir un échantillon de sa salive, à titre d'empreintes génétiques. Il répondit que ce n'était pas nécessaire. Les autorités avaient déjà son ADN ; on avait fait un prélèvement sur tous les détenus. Mark Barrett lui annonça que Williamson et Fritz avaient été disculpés par un test ADN. Gore le savait déjà.

— Pourrait-on retrouver votre ADN sur le corps ? demanda Barrett.

— Probablement, répondit Gore. J'ai dansé quatre ou cinq fois avec Debbie ce soir-là.

Barett affirma que danser ne suffisait pas et expliqua qu'on trouvait les empreintes génétiques dans le sang, la salive, la sueur et le sperme.

— Ils ont l'ADN du sperme, ajouta-t-il.

L'expression de Gore changea du tout au tout. Il avait manifestement l'air inquiet. Il se leva en disant qu'il allait chercher son conseiller juridique. Il revint avec un autre détenu, Reuben. En attendant son retour, Sara avait demandé un coton-tige à un surveillant.

— Glen, voulez-vous nous donner un échantillon de votre salive ? demanda-t-elle en lui présentant le coton-tige.

Il prit le bâtonnet, le cassa en deux, nettoya ses oreilles et fourra les deux morceaux dans la poche de sa chemise.

— Avez-vous eu des relations sexuelles avec elle ? demanda Mark.

Gore refusa de répondre.

— Dois-je comprendre que vous n'avez pas eu de relations sexuelles avec elle ? insista Mark Barrett.

— Je n'ai pas dit ça.

— Si vous en avez eu, le sperme de la scène de crime correspondra à votre ADN.

— Ce n'est pas moi, déclara Gore. Je ne peux pas vous aider.

Il se leva, Reuben l'imita : l'entretien était terminé. Au moment de se séparer, Barrett demanda à Gore s'ils pourraient se revoir. Gore déclara qu'il était d'accord, mais plutôt sur son lieu de travail.

« Quel lieu de travail ? » se demanda Barrett, sachant qu'il purgeait une peine de quarante ans.

Gore expliqua qu'il travaillait dans la journée à Purcell, la ville natale de Sara Bonnell, dans les ateliers municipaux. Il n'avaient qu'à à aller le voir là-bas, ils auraient une conversation plus longue.

Mark et Sara acceptèrent. Ils n'en revenaient pas que Gore travaille hors des limites du pénitencier.

Dans l'après-midi, Mark appela Mary Long, qui dirigeait le Service empreintes génétiques de l'OSBI. Il lui suggéra de se procurer l'ADN de Gore dans le fichier du pénitencier et de faire un rapprochement avec les échantillons de sperme de la scène de crime. Elle accepta.

Dennis Fritz était enfermé dans sa cellule pour l'appel de 16 h 15 quand il entendit dans le couloir la voix familière d'un détenu qui criait : « Fritz ! Tu es libre ! » La voix ajouta quelque chose où il était question d'ADN.

Dennis ne pouvait pas sortir. Son compagnon de cellule avait entendu la même chose ; ils passèrent le reste de la soirée à discuter de ce que l'autre avait voulu dire.

Il était trop tard pour appeler New York. Dennis passa une nuit affreuse. Incapable de fermer l'œil, il s'efforçait de contenir son excitation. Quand il réussit enfin à joindre le Projet Innocence, le lendemain à la première heure, on lui confirma la nouvelle. Les analyses ADN du sperme découvert sur la scène de crime disculpaient Dennis et Ron.

Dennis était euphorique. Près de douze ans après son arrestation, la vérité éclatait enfin au grand jour. La preuve était irréfutable. Il allait être blanchi, innocenté, remis en liberté. Il téléphona à sa mère qui pleura de joie. Puis il appela sa fille, Élizabeth, qu'il n'avait pas vue depuis douze ans. Ils se promirent de fêter comme il convenait leurs retrouvailles.

Pour éviter que l'on trafique les poils de la scène de crime et les échantillons de Fritz et de Williamson, Mark Barrett demanda à un expert d'examiner les poils et de les photographier au microscope avec un appareil à infrarouge.

Moins de trois semaines après l'audience sur la demande de non-lieu, LabCorp acheva la première phase des tests ADN. Les résultats n'étaient pas concluants. Mark Barrett et Sara Bonnell se rendirent à Ada où le juge les attendait. Landrith était impatient d'avoir les réponses que seules les empreintes génétiques pouvaient fournir.

En raison de la complexité des analyses ADN, plusieurs laboratoires réalisaient les tests sur différents groupes d'échantillons. La méfiance qui régnait entre l'accusation et la défense ne faisait que compliquer le problème. Au total, cinq laboratoires travaillaient simultanément.

Les avocats en discutèrent avec le juge Landrith, qui les exhorta une nouvelle fois à faire au plus vite.

En quittant le bureau du juge, Mark et Sara décidèrent de passer voir Peterson. Aussi bien au cours des audiences que dans la correspondance qu'ils échangeaient, le procureur se montrait de plus en plus hostile. Ils se disaient qu'une visite amicale lui permettrait peut-être de se radoucir.

Il n'en fut rien : le procureur se lança dans une longue diatribe. Il restait convaincu que Ron Williamson avait tué et violé Debbie Carter, et il s'appuyait sur les mêmes éléments de preuve. Malgré les analyses ADN, malgré les experts de l'OSBI, il tenait Williamson pour un sale type qui avait violé des femmes à Tulsa, traînait dans les bars, parcourait les rues avec sa guitare et habitait tout près de chez Debbie Carter. Le procureur croyait dur comme fer que Gary Allen, le voisin de Fritz, avait vu Ron et Dennis la nuit du crime s'asperger en riant avec un tuyau d'arrosage pour nettoyer le sang qu'ils avaient sur eux. Ils ne pouvaient qu'être coupables ! Peterson était intarissable, comme s'il cherchait plus à se rassurer qu'à convaincre Mark et Sara.

Ils étaient sidérés. Le procureur était absolument incapable de reconnaître ses erreurs et de saisir la réalité de la situation.

À Dennis Fritz, le mois de mars sembla durer une année entière. L'euphorie avait disparu et les journées se traînaient. Il était obsédé par l'éventualité d'une falsification des échantillons. La question du sperme étant réglée, s'il voulait sauver les meubles, Peterson ne reculerait devant rien. Si Ron et lui étaient innocentés par les analyses ADN des poils, ils seraient remis en liberté et les manœuvres du procureur seraient mises en lumière. Sa réputation était en jeu.

Dennis savait qu'il n'avait pas de prise sur les événements et la situation créait un stress insupportable. Redoutant une crise cardiaque, il se rendait fréquemment à la clinique de la prison pour se plaindre de palpitations. On lui donnait des pilules qui ne servaient pas à grand-chose.

Enfin, le mois d'avril arriva.

Pour Ron, l'excitation était retombée. Une nouvelle phase de dépression et d'angoisse lui succéda et il redevint suicidaire. Il téléphonait souvent à Mark Barrett qui faisait de son mieux pour le rassurer. Celui-ci ne s'absentait pas de son bureau sans s'assurer qu'il y aurait quelqu'un pour prendre les appels de Ron et lui parler.

Comme Dennis, il vivait dans la hantise que les autorités truquent les résultats des tests ADN. Les deux hommes étaient en prison à cause des experts de l'OSBI, qui avaient encore accès aux échantillons. Il n'était pas difficile d'imaginer un scénario dans lequel on trafiquerait les échantillons dans le but de protéger certaines personnes et de dissimuler une injustice. Ron n'avait pas fait mystère de son désir de déposer des plaintes dès qu'il aurait recouvré la liberté. Cela devait susciter des inquiétudes.

Il téléphonait aussi souvent qu'on le lui permettait, à savoir tous les jours ou presque. Il donnait libre cours à sa paranoïa et concevait des machinations cauchemardesques.

Un jour, de guerre lasse, Mark Barrett fit ce qu'il n'avait jamais fait et ne ferait probablement plus jamais. Il assura Ron qu'il le ferait sortir de prison. Si les tests ADN prouvaient son innocence, le procès aurait lieu et Mark garantissait un non-lieu.

Ces paroles réconfortantes permirent à Ron de rester calme durant quelques jours.

« Les échantillons de poils ne correspondent pas », titrait l'édition dominicale du quotidien d'Ada, datée du 11 avril. Ann Kelley écrivait dans son article que LabCorp avait analysé quatorze des dix-sept poils collectés sur la scène de crime et qu'ils n'étaient en aucune manière compatibles avec le profil ADN de Fritz et de Williamson. Bill Peterson déclarait pour sa part :

> Nous ne savons pas à ce stade des analyses à qui appartiennent les poils. Des rapprochements d'ADN n'ont été effectués qu'avec Fritz et Williamson. Il ne faisait aucun doute pour moi lorsque nous avons lancé les analyses ADN que ces deux hommes étaient coupables. J'avais besoin de cette preuve matérielle pour les coincer. Quand nous avons reçu les résultats des échantillons de sperme, j'en suis resté bouche bée.

Le dernier rapport du labo étant attendu le mercredi suivant, le juge Landrith fixa la date de l'audience au 15 avril. On commençait à se demander si les deux hommes qui seraient présents sortiraient libres du tribunal.

Barry Scheck serait de la fête ! Sa réputation ne cessait de grandir depuis que le Projet Innocence innocentait ses clients grâce aux analyses ADN. Quand le bruit se répandit qu'il viendrait à Ada pour la mise en liberté de Ron, le cirque médiatique se mit en place. Des médias de l'Oklahoma et même nationaux téléphonèrent à Mark Barrett, au juge Landrith, à Bill Peterson, au Projet Innocence, à la famille Carter, à tous les protagonistes de l'affaire. La ville était en fièvre.

Ron Williamson et Dennis Fritz allaient-ils sortir libres du tribunal ?

Dennis n'avait pas été informé des résultats des tests ADN sur les poils. Le mardi 13, il se trouvait dans sa cellule quand un surveillant apparut à la porte. « Prends ton barda, lança-t-il. Tu t'en vas. »

Dennis savait qu'il allait retourner à Ada, peut-être pour apprendre qu'il était libéré. Il rassembla hâtivement ses affaires, dit au revoir à deux ou trois détenus qu'il aimait bien et suivit le surveillant dans le couloir. Celui qui devait le conduire à Ada n'était autre que John Christian, un visage familier de la prison du comté de Pontotoc.

Douze années derrière les barreaux avaient appris à Dennis à apprécier les petits plaisirs de la vie, la vue d'un paysage, d'une forêt, d'une prairie en fleurs. La nature fêtait l'arrivée du printemps et Dennis souriait derrière la vitre de la voiture en contemplant les fermes, les collines et les champs.

Sa pensée vagabondait. Il ne connaissait pas les derniers résultats des tests ADN et ne savait pas exactement pourquoi on le ramenait à Ada. Il espérait être remis en liberté mais il se pouvait qu'un obstacle de dernière minute fasse tout capoter. Il n'avait pas oublié que douze ans auparavant il avait failli être relâché à l'issue de l'audience préliminaire, après que le juge Miller eut constaté la minceur du dossier de l'accusation. Mais la police et Peterson avaient fait déposer James Harjo. Il avait été jugé et condamné.

Puis il pensa à Élizabeth, sa fille qu'il n'avait pas vue depuis si longtemps et qu'il serait merveilleux de serrer dans ses bras.

Mais la peur revint le hanter. Même si la liberté était proche, il avait encore des bracelets et sa destination était une autre prison.

Ann Kelley et un photographe l'attendaient. Il franchit la porte de la prison le sourire aux lèvres et s'avança d'un pas décidé vers la journaliste. « Jamais des poursuites n'auraient dû être engagées contre moi, déclara-t-il. Les preuves étaient insuffisantes et si la police avait fait son travail en enquêtant sur tous les suspects, nous n'en serions pas là. » Il exposa ensuite les problèmes auxquels se heurtait l'aide juridictionnelle. « Celui qui n'a pas assez d'argent pour prendre un défenseur est à la merci du système judiciaire. Quand on est pris dans cet engrenage, il est pratiquement impossible d'en sortir, même si on est innocent. »

En rêvant de liberté, Dennis passa une nuit calme dans la prison d'Ada.

La tranquillité de la prison fut perturbée le lendemain, quand Ron Williamson arriva de Vinita en tenue à rayures de prisonnier, tout sourires devant les caméras. Le bruit courait avec insistance qu'ils seraient remis en liberté le lendemain et les médias nationaux s'étaient emparés de l'affaire.

Ron et Dennis ne s'étaient pas vus depuis onze ans et ne s'étaient écrit qu'une seule fois. Ils s'étreignirent avec de grands rires, prenant lentement conscience de la situation. Les avocats arrivèrent à leur tour ; ils passèrent une heure à s'entretenir avec eux. Une caméra de *Dateline*, une émission de NBC, filmait tout. Jim Dwyer, du *New York Daily News*, apparut en compagnie de Barry Scheck.

Tout le monde était tassé dans une petite salle, dans l'aile est de la prison, face au tribunal. À un moment, Ron s'étendit par terre, les mains sous la tête, face à la porte vitrée.

— Qu'est-ce que vous faites, Ron ? demanda quelqu'un.

— J'attends Peterson.

La pelouse du tribunal grouillait de photographes et de journalistes. L'un d'eux repéra Bill Peterson, qui accepta de répondre à ses questions.

— Alors, mon salaud ! s'écria Ron en voyant le procureur devant la porte du tribunal. Tu l'as dans le baba !

La mère et la fille de Dennis lui firent une visite surprise. Dennis avait entretenu une correspondance suivie avec

Élizabeth, qui lui envoyait régulièrement des photos d'elle, mais il ne s'attendait pas à voir une belle et élégante jeune femme de vingt-cinq ans, très mûre pour son âge. Il la serra dans ses bras en pleurant à chaudes larmes.

On pleura beaucoup ce jour-là dans la prison d'Ada.

Ron et Dennis furent placés dans des cellules séparées, de peur qu'ils ne s'entretuent.

« Je préfère qu'ils ne soient pas ensemble, expliqua le shérif Glase. Je pense qu'il n'est pas bon de mettre deux meurtriers dans la même cellule. Jusqu'à preuve du contraire et en attendant la décision du juge, ce sont deux meurtriers. »

Leurs cellules étant côte à côte, les deux hommes pouvaient se parler. Dennis apprit en regardant les informations sur le petit téléviseur de son compagnon de cellule qu'ils seraient remis en liberté le lendemain. Il l'annonça aussitôt à Ron.

Terri Holland était encore pensionnaire à la prison d'Ada, ce qui n'étonnait personne. Ron et elle se traitèrent de tous les noms, sans plus. Dans le courant de la soirée, Ron retomba dans ses vieilles habitudes. Il se mit à crier à l'injustice, à réclamer sa liberté, à hurler des obscénités à l'adresse des prisonnières et à dialoguer à tue-tête avec Dieu.

15.

La mise en liberté imminente de Ron et de Dennis plaçait Ada au centre de l'actualité nationale. À l'aube du 15 avril, le tribunal était cerné par des camions de télévision par satellite et assiégé par les journalistes, les cameramen et les photographes. Attirés par cette effervescence et avides d'en savoir plus, les habitants d'Ada affluaient. Tout le monde ayant fait jouer ses relations pour obtenir une place dans la salle d'audience, le juge Landrith fut contraint d'organiser un tirage au sort pour les journalistes.

Une rangée de caméras était en place devant la prison. Quand les deux condamnés en sortirent, ils furent entourés par une meute de reporters. Ron portait une veste, une cravate, une chemise blanche et un pantalon achetés précipitamment par Annette. Il avait des chaussures neuves, trop petites, qui lui faisaient affreusement mal aux pieds. La mère de Dennis avait acheté un complet pour son fils mais il préférait rester dans les vêtements de sport dont il avait pris l'habitude en prison. Pour la dernière fois, ils traversèrent avec des menottes la pelouse du tribunal, en plaisantant avec les journalistes.

Arrivées de bonne heure, Annette et Renee s'étaient assises à leur place habituelle, au premier rang, juste derrière la table de la défense. Elles se tenaient par la main, priaient, pleuraient. Elles riaient peu : l'heure des réjouissances n'était pas encore venue. Leurs enfants, des parents et quelques amis les rejoignirent. Wanda et Élizabeth Fritz s'installèrent près d'elles ; elles aussi se tenaient par la main et chuchotaient avec animation. De l'autre côté de l'allée centrale, la famille Carter revenait encore une fois dans cette salle d'audience sans que justice ait été faite. Dix-sept années s'étaient écoulées depuis la mort de Debbie et les deux suspects accusés et condamnés pour ce meurtre allaient être remis en liberté.

Quand tous les sièges furent occupés, la foule s'aligna le long des murs. Le juge Landrith avait autorisé les appareils photo. Le banc des jurés fut pris d'assaut par les journalistes et les photographes ; on apporta des chaises pliantes pour loger tout le monde. Les policiers et les adjoints du shérif étaient en nombre. On avait pris des mesures de sécurité draconiennes : il y avait eu des coups de téléphone anonymes, des menaces avaient été proférées contre Ron et Dennis.

En dépit de la forte présence policière, Dennis Smith et Gary Rogers brillaient par leur absence.

Les avocats arrivèrent – Mark, Sara et Barry Scheck pour la défense, Bill Peterson, Nancy Shew et Chris Ross pour le ministère public. Il y eut des sourires et des poignées de main. Le parquet « se joignait » à la demande de non-lieu, pour rendre la liberté aux deux condamnés. Les deux camps s'unissaient au moment de réparer une erreur judiciaire. On remédiait à une injustice, on formait une grande famille. Tout le monde devait être félicité et être fier d'un système qui fonctionnait de si belle manière.

Ron et Dennis entrèrent et on ôta leurs menottes. Ils prirent place derrière leurs avocats, tout près de leur famille. Ron regardait droit devant lui. En parcourant l'assistance des yeux, Dennis vit des visages fermés, hostiles. La plupart de ceux qui étaient dans la salle ne paraissaient pas très heureux de savoir qu'ils allaient en ressortir libres.

Le juge Landrith fit son entrée. Il prononça quelques mots de bienvenue avant de passer aux choses sérieuses. Il demanda à Peterson d'appeler son premier témoin. Après avoir prêté serment, Mary Long, devenue chef de la section ADN à l'OSBI, donna un aperçu de la manière dont étaient pratiqués les tests ADN. Elle passa en revue les différents laboratoires qui avaient analysé les poils et le sperme de la scène de crime ainsi que les échantillons fournis par les suspects.

Ron et Dennis transpiraient. Ils avaient cru que l'audience ne durerait que quelques minutes, le temps pour le juge Landrith de prononcer le non-lieu et de les renvoyer chez eux. Mais l'inquiétude commençait à les gagner. Ron se tortillait sur son siège en grommelant : « Qu'est-ce qui se passe ? » Sara Bonnell lui faisait passer des petits mots pour l'assurer que tout allait bien.

Dennis était à bout de nerfs. Quel était le but de cette déposition ? Leur préparait-on une nouvelle surprise ? Chaque audience dans cette salle avait été un cauchemar. Des images lui revenaient en mémoire. Les mensonges des témoins à la barre, les visages impénétrables des jurés, Peterson requérant la peine de mort. Dennis commit l'erreur de parcourir de nouveau l'assistance du regard : il ne vit guère plus de visages amis.

Mary Long aborda enfin des sujets plus concrets. Dix-sept poils recueillis sur la scène de crime avaient été analysés – treize poils pubiens, quatre cheveux. Dix d'entre eux venaient du lit ou des draps, deux de la culotte déchirée, trois du gant de toilette placé dans la bouche de la victime. Les deux derniers avaient été trouvés sous son corps.

Quatre seulement avaient pu être comparés avec un profil ADN. Deux appartenaient à Debbie, aucun à Ron ni à Dennis. Pas un seul.

Avant de quitter la barre des témoins, Mary Long rappela que l'analyse des échantillons de sperme recueillis sur les draps, la culotte et le corps de la victime innocentait Ron et Dennis.

En 1988, Melvin Hett avait déclaré que, sur les dix-sept poils, treize étaient « compatibles à l'examen microscopique » avec les échantillons de Dennis et quatre avec les échantillons de Ron. Il avait même découvert une « correspondance ». Dans son troisième et dernier rapport, envoyé après l'ouverture du procès de Dennis, Hett avait disculpé Glen Gore. Son témoignage d'expert était la seule preuve « plausible » présentée par l'accusation aussi bien contre Ron que contre Dennis ; il avait pesé lourd dans leur condamnation.

Les tests ADN avaient révélé autre chose : un cheveu trouvé sous le corps et un poil pubien trouvé sur un drap appartenaient à Glen Gore. Le sperme prélevé dans le vagin pendant l'autopsie avait également été analysé. Il provenait de Glen Gore.

Le juge Landrith le savait mais il n'avait pas voulu le divulguer avant l'audience. Avec son accord, Bill Peterson annonça les résultats des analyses à un public ébahi.

« Votre Honneur, déclara-t-il, c'est un moment difficile pour notre système judiciaire. Le meurtre a été commis en 1982, le procès a eu lieu en 1988. Nous avons, à l'époque, présenté des preuves à un jury qui a condamné Ron Williamson et Dennis Fritz sur la foi de preuves qui, à mon sens, étaient accablantes. »

Sans se donner la peine de rappeler en quoi consistaient exactement ces preuves accablantes, le procureur expliqua que les analyses ADN contredisaient en grande partie ce dont il avait eu la conviction. Il ne lui restait plus de quoi poursuivre les deux accusés. Il demanda que le non-lieu leur soit accordé et reprit sa place.

Peterson n'avait ni prononcé de paroles conciliantes, ni montré de regret, ni reconnu ses erreurs, ni présenté d'excuses.

Des excuses, c'est le minimum que Ron et Dennis attendaient. Douze années leur avaient été volées par la malveillance, les erreurs et l'arrogance de cet homme. L'injustice qu'ils avaient subie aurait facilement pu être évitée : le procureur leur devait bien quelque chose d'aussi simple que des excuses.

Jamais elles ne vinrent. Ils en conservèrent une plaie qui ne guérirait jamais.

Le juge Landrith dit quelques mots sur l'injustice dont ils avaient été victimes, puis il leur demanda de se lever. Il prononça le non-lieu. Ils étaient libres. Il y eut des applaudissements et des acclamations de quelques spectateurs mais la majeure partie de l'assistance n'était pas d'humeur à se réjouir. Annette et Renee embrassèrent en sanglotant toute leur famille.

Ron se leva brusquement, longea le banc des jurés, sortit par une porte latérale et dévala l'escalier jusqu'aux marches du tribunal. Il s'arrêta et aspira à pleins poumons. Il alluma une cigarette, sa première d'homme libre depuis bien longtemps, et l'agita devant un photographe, le visage radieux. Le cliché fut publié dans des dizaines de journaux.

Il regagna la salle d'audience quelques minutes plus tard. Avec Dennis, les familles et les avocats, ils posèrent pour les photographes et répondirent aux questions de la horde de journalistes. Mark Barrett avait auparavant téléphoné à Greg Wilhoit pour lui demander de venir dans l'Oklahoma pour le grand jour. Quand Ron découvrit Greg dans la salle, il se jeta à son cou et ils s'étreignirent comme des frères.

— Que ressentez-vous, monsieur Williamson ? demanda un journaliste.

— Vous voulez tout savoir ? fit Ron. J'ai horriblement mal aux pieds. Mes chaussures sont trop petites.

Peggy Stillwell quitta la salle, soutenue par ses filles et ses sœurs, accablée. La famille de la victime n'avait pas été informée des tests ADN incriminant Glen Gore. Elle avait le sentiment d'être revenue au point de départ, dans l'attente d'un nouveau procès, sans que justice ait été faite. La plupart des membres de la famille Carter croyaient encore à la culpabilité de Ron et de Dennis, et se demandaient quel était le rôle de Gore.

Ron et Dennis quittèrent enfin le tribunal, traqués par les caméras. La foule les suivit jusqu'à l'entrée du bâtiment où ils s'arrêtèrent un instant pour jouir d'un rayon de soleil.

Libres, blanchis, innocentés, ils n'avaient pourtant reçu ni excuses ni explications. On ne leur avait pas proposé un dollar au titre de dédommagement ni d'aide d'aucune sorte.

C'était l'heure du déjeuner. Le restaurant préféré de Ron, *Bob's Barbecue*, se trouvait au nord de la ville. Annette téléphona pour réserver plusieurs tables ; leur escorte ne cessait de grossir.

Ron, à qui il ne restait que quelques dents et qui, en d'autres circonstances, aurait eu de la peine à manger devant une rangée d'objectifs, dévora son assiette de côtelettes de porc et demanda du rab. Lui qui ne savait pas savourer la nourriture savourait le moment présent. Il était poli avec tous, remerciait les inconnus qui passaient à sa table pour le féliciter, serrait dans ses bras ceux qui le demandaient et bavardait avec les journalistes pour leur fournir la matière d'un article.

Pas plus que Dennis, il ne cessait de sourire.

La veille, Jim Dwyer, du *New York Daily News*, et Alexandra Pelosi, de *Dateline*, une émission de NBC, s'étaient rendus à Purcell pour interviewer Glen Gore. Celui-ci savait que les événements prenaient une sale tournure à Ada et qu'il allait bientôt devenir le suspect numéro un dans l'affaire Carter. Mais le personnel du pénitencier n'était pas au courant.

Ayant appris que des gens allaient venir de loin pour l'interroger, il supposa qu'il s'agissait d'avocats ou de policiers. Vers midi, il posa ses outils dans le fossé qu'il nettoyait et s'évada. Il parcourut plusieurs kilomètres à travers bois, puis il tomba sur une route et fit de l'auto-stop dans la direction d'Ada.

Quand Ron et Dennis apprirent l'évasion de Gore, ils éclatèrent de rire. Quelque chose leur disait qu'il pouvait être coupable !

Après un long déjeuner, Ron, Dennis et ceux qui les accompagnaient se rendirent au pavillon du parc Wintersmith, où une conférence de presse était prévue. Entourés de leurs avocats, Ron et Dennis prirent place à une longue table, face aux caméras. Scheck parla du Projet Innocence et du travail qu'il faisait pour obtenir la mise en liberté des citoyens injustement condamnés. Quand on demanda à Mark Barrett comment une telle injustice avait pu se produire, il fit le récit des erreurs qui avaient été commises – les cinq années d'enquête, le travail bâclé et suspect de la police, les mouchards, les témoignages douteux des experts. Mais la plupart des questions étaient destinées aux deux condamnés fraîchement innocentés. Dennis fit part de ses intentions : il allait quitter l'Oklahoma pour retourner à Kansas City et passer le plus de temps possible avec Élizabeth. Le moment venu, il déciderait de ce qu'il voulait faire de sa vie. Ron n'avait pas d'autre projet immédiat que de quitter Ada.

Greg Wilhoit et Tim Durham, un autre condamné innocenté, lui aussi originaire de Tulsa, se joignirent à eux. Tim avait passé quatre ans en prison pour un viol qu'il n'avait pas commis. Le Projet Innocence lui avait rendu la liberté grâce aux analyses ADN.

À Muskogee, dans les bureaux de la Cour fédérale, Jim Payne, Vicky Hildebrand et Gail Seward éprouvaient une profonde satisfaction. Leur travail sur le dossier Williamson remontait à quatre ans et ils s'étaient depuis plongés dans d'autres affaires mais ils se réjouissaient de cette issue heureuse. Bien avant que l'ADN permette d'éclaircir les mystères, ils avaient découvert la vérité avec leur cerveau et de l'huile de coude, et ils avaient sauvé un innocent.

Le juge Seay ne s'en glorifiait pas, lui non plus. Il était satisfait d'avoir vu juste mais d'autres dossiers retenaient son attention. Il avait seulement fait son travail. Tous les autres juges auxquels Ron avait eu affaire avaient manqué à leurs devoirs, mais Frank Seay comprenait le système et en connaissait les défauts. La vérité était souvent difficile à trouver mais il avait la volonté de le faire et savait où chercher.

Mark Barrett avait demandé à Annette de trouver un lieu pour la conférence de presse et un autre pour une petite réception, quelque chose de sympa pour fêter le retour de Ron et de Dennis. Elle avait tout de suite pensé à la salle paroissiale de son église, celle où Ronnie allait dans son enfance, celle où elle jouait du piano et tenait l'orgue depuis quarante ans.

La veille, elle avait appelé son pasteur pour demander son autorisation et mettre au point les détails. Il avait hésité, bafouillé et déclaré qu'il devait consulter les membres du conseil de l'église. Trouvant sa réaction louche, Annette avait aussitôt pris le chemin de l'église. Quand elle arriva, le pasteur annonça que le conseil était d'avis – et il partageait cette opinion – que l'église refuse qu'un événement de ce genre ait lieu dans ses murs. Stupéfaite, Annette demanda pourquoi.

Le pasteur expliqua que cela pouvait donner lieu à des violences. Le bruit courait que des menaces étaient dirigées contre Ron et Dennis, et les choses pouvaient échapper à tout contrôle. On parlait beaucoup de la mise en liberté de Ron et la plupart des gens étaient contre. Il y avait des durs, chez les Carter, etc. Non, cela ne pouvait pas marcher.

— Mais tout le monde ici prie pour Ron depuis douze ans, protesta Annette.

— C'est vrai et nous continuerons à le faire, répondit le pasteur. Mais des tas de gens le croient encore coupable. Ce serait trop délicat. L'image de notre église pourrait en souffrir. La réponse est non.

Annette était bouleversée. Le pasteur essaya de la consoler mais elle resta sourde à ses paroles lénifiantes.

Elle appela aussitôt sa sœur. Quelques minutes plus tard, Gary Simmons, le mari de Renee, sauta dans sa voiture pour faire les trois heures de route jusqu'à Ada. Il se rendit directement à l'église et demanda à parler au pasteur, qui s'en tint à sa décision. Ils discutèrent un long moment sans trouver un terrain d'entente. L'église estimait tout simplement que c'était trop risqué.

— Ron sera parmi vous dimanche, glissa Gary. Lui permettrez-vous de dire quelques mots ?

— Non, répondit le pasteur.

Annette avait préparé le dîner chez elle. Les amis de la famille passaient dire bonjour et repartaient. Après le repas, tout le monde se rassembla dans la véranda pour entonner un vieux gospel. Barry Scheck, juif et new-yorkais, n'avait jamais entendu un truc de ce genre ; il fit cependant de son mieux pour joindre sa voix aux autres. Mark Barrett n'aurait laissé sa place pour rien au monde. Sara Bonnell, Janet Chesley et Kim Marks chantaient à pleine voix. Greg Wilhoit était là avec sa sœur Nancy, ainsi que les Fritz – Dennis, Élizabeth et Wanda.

« Ce soir-là, raconta Renee, tout le monde s'est retrouvé chez Annette pour fêter la mise en liberté de Ron. Il y avait une belle table, des chants et des rires. Annette s'était mise au piano, Ron jouait de la guitare, tout le monde chantait et battait des mains. Un grand moment de bonheur partagé. Et puis, à 10 heures, le silence s'est fait pour regarder les informations. Tout le monde était assis dans la véranda, épaule contre épaule, attendant la nouvelle dont nous rêvions depuis de si longues années, l'annonce que mon petit frère, Ronald Keith Williamson, était non seulement libre mais innocent. C'était un beau moment de joie et nous étions tous soulagés mais on pouvait lire dans les yeux de Ron les souffrances qu'il avait endurées. »

Quand le présentateur annonça la nouvelle, les assistants poussèrent des hourras. Mark Barrett, Barry Scheck et quelques autres se retirèrent ; la journée du lendemain s'annonçait longue.

Un peu plus tard, le téléphone sonna. Annette décrocha. Une voix anonyme annonça que le Ku Klux Klan était en ville et cherchait Ronnie. Parmi les rumeurs de la journée, il s'était murmuré qu'un membre de la famille Carter avait lancé un contrat sur Ron et Dennis, et que le Ku Klux Klan offrait maintenant les services de tueurs à gages. Une survivance de l'activité du KKK dans le sud-est de l'Oklahoma, même si, depuis des décennies, jamais la société secrète n'avait été soupçonnée de meurtres. En règle générale, elle ne s'attaquait pas aux Blancs mais on considérait qu'elle était la bande organisée la mieux placée pour ce genre de travail.

Annette fit discrètement part à Renee et à Gary de cet appel à faire froid dans le dos. Ils décidèrent de prendre la menace au sérieux, sans en parler à Ron.

« La soirée la plus heureuse de notre vie était devenue la plus terrifiante, poursuivait Renee. Nous avons décidé d'avertir la police d'Ada. Le commissariat nous a informés qu'il n'enverrait personne et que la police ne pouvait rien faire tant qu'il ne se serait rien passé. Comment pouvions-nous avoir la naïveté de croire qu'elle allait nous protéger ? Affolés, nous avons tiré les stores, fermé les fenêtres, bouclé les portes. Personne n'allait pouvoir fermer l'œil de la nuit, tellement nous avions les nerfs à fleur de peau. Mon gendre s'inquiétait pour sa femme et pour son bébé. Nous nous sommes rassemblés pour prier et demander au Seigneur de nous apporter l'apaisement et d'envoyer des anges entourer la maison pour nous protéger. Quand le jour s'est levé, nous étions sains et saufs. Le Seigneur avait une nouvelle fois exaucé nos prières. Quand je repense à cette nuit, il semble presque comique que notre première idée ait été d'appeler la police d'Ada. »

Ann Kelly, la journaliste de l'*Ada Evening News*, avait passé la journée à couvrir les événements. Le soir venu, elle reçut un coup de téléphone de Chris Ross, un des assistants de Bill Peterson. Il se plaignait que les procureurs et la police soient injustement diffamés.

Le lendemain matin, à l'aube de leur premier jour complet de liberté, Ron et Dennis, accompagnés de leurs avocats, Mark Barrett et Barry Scheck, se rendirent au *Holiday Inn*, où les attendait une équipe de NBC pour l'émission *Today*, présentée en direct par Matt Lauer.

L'attention des médias demeurait braquée sur Ada. La plupart des journalistes étaient restés, à l'affût d'une interview de tous ceux qui, de près ou de loin, avaient été mêlés à l'affaire. L'évasion de Gore ne faisait qu'ajouter du piment à la chose.

Tout le monde – Ron, Dennis, les avocats et les familles – prit ensuite la route de Norman, où une autre réception était organisée dans les locaux du Système de défense des indigents de l'Oklahoma. Ron adressa ses remerciements à ceux qui avaient œuvré pour le protéger et lui rendre la liberté. Après quoi, ils se rendirent à Oklahoma City pour l'enregistrement d'un sujet de Inside Edition et un autre pour une émission intitulée « La charge de la preuve ».

Barry Scheck et Mark Barrett s'efforçaient d'obtenir une audience avec le gouverneur et des parlementaires pour demander un changement de la législation qui faciliterait les analyses des empreintes génétiques et octroierait un dédommagement à ceux qui avaient été injustement condamnés. Tout le monde se rendit au Congrès de l'Oklahoma pour serrer des mains et tenir une autre conférence de presse. Ils avaient la chance d'être suivis par les médias nationaux. Trop pris par ses activités, le gouverneur s'était fait représenter par un membre de son entourage, qui avait eu l'idée d'organiser une rencontre entre Ron et Dennis, et les membres de la cour d'appel de l'Oklahoma. Nul ne savait ce qui sortirait de cette rencontre, sinon un probable ressentiment. C'était un vendredi après-midi et les juges, eux aussi, étaient en plein travail. Une seule sortit de son bureau pour les saluer. Elle ne siégeait pas le jour où la Cour avait examiné le dossier et confirmé la condamnation de Fritz et de Williamson.

Barry Scheck sauta dans un avion pour New York, Mark Barrett repartit à Norman, où il habitait, et Sara Bonnell prit la route de Purcell. La fièvre retomba ; tout le monde avait besoin de souffler. Dennis et sa mère restèrent à Oklahoma City, chez Élizabeth.

Sur la route du retour, dans la voiture d'Annette, Ron avait pris place à l'avant. Sans menottes. Sans tenue rayée de prisonnier. Sans policier armé pour le surveiller. Il s'absorbait dans la contemplation du paysage, des fermes, des ondulations des collines de ce sud-est de l'Oklahoma qu'il était pourtant impatient de quitter.

« C'est presque comme s'il nous avait fallu réapprendre à le connaître, tellement il était resté longtemps en dehors de notre vie, raconta Renee. Le lendemain de sa mise en liberté, nous avons passé une excellente journée avec lui. Je lui avais demandé de rester avec nous. Nous avions des tas de questions à lui poser et nous étions curieux de savoir comment cela se passait dans le couloir de la mort. Il a été très gentil et a répondu de son mieux. Quand je lui ai demandé pourquoi il avait des cicatrices sur les poignets, il a répondu : “J’étais tellement déprimé que je m’asseyais par terre et que je m’ouvrais les veines. ” Nous lui avons demandé comment était sa cellule, si la nourriture était mangeable, etc. Au bout d’un certain temps, il nous a regardés et il a dit : “Je n’ai plus envie de parler de ça. Parlons d’autre chose. ” Nous avons fait ce qu’il désirait. Il est sorti dans le patio d’Annette pour chanter en jouant de la guitare. Nous l’entendions de l’intérieur et j’avais toutes les peines du monde à retenir mes larmes quand je pensais à tout ce qu’il avait subi. Puis il s’avançait vers le réfrigérateur et restait devant, la porte ouverte, en se demandant ce qu’il avait envie de manger. Il n’en revenait pas de voir toute cette nourriture dans la maison et surtout de pouvoir choisir ce qui lui faisait plaisir. Devant la fenêtre de la cuisine, il contemplait nos voitures et les trouvait belles. Il n’avait jamais vu certains modèles. Un jour, en voiture, il a fait remarquer qu’il n’avait plus l’habitude de voir des gens marcher, courir, vaquer à leurs occupations. »

Ron attendait avec impatience de retrouver son église. Annette ne lui avait pas parlé de l’incident avec le pasteur. Mark Barrett et Sara Bonnell étaient invités ; Ron tenait à ce qu’ils soient auprès de lui. Toute la troupe arriva le dimanche, juste à l’heure pour l’office, et prit place au premier rang. Annette tenait l’orgue, comme à son habitude. Quand le premier cantique s’éleva de toutes les poitrine, Ron se leva en frappant dans ses mains et en chantant, habité par le Saint-Esprit.

Le pasteur ne parla pas du retour de Ron avant le moment où, invitant les fidèles à prier, il affirma que Dieu aimait tout le monde, même Ronnie.

Annette et Renee bouillaient de colère.

Tandis que la musique s’amplifiait et que le chœur commençait à se balancer, une poignée de fidèles s’avança vers Ron pour le saluer, le prendre par les épaules, lui dire leur joie de le revoir. Les autres, tous les autres bons chrétiens, lançaient des regards noirs à la brebis galeuse assise parmi eux.

Annette quitta l'église pour ne plus jamais y remettre les pieds.

La manchette de l'édition dominicale du quotidien d'Ada proclamait : « Le procureur défend son travail dans une affaire controversée. » L'article était accompagné d'une photographie de Bill Peterson au tribunal, en pleine action.

Pour des raisons évidentes, il était plein d'amertume et se sentait obligé d'inviter les bonnes gens d'Ada à partager sa rancœur. Le long article d'Ann Kelley n'était que l'expression maladroite de la colère d'un homme humilié qui aurait mieux fait d'éviter les journalistes.

Il commençait ainsi :

> Bill Peterson, le procureur du comté de Pontotoc, affirme qu'il n'est pas juste que tout le mérite des analyses ADN qui ont permis à leurs clients de recouvrer la liberté revienne aux avocats de Dennis Fritz et de Ron Williamson.

Interrogé par la journaliste qui le laissait s'enferrer, Peterson rappelait l'historique des analyses ADN dans l'affaire Carter. Chaque fois que l'occasion se présentait, il lançait une pique aux avocats et se mettait en valeur. L'idée des analyses ADN venait de lui !

Il se débrouillait pour ne pas reconnaître ce qui sautait pourtant aux yeux. Il avait demandé l'analyse des empreintes génétiques afin d'enfoncer Ron et Dennis dont la culpabilité était, à ses yeux, certaine. Les résultats n'étaient pas allés dans son sens mais il aurait voulu qu'on le félicite d'avoir été si beau joueur.

Ces enfantillages remplissaient plusieurs paragraphes. Peterson donnait vaguement à entendre qu'il était sur la piste d'autres suspects et qu'il réunissait des indices.

La journaliste poursuivait :

> Il (Peterson) a déclaré que, si de nouveaux éléments permettaient de lier Fritz et Williamson au meurtre de Debbie Carter, ils seraient jugés à nouveau.
>
> Il a ajouté qu'on avait rouvert l'enquête sur le meurtre de Debbie depuis un certain temps et que Glen Gore n'était pas le seul suspect.

L'article se concluait sur deux citations atterrantes de Peterson. La première disait :

> « J'ai fait ce qu'il fallait faire en 1988 en les présentant à la justice. En recommandant le non-lieu, j'ai fait ce qu'il fallait faire sur les plans judiciaire, moral et éthique, compte tenu des éléments de preuve que j'ai contre eux. »

Il oubliait naturellement de préciser que son consentement hautement moral au non-lieu arrivait près de cinq ans après que Ron avait échappé de justesse à l'exécution et quatre ans après qu'il avait publiquement reproché au juge Seay d'ordonner la tenue d'un nouveau procès. En tournant casaque à la dernière minute et en se réfugiant derrière l'argument boiteux de considérations éthiques, Peterson avait fait en sorte que deux innocents ne passent que douze années derrière les barreaux.

La dernière déclaration citée, présentée en intertitre à la une du quotidien, était encore plus répréhensible :

> « Je n'ai jamais prononcé le mot " innocent " au sujet de Fritz et de Williamson. Ce qui s'est passé ne prouve pas leur innocence. Cela signifie seulement que je ne peux pas engager des poursuites contre eux avec les éléments de preuves dont je dispose. »

Encore fragiles, Ron et Dennis furent terrifiés par la lecture de l'article. Pourquoi Peterson voudrait-il les faire repasser en jugement ? Il les avait fait condamner une fois... pourrait-il recommencer ?

Nouveaux éléments de preuves, preuves anciennes, absence de preuve, tout cela n'avait aucune importance. Ils venaient de passer douze ans en prison pour un meurtre qu'ils n'avaient pas commis mais, dans le comté de Pontotoc, les preuves ne comptaient pas.

L'article mit en fureur Mark Barrett et Barry Scheck. Ils commencèrent tous deux à rédiger une lettre de protestation au journal mais eurent la sagesse d'attendre. Au bout de quelques jours, ils se rendirent compte que les déclarations de Peterson restaient sans écho.

Dans l'après-midi du dimanche, à la demande de Mark Barrett, Ron, Dennis et leurs proches se rendirent à Norman.

Hasard du calendrier, Amnesty International y donnait son concert de rock annuel dans le but de lever des fonds. Une foule nombreuse se pressait dans un amphithéâtre. Il faisait chaud, le soleil brillait.

Pendant une pause des musiciens, Mark Barrett monta sur la scène et présenta Ron, Dennis, Greg et Tim Durham. Chacun disposait de quelques minutes pour faire part de son expérience personnelle. Ils étaient nerveux et n'avaient pas l'habitude de parler en public mais ils trouvèrent le courage de s'exprimer avec franchise.

Quatre hommes, quatre Blancs de bonne famille broyés par le système, qui, à eux quatre, avaient passé trente-trois ans en prison. Leur message était clair : aussi longtemps que le système ne serait pas amélioré, cela pourrait arriver à n'importe qui.

Ensuite, ils se baladèrent au milieu de la foule, mangèrent une glace, offrirent leur visage aux rayons du soleil, jouissant de leur liberté. Bruce Leba apparut soudain devant Ron et étreignit son vieux copain. Bruce n'avait pas assisté au procès de Ron et ne lui avait jamais écrit en prison. Il avait mauvaise conscience. Il s'excusa du fond du cœur; Ron lui pardonna aussitôt.

Il était prêt à pardonner à tout le monde. L'odeur grisante de la liberté apaisait les vieilles rancunes et les envies de vengeance. Il avait rêvé pendant douze ans de traîner des tas de gens en justice mais il n'y pensait plus. Il ne voulait pas revivre ses cauchemars.

Les médias n'en finissaient pas de les solliciter. Ron les attirait tout particulièrement. Un Blanc harcelé par des policiers blancs, accusé par un procureur blanc et condamné par un jury blanc, voilà qui faisait un beau sujet pour les journalistes. Que les pauvres et les minorités pâtissent de tels abus, soit, mais pas un ancien héros local.

La carrière prometteuse du joueur de base-ball, la glissade vers la folie dans le couloir de la mort, l'exécution à laquelle il avait échappé de justesse, la maladresse de policiers incapables de mettre la main sur le vrai tueur, tout cela fournissait la matière d'articles colorés.

Des demandes d'interview affluaient du monde entier dans le bureau de Mark Barrett.

Six jours après s'être fait la belle, Glen Gore décida de se livrer à la police. Il prit contact avec un avocat d'Ada qui avertit le pénitencier et prit les dispositions nécessaires. Avant de se constituer prisonnier, Gore demanda avec insistance à ne pas être remis entre les mains des autorités d'Ada.

Il n'avait pas de souci à se faire. Les policiers et le procureur aveugles ne réclamaient pas son retour. Il leur fallait encore du temps pour soigner leurs blessures d'amour-propre. Ils déclaraient qu'ils avaient rouvert l'enquête et qu'ils recherchaient avec un nouvel enthousiasme le ou les tueurs. Gore était une piste parmi d'autres.

Incapables de reconnaître leurs erreurs, le procureur et les inspecteurs essayaient désespérément de se convaincre qu'ils avaient vu juste. Peut-être un autre drogué allait-il débarquer au commissariat pour faire des aveux ou impliquer Ron et Dennis. Peut-être un nouveau mouchard se ferait-il connaître. Peut-être réussiraient-ils à faire avouer un rêve compromettant à un témoin ou à un suspect.

C'était Ada. Si la police faisait bien son travail, elle pourrait suivre quantité de nouvelles pistes.

Ron et Dennis n'avaient pas été innocentés.

16.

Les rituels quotidiens du Yankee Stadium changent légèrement quand l'équipe est en déplacement. Sans l'imminence de l'arrivée de la foule et des caméras, sans la nécessité d'avoir une surface de jeu irréprochable, l'activité démarre plus lentement. On voit en fin de matinée les jardiniers en short kaki et tee-shirt gris cendré s'occuper du terrain avec indolence tandis que Grantley, le jardinier en chef, bricole une de ces tondeuses Toro qui ressemblent à une araignée, que Tommy, le spécialiste de la terre battue, tasse et nivelle le sol derrière le marbre, et que Dan pousse une tondeuse aux dimensions plus modestes le long de la ligne de première base. Des arroseurs se mettent en marche à intervalles réguliers autour de la piste. Un guide entouré d'un petit groupe de visiteurs montre quelque chose au loin, derrière le tableau d'affichage.

Les cinquante-sept mille sièges sont vides. Les bruits se répercutent faiblement autour du stade – bruit étouffé du moteur d'une tondeuse, rire d'un jardinier, sifflement lointain d'un nettoyeur à haute pression sur les sièges des tribunes, grondement d'un train au-delà d'un mur, coups de marteau près de la cabine de presse. Pour ceux qui entretiennent les lieux, les jours où l'équipe se déplace sont précieux, entre la nostalgie de la grandeur des Yankees et l'espoir d'un avenir glorieux.

Vingt-cinq ans après l'époque où il aurait dû fouler le terrain, Ron Williamson se leva du banc où il était assis et fit quelques pas sur la piste faite de coquillages écrasés qui borde le terrain. Il s'arrêta pour contempler le stade gigantesque, pour s'imprégner de l'atmosphère de ce sanctuaire du base-ball. Le ciel était limpide, l'air vif. L'herbe était si lisse et si verte qu'on eût dit une moquette. Le soleil chauffait doucement sa peau livide. L'odeur de l'herbe fraîchement tondue lui rappelait d'autres stades, d'autres rencontres, de vieux rêves.

Il portait une casquette des Yankees, qu'on lui avait offerte à l'accueil, parce qu'il était une célébrité du moment, de passage à New York pour un plateau de *Good Morning America*, avec Diane Sawyer. Il portait le blazer bleu acheté précipitamment par Annette quinze jours plus tôt, sa seule cravate et son seul pantalon. Il avait de nouvelles chaussures. Lui qui avait vendu des vêtements et aimait conseiller les clients sur leur apparence s'en fichait complètement, après avoir passé douze ans en tenue de prisonnier.

Ron avait quarante-six ans mais il faisait beaucoup plus vieux. Il ajusta la casquette sur sa tignasse grise en désordre et fit quelques pas sur l'herbe. Son corps portait les stigmates de vingt ans d'excès et de mauvais traitements mais on pouvait deviner qu'il avait été un athlète. Il se dirigea vers le monticule et s'arrêta pour contempler les interminables rangées de sièges d'un bleu vif. Tout au fond, au centre, derrière le mur, il apercevait le mémorial dédié aux plus grands joueurs des Yankees.

Mickey Mantle était là.

Près du marbre, coiffé lui aussi d'une casquette des Yankees, Mark Barrett se demandait à quoi pensait Ron. Un homme qui venait de retrouver la liberté après avoir passé douze années en prison pour rien, sans la moindre excuse, car personne n'avait eu l'honnêteté de reconnaître s'être trompé, sans un mot d'encouragement. Dégagez et surtout pas de vagues ! Pas de dédommagement, pas de soutien psychologique, pas une lettre du gouverneur ni d'un représentant des autorités. Et quinze jours après sa libération, cet homme se trouvait au cœur d'une tempête médiatique, on se l'arrachait.

Pourtant, tout à sa joie de la liberté reconquise, il n'en voulait à personne. La rancœur viendrait plus tard, bien après que le tumulte médiatique se serait tu.

Barry Sheck, lui aussi, regardait Ron en discutant au bord de la piste avec les autres. Supporter des Yankees depuis son plus jeune âge, il avait pris les contacts pour organiser cette visite du stade.

On prit des photos, on filma Ron sur le monticule, en position de lanceur, puis la visite se poursuivit le long de la ligne de première base, sous la conduite d'un guide volubile. Ron connaissait la plupart des statistiques et des anecdotes. Le guide expliquait que jamais une seule balle n'avait été frappée au-delà des limites du Yankee Stadium mais que Mickey Mantle avait failli réussir cet exploit. Une de ses balles avait rebondi sur le mur, au centre. Il indiqua l'endroit, à 163 mètres du marbre. « Il a fait mieux à Washington, glissa Ron. 172 mètres. Le lanceur s'appelait Chuck Stobbs. » Le guide lui jeta un regard admiratif.

Annette marchait quelques pas derrière Ron. Elle n'aimait pas le base-ball. Son rôle consistait à régler les détails, à prendre les décisions difficiles, à mettre de l'ordre. Sa préoccupation première était d'empêcher son frère de boire. Il lui en voulait, parce qu'elle ne l'avait pas laissé se soûler, la veille au soir.

Dennis Fritz, Greg Wilhoit et Tim Durham étaient là, eux aussi. Les quatre condamnés innocentés avaient été invités sur le plateau de *Good Morning America*. ABC prenait tous les frais en charge. Jim Dwyer, du *New York Daily News*, les accompagnait.

Ils s'arrêtèrent à l'arrière du terrain, près de la tribune. De l'autre côté se trouvait le mémorial, Monument Park, avec des grands bustes de Ruth, Gehrig, Mantle et DiMaggio et des dizaines de plaques commémoratives à la gloire des plus grands joueurs des Yankees. Le guide expliqua qu'avant sa rénovation, ce lopin quasi sacré faisait partie du terrain de jeu. Une porte s'ouvrit et ils entrèrent dans un patio de brique. Il était facile d'oublier qu'ils se trouvaient dans un stade de base-ball.

Ron s'avança jusqu'au buste de Mickey Mantle pour lire les quelques lignes de sa biographie. Il connaissait encore par cœur les statistiques du joueur, apprises quand il était gamin.

Il avait porté pour la dernière fois le maillot des Yankees en 1979, à Fort Lauderdale, en division régionale. Un gouffre le séparait de ce mémorial. Annette avait des photos de lui dans la tenue des Yankees, une vraie. Elle avait été portée dans ce stade par un vrai joueur des Yankees. Le grand club faisait passer à ses équipes des divisions inférieures les vieilles tenues qui accumulaient au fil du temps les cicatrices des blessures reçues dans les affrontements anonymes. Tous les pantalons étaient reprisés aux genoux et à l'arrière. Toutes les ceintures élastiques avaient été allongées ou raccourcies et étaient couvertes de traits faits au marqueur. Tous les maillots portaient des traces d'herbe et de sueur.

En 1977, Ron avait participé à quatorze rencontres pour les Yankees de Fort Lauderdale. Il avait joué trente-trois manches seulement et s'était fait éliminer assez souvent pour que les Yankees décident sans hésiter de se séparer de lui au terme de la saison.

Tandis que la visite se poursuivait, Ron s'arrêta un instant pour jeter un coup d'œil méprisant à la plaque de Reggie Jackson. Le guide parlait des dimensions du stade, qui avaient changé plusieurs fois. L'équipe de télévision suivait, filmant des scènes qui ne dépasseraient jamais l'étape du montage.

Annette trouvait amusant qu'on accorde autant d'attention à Ron. Lui qui avait rêvé pendant toute sa jeunesse d'être placé sous le feu des projecteurs avait maintenant, quarante ans plus tard, une équipe de télévision qui filmait chacun de ses gestes.

Qu'il en profite, se disait-elle. Un mois auparavant, il était enfermé dans un hôpital psychiatrique et rien ne permettait de savoir s'il en sortirait un jour.

Ils repartirent lentement vers le banc des Yankees. Pendant que la petite troupe faisait une halte, Ron s'imprégna une dernière fois de la magie du lieu.

— Je viens de me faire une petite idée du plaisir qu'ils avaient à jouer ici, dit-il en se tournant vers Mark Barrett.

Mark approuva de la tête mais ne trouva rien à dire.

— Jouer au base-ball, c'est la seule chose que j'aie vraiment voulue de ma vie, poursuivit Ron. Le seul plaisir que j'aie jamais eu.

Il fit une dernière fois le tour du stade du regard.

— Au bout d'un moment, reprit-il, on finit par s'en détacher. Ce que je voudrais maintenant, c'est une bière bien fraîche.

New York fut la ville où Ron se remit à boire.

Du Yankee Stadium, la tournée triomphale les conduisit à Disney World, où une chaîne de télévision allemande invitait la petite troupe pendant trois jours. Les Allemands, fascinés comme tous les Européens par la peine de mort, avaient simplement demandé à Ron et à Dennis de raconter leur histoire.

L'endroit préféré de Ron à Disney World était Epcot, dans le village allemand, où il avait trouvé de la bière de Bavière. Il descendait chope sur chope.

Ils prirent ensuite l'avion pour Los Angeles, où ils avaient une interview en direct sur le plateau de *Leeza*. Peu avant l'heure du décollage, Ron s'éclipsa et vida une demi-bouteille de vodka. Comme il ne lui restait plus beaucoup de dents, son articulation n'était pas très nette. Personne ne remarqua qu'il avait la bouche pâteuse.

Au bout de quelques semaines, la fièvre retomba et le petit groupe – Ron, Annette, Mark, Dennis, Élizabeth, Sara – se dispersa.

Ron ne voulait pas retourner à Ada.

Il s'installa chez Annette et entama, après le départ des derniers journalistes, le processus délicat de la réadaptation.

Sous la surveillance vigilante de sa sœur, il prenait régulièrement ses médicaments. Il dormait beaucoup, jouait de la guitare en rêvant de devenir un chanteur célèbre. L'alcool était interdit chez Annette, et Ron sortait très peu.

Vivant toujours dans la crainte d'être arrêté et renvoyé en prison, il regardait instinctivement par-dessus son épaule et sursautait au moindre bruit. Il savait que la police ne l'avait pas oublié, qu'on le croyait toujours impliqué dans le meurtre. Une opinion partagée par une grande partie de la population.

Il aurait eu envie de sortir mais n'avait pas d'argent. Il se savait incapable de garder un emploi et ne parlait jamais de chercher du travail. Il n'avait plus son permis de conduire depuis près de vingt ans mais n'avait pas envie d'apprendre le code pour le repasser.

Annette était en pourparlers avec la Sécurité sociale pour récupérer l'arriéré de ses prestations d'invalidité. Les chèques avaient cessé d'arriver quand il avait été emprisonné. Elle eut gain de cause et toucha la somme de soixante mille dollars. L'allocation mensuelle de six cents dollars fut rétablie. Elle était payable jusqu'à ce que l'infirmité de Ron prenne fin, une hypothèse peu probable.

Avec cette grosse rentrée d'argent, il se prit pour un millionnaire et décida de vivre seul. Il voulait à toute force quitter Ada et même l'Oklahoma. Michael, le fils unique d'Annette, vivait à Springfield, Missouri. Ils concoctèrent un plan pour y envoyer Ron. Pour vingt mille dollars, ils firent l'acquisition d'un mobile home neuf, meublé, avec deux chambres, et ils y installèrent Ron.

Annette était inquiète de le savoir seul. Au moment de prendre congé, elle le vit dans son fauteuil à dossier inclinable, regardant la télévision, offrant l'image d'un homme heureux. Lorsqu'elle revint trois semaines plus tard pour voir si tout allait bien, elle le trouva dans le même fauteuil, à côté d'une montagne de canettes de bière vides.

Quand il ne dormait pas, ni ne buvait, ni ne parlait au téléphone, ni ne jouait de la guitare, il traînait dans un Wal-Mart voisin, où il s'approvisionnait en bière et en cigarettes. Un jour, il se produisit quelque chose, un incident, et on lui demanda d'aller passer son temps ailleurs.

Grisé par son indépendance financière, Ron se mit en tête de rembourser tous ceux qui, un jour ou l'autre, lui avaient prêté de l'argent. L'idée d'économiser lui paraissait ridicule ; il commença à distribuer l'argent. Quand il était ému par des appels à la télévision – pour des enfants qui mouraient de faim ou des évangélistes menacés de perdre leur ministère, il envoyait de l'argent.

Ses notes de téléphone étaient monstrueuses. Il appelait Annette et Renee, Mark Barrett, Sara Bonnell, Greg Wilhoit, les avocats du Système de défense des indigents, le juge Landrith, Bruce Leba et même des responsables de la prison. Il se montrait tout guilleret, heureux d'être libre mais à la fin de chaque conversation, il se mettait à délirer sur Ricky Joe Simmons. Il n'attachait guère d'importance à la signature ADN laissée par Glen Gore. Ron voulait que Simmons soit arrêté pour « le viol, le viol avec instrument, le viol par sodomie et le meurtre de Debra Sue Carter, à son domicile du 1022, 8e Rue Est, le 8 décembre 1982 ! » Il récitait toute la phrase au moins deux fois dans chaque conversation.

Bizarrement, Ron téléphona aussi à Peggy Stillwell et ils nouèrent une relation cordiale. Il l'assura qu'il n'avait jamais rencontré Debbie ; elle le crut. Dix-huit ans après la mort de sa fille, elle n'avait pas encore fait son deuil. Elle avoua à Ron qu'elle avait soupçonné pendant des années que le meurtre n'avait pas été vraiment élucidé.

Ron essayait d'éviter les bars et les femmes de mœurs légères, mais il connut néanmoins une expérience cuisante. Il marchait un jour sur un trottoir, sans rien demander à personne, quand une voiture s'était arrêtée à sa hauteur. Deux femmes l'avaient invité à y monter. Après avoir fait la tournée des bars jusqu'à une heure avancée, ils avaient fini la nuit dans son mobile home. Une des femmes avait découvert le magot qu'il cachait sous son lit. En constatant le lendemain la disparition de mille dollars, il s'était juré de ne plus toucher à une femme.

Michael Hudson, son neveu, était son seul ami à Springfield. Il l'incita à acheter une guitare et lui apprit à en jouer. Michael passait régulièrement le voir et faisait un rapport à sa mère. Ron buvait de plus en plus.

Le mélange de l'alcool et des médicaments avait des effets néfastes : Ron devenait paranoïaque. La seule vue d'une voiture de police provoquait une crise d'angoisse. Il ne traversait même pas la chaussée en dehors des passages cloutés, de crainte qu'un policier ne l'observe. Peterson et la police d'Ada mijotaient quelque chose, il en était sûr. Il colla des feuilles de journal sur les vitres du mobile home, mit un cadenas aux portes et y colla aussi des journaux. Il dormait avec un couteau de boucher à portée de la main.

Mark Barrett passa le voir deux fois et resta dormir. L'état de Ron, l'alcool, la paranoïa, tout cela l'alarmait. Le couteau de boucher lui inspirait les plus vives inquiétudes.

Ron était seul et terrifié.

Dennis Fritz, lui non plus, ne traversait pas en dehors des clous. De retour à Kansas City, il s'installa chez sa mère, dans la petite maison de Lister Avenue. La dernière fois qu'il avait vu la maison, elle était investie par un groupe d'intervention du SWAT.

Plusieurs mois s'étaient écoulés depuis leur mise en liberté mais Glen Gore n'était toujours pas inculpé. L'enquête avait repris dans des directions indéterminées ; pour Dennis, Ron et lui étaient toujours suspects. Il tressaillait à la vue d'une voiture de police, se retournait dans la rue quand il sortait de chez lui et sursautait quand le téléphone sonnait.

Il prit sa voiture pour aller rendre visite à Ronnie et fut horrifié. Ils s'efforcèrent de rigoler en évoquant le bon vieux temps, mais Ronnie buvait trop. Ce n'était pas un buveur honteux ni quelqu'un que l'alcool rendait sentimental. Il était juste bruyant et désagréable. Il dormait jusqu'à midi, descendait une bière en guise de petit-déjeuner et de déjeuner, puis se mettait à jouer de la guitare.

Ils prirent la voiture un après-midi pour faire une balade. Ron jouait de la guitare. Dennis conduisait très lentement ; il ne connaissait pas Springfield et ne tenait pas à se faire arrêter par les flics. Ron décida de demander dans un night-club s'il pouvait se produire sur scène le soir même. Dennis trouvait que c'était une mauvaise idée, d'autant plus que Ron ne connaissait personne, ni le patron ni les videurs. Une vive discussion avait suivi et ils avaient regagné le mobile home.

Ron rêvait de jouer en public. Il voulait se produire devant des milliers d'admirateurs, vendre des albums, devenir célèbre. Dennis n'osait pas lui dire qu'avec sa voix éraillée, ses cordes vocales endommagées et son talent de guitariste très limité, cela resterait un rêve. Mais il l'implorait de boire moins. En mêlant par exemple quelques bières sans alcool aux innombrables Budweiser qu'il ingurgitait et en abandonnant les alcools forts. Comme il grossissait aussi, Dennis le poussait à faire de l'exercice et à arrêter de fumer.

Ron écoutait mais continuait à boire, de vraies bières. Au bout de trois jours, Dennis repartit à Kansas City. Il revint quelques semaines plus tard avec Mark Barrett. Ils conduisirent Ron dans un café. Il monta sur la petite scène avec sa guitare et interpréta plusieurs chansons de Bob Dylan. Il était payé au pourboire.

L'assistance était clairsemée, les clients s'intéressaient plus à ce qu'il y avait dans leur assiette qu'à la musique mais Ron était heureux d'être sur une scène.

Pour ne pas rester inactif et pour gagner un peu d'argent, Dennis trouva un boulot à mi-temps dans un grill. S'étant plongé dans des ouvrages juridiques pendant douze ans, il avait de la peine à se défaire de cette habitude. Barry Scheck l'encourageait à faire son droit et promettait de l'aider à payer les frais d'inscription. À l'université du Missouri, il y avait une faculté de droit, avec des horaires flexibles. Dennis commença à préparer l'examen d'entrée mais il fut vite dépassé.

Il souffrait d'une névrose traumatique. Les souvenirs horribles de la prison ne le quittaient pas – cauchemars, flash-back, hantise d'une nouvelle arrestation. L'enquête suivait son cours et, connaissant la police d'Ada, il redoutait qu'on ne vienne frapper à sa porte en pleine nuit ou même qu'un groupe d'intervention du SWAT ne donne l'assaut à la maison. Dennis se décida enfin à demander l'aide d'un psychologue et put commencer à reconstruire sa vie. Barry Scheck envisageait d'intenter un procès, une action judiciaire contre tous les responsables de l'injustice. Cette idée obsédait Dennis.

Un nouveau combat se profilait à l'horizon. Il s'y préparait.

La vie de Ron prenait une tournure bien différente. Des voisins étaient témoins de son comportement bizarre. Il se mit à parcourir les allées du terrain de camping, le couteau de boucher à la main, affirmant que Peterson et les policiers d'Ada le traquaient. Il voulait se protéger et refusait de retourner en prison.

Annette reçut un avis d'expulsion. Ronnie refusant de répondre au téléphone, elle obtint du juge une ordonnance pour qu'on aille le chercher et qu'on procède à une évaluation psychologique.

Bouclé dans son mobile home, les portes et les vitres masquées par des journaux, une bière à la main, devant la télévision, il entendit soudain des mots crachés par un haut-parleur : « Sortez, les mains en l'air ! » Il souleva un coin de journal, vit des uniformes et crut que sa vie allait encore basculer. Il allait reprendre le chemin du couloir de la mort.

Les policiers avaient autant peur de lui que lui d'eux mais ils trouvèrent un terrain d'entente. Ils conduisirent Ron non pas à McAlester mais dans un hôpital psychiatrique.

Le mobile home qui avait moins d'un an mais ne ressemblait déjà plus à rien fut vendu. Quand son frère sortit de l'hôpital, Annette chercha un endroit pour le loger. Elle ne trouva qu'une maison de retraite des faubourgs de Springfield. Elle se rendit à l'hôpital, rassembla les affaires de Ron et le conduisit au Centre de soins du comté de Dallas.

Les premiers temps, Ron se plia de bonne grâce aux soins réguliers qu'on lui administrait. Il prenait ses médicaments à l'heure, l'alcool était interdit, il se sentait mieux. Mais il en eut vite assez d'être entouré de vieillards en fauteuil roulant. Il commença à se plaindre et devint insupportable. Annette dénicha un autre lit, à Marshfield, Missouri, dans un établissement peuplé, lui aussi, de pensionnaires au soir de leur vie. Ron n'avait que quarante-sept ans. Qu'est-ce qu'il foutait dans une maison de retraite ? Comme il importunait tout le monde, Annette décida de le ramener dans l'Oklahoma.

Il ne voulait pas retourner à Ada et Ada ne voulait pas de lui. Annette trouva un lit à Oklahoma City, au *Harbour House*, un ancien motel reconverti en centre d'accueil destiné aux hommes en réinsertion. L'alcool y était interdit. Ron n'avait pas bu une goutte depuis des mois.

Mark Barrett lui rendit visite à plusieurs reprises et comprit que Ron ne pourrait pas rester très longtemps au *Harbour House*. Personne n'aurait pu. La plupart des pensionnaires y étaient de véritables zombies, plus profondément blessés par la vie encore que Ron.

Les mois s'écoulaient mais Glen Gore n'était toujours pas inculpé pour le meurtre de Debbie Carter. La nouvelle enquête ne donnait pas plus de résultats que l'ancienne, dix-huit ans auparavant.

La police, le procureur et l'OSBI avaient, grâce aux analyses ADN, la preuve irréfutable que le sperme et les poils de la scène de crime appartenaient à Gore, mais ils demeuraient incapables d'élucider le meurtre. Il leur fallait d'autres preuves.

Ron et Dennis figuraient toujours au nombre des suspects. Ils avaient recouvré la liberté mais une menace pesait toujours sur eux. Ils se parlaient une fois par semaine, parfois tous les jours et s'entretenaient fréquemment avec leurs avocats.

Après un an passé à vivre dans la crainte, ils prirent la décision de contre-attaquer.

Si Bill Peterson, la police d'Ada et le parquet de l'Oklahoma avaient présenté des excuses et clos les dossiers Fritz et Williamson, les autorités auraient choisi une solution honorable pour mettre fin à une douloureuse affaire.

N'ayant rien fait, elles se retrouvèrent avec un procès sur le dos.

En avril 2000, Dennis Fritz et Ron Williamson portèrent plainte contre la ville d'Ada, le comté de Pontotoc, Bill Peterson, Dennis Smith, John Christian, Mike Tenney, Glen Gore, Terri Holland, James Harjo, l'État de l'Oklahoma, l'OSBI, les agents de l'OSBI Gary Rogers, Rusty Featherstone, Melvin Hett, Jerry Peters et Larry Mullins, les fonctionnaires de l'administration pénitentiaire Gary Maynard, Dan Reynolds, James Saffle et Larry Fields.

L'action intentée devant une cour fédérale invoquait des violations des quatrième, cinquième, sixième, huitième et quatorzième amendements. L'affaire fut confiée au juge Frank Seay qui préféra se récuser.

La demande en justice accusait les défendeurs de : 1. ne pas avoir accordé aux plaignants un procès équitable en fabriquant des preuves et en dissimulant des éléments de preuves qui auraient permis de disculper les accusés ; 2. s'être entendus pour arrêter arbitrairement les plaignants et les avoir inculpés avec malveillance ; 3. avoir eu un comportement déloyal ; 4. leur avoir fait intentionnellement subir des souffrances de nature affective ; 5. avoir fait preuve de négligence en inculpant les plaignants ; 6. avoir engagé des poursuites et ne pas les avoir abandonnées par malveillance.

La demande formée contre les autorités pénitentiaires alléguait que Ron avait été victime de mauvais traitements dans le couloir de la mort et que sa maladie mentale n'avait pas été prise en compte malgré de nombreux avertissements.

Les plaignants demandaient cent millions de dollars de dommages-intérêts.

Le quotidien d'Ada citait Bill Peterson : « Il s'agit, à mon sens, d'une action en justice irréfléchie, destinée avant tout à attirer l'attention. Je n'ai aucune inquiétude. » Il rappelait ensuite que l'enquête criminelle se poursuivait.

L'action en justice était engagée par le cabinet de Barry Scheck et une avocate de Kansas City du nom de Cheryl Pilate.

Mark Barrett se joindrait à eux plus tard, quittant le Système de défense des indigents pour exercer à son compte.

Il est extrêmement difficile de gagner un procès au civil pour une condamnation injuste et les tribunaux sont inaccessibles à la plupart des condamnés innocentés. Être condamné à tort ne donne pas automatiquement le droit d'intenter une action.

Le plaignant potentiel doit affirmer et prouver que ses droits civils ont été violés, que les protections que lui accorde la constitution n'ont pas été respectées et que la condamnation résulte de ces deux éléments. Ensuite, vient le plus difficile : tous les acteurs ou presque du procès qui a conduit à la condamnation injuste bénéficient d'une immunité. Immunité du juge même s'il a mal dirigé le procès. Immunité du procureur tant qu'il s'en tient à son rôle, à savoir poursuivre en justice. S'il s'implique trop dans l'enquête, sa responsabilité peut être engagée. Immunité du policier tant qu'on ne peut prouver qu'il a agi si mal que tout représentant de l'ordre raisonnable aurait su qu'il violait la constitution.

Cette procédure est extrêmement onéreuse, les avocats du plaignant s'exposant à des dizaines, voire des centaines de milliers de dollars de frais judiciaires. Elle est très risquée, car les chances sont minces d'obtenir des dommages-intérêts.

La plupart de ceux qui ont été condamnés à tort, comme Greg Wilhoit, ne touchent pas un sou.

En juillet 2001, Ron fit halte à Norman, dans un établissement connu, *Transition House*, qui offrait à ses pensionnaires un environnement structuré, un encadrement médical et une formation. Le but était de rendre dans un premier temps les patients capables de vivre seuls, sous la supervision de conseillers sociopsychologiques, puis de se réinsérer dans le tissu social en tant que citoyens stables et productifs.

Pour la première phase, dans le cadre d'un programme de douze mois, les hommes vivaient dans des dortoirs avec une pléthore de règles. Un des premiers exercices consistait à apprendre aux patients comment utiliser les transports en commun pour se déplacer dans la ville. On leur enseignait également la cuisine, le ménage et l'hygiène. Ron réussissait à préparer des œufs brouillés et à faire des sandwichs au beurre de cacahuètes.

Il préférait ne pas s'éloigner du dortoir et ne sortait que pour fumer. Au bout de quatre mois, il ne maîtrisait pas encore les transports en commun.

Debbie Keith était un amour d'enfance de Ron. Son père, un pasteur, voulait qu'elle épouse un pasteur. Ron était loin de faire l'affaire. Le frère de Debbie, Mickey, avait suivi la voie paternelle : il était pasteur au Temple évangéliste, le nouveau lieu de culte d'Annette. À la demande de Ron et sur l'insistance d'Annette, le révérend Keith se rendit à Norman.

Ron était sérieux quand il disait vouloir rentrer dans le giron de l'Église et mettre de l'ordre dans sa vie. Au fond de lui-même, il croyait sincèrement en Dieu et en Jésus-Christ. Jamais il n'oublierait les passages d'Évangiles appris par cœur dans son enfance ni les gospels qu'il aimait tant chanter. Malgré ses errements et ses défauts, il aspirait à retrouver ses racines. Il ne pouvait se débarrasser d'un sentiment de culpabilité pour la vie qu'il avait menée mais il croyait en la promesse du pardon divin, éternel et total.

Le révérend Keith parla et pria avec Ron. Puis il expliqua que, s'il voulait vraiment rejoindre son église, il lui faudrait remplir un formulaire de demande dans lequel il déclarerait qu'il était évangéliste, qu'il soutiendrait son église avec sa dîme et sa présence quand elle serait possible, et qu'il ne jetterait jamais le discrédit sur elle. Ron s'empressa de remplir la demande et de signer. Le conseil de l'église en discuta et donna son approbation.

Ron conserva un relatif équilibre pendant plusieurs mois. Il ne se droguait plus, ne buvait plus et était résolu, avec l'aide de Dieu, à chasser l'alcool de sa vie. Il s'inscrivit aux Alcooliques Anonymes et assista à presque toutes les réunions. Son traitement était bien adapté, sa famille et ses amis se plaisaient en sa compagnie. Il était drôle, n'avait pas la langue dans sa poche, ne manquait pas de repartie et avait toujours une blague à raconter. Pour surprendre les inconnus, il s'amusait à commencer des histoires par : « Quand j'étais dans le couloir de la mort... » Sa famille l'entourait de son mieux et s'émerveillait de la capacité qu'il avait de se remémorer des détails minuscules remontant à l'époque où il avait littéralement perdu la tête.

Transition House se trouvait tout près du centre de Norman, ce qui permettait à Ron de passer souvent dire bonjour à Mark

Barrett. L'avocat et le client buvaient un café, parlaient de musique, discutaient du procès. Ce qui intéressait surtout Ron, c'était de savoir quand il aboutirait et combien il pourrait toucher. Mark invita Ron à fréquenter son église, la congrégation des disciples du Christ. Ron suivit des cours d'instruction religieuse avec l'épouse de Mark. Il s'émerveilla de la liberté de ton qui était la règle dans les discussions sur la Bible et le christianisme. Tous les sujets pouvaient être abordés, contrairement à ce qui se faisait dans les églises pentecôtistes où la parole de Dieu ne peut être mise en question.

Ron passait le plus clair de son temps à gratter de la guitare en répétant des chansons de Bob Dylan ou d'Éric Clapton. Et il jouait en public dans des cafés et des petits restaurants de Norman et d'Oklahoma City, payé au pourboire, interprétant des chansons à la demande. Il ne se dégonflait jamais. Malgré son registre vocal limité, il était prêt à chanter tout ce qu'on demandait.

La section de l'Oklahoma de la Coalition pour l'abolition de la peine de mort l'invita à chanter et à prendre la parole à l'occasion d'une soirée organisée pour collecter des fonds, au *Firehouse*, un établissement proche du campus de l'université de l'Oklahoma. Devant deux cents personnes, un public bien plus nombreux que celui auquel il était habitué, Ron, intimidé, resta trop loin du micro. On l'entendait à peine dans la salle mais sa prestation fut appréciée. Il fit la connaissance du Dr Susan Sharp, professeur de criminologie à l'université et ardente abolitionniste. Elle l'invita à assister à un de ses cours ; il accepta avec joie.

Ils nouèrent des relations amicales que Ron aurait préférées d'une autre nature. Elle s'efforçait de maintenir avec lui des rapports purement amicaux et professionnels. Elle ne l'encourageait pas et il ne se montrait pas entreprenant. Susan voyait un homme profondément marqué par ses expériences et était résolue à l'aider.

À *Transition House*, Ron arriva au terme de la première phase et passa à la seconde : emménager dans son propre appartement. Annette et Renee priaient avec ferveur pour qu'il réussisse à vivre seul. Elles refusaient d'envisager un avenir fait de maisons de santé, de centres de réadaptation et d'hôpitaux psychiatriques. S'il parvenait sans encombre au terme de cette seconde phase, l'étape suivante pourrait être la recherche d'un travail.

Ron réussit à tenir le coup pendant un mois, puis tout se déglingua. Sans structure, sans surveillance, il commença à négliger son traitement. Il se mit à fréquenter assidûment un bar du campus, le *Deli*, qui attirait les gros buveurs et les jeunes adeptes de la contre-culture.

Ron devint un habitué du lieu. L'alcool ne lui réussissait toujours pas.

Le 29 octobre 2001, Ron fit sa déposition pour le procès. Le greffe du tribunal d'Oklahoma City était rempli d'avocats avides de poser des questions à celui qui était devenu une célébrité dans la région.

Après quelques questions préliminaires, l'un des avocats de la défense s'adressa à Ron.

— Êtes-vous actuellement sous traitement ?

— Oui.

— Ce traitement a-t-il été prescrit par un médecin ?

— Oui. Un psychiatre.

— Avez-vous une ordonnance ou savez-vous quel genre de médicaments vous prenez ?

— Je sais ce que je prends.

— Que prenez-vous ?

— Depakote, 250 milligrammes, quatre fois par jour. Zyprexa, le soir. Wellbutrin, une fois par jour.

— Savez-vous à quoi servent ces médicaments ?

— Depakote pour les sautes d'humeur, Wellbutrin pour les états dépressifs, Zyprexa pour les voix et les hallucinations.

— Parfait. Une des choses qui nous intéressent aujourd'hui est de connaître l'effet que peuvent avoir ces médicaments sur votre faculté de vous souvenir. Qu'en pensez-vous ?

— Je ne sais pas. Vous ne m'avez pas encore demandé de me souvenir de quelque chose.

La déposition se poursuivit plusieurs heures. Il sortit du tribunal épuisé.

Bill Peterson, en qualité de défendeur, fit une demande de jugement en référé, une manœuvre classique destinée à le soustraire à la procédure.

Les plaignants, de leur côté, demandaient que l'immunité de Peterson soit levée, étant donné qu'il avait outrepassé son rôle de procureur en prenant la direction de l'enquête criminelle sur le meurtre de Debbie Carter. Ils citaient deux exemples manifestes de falsification de preuves.

Premier exemple : Glen Gore avait affirmé sous serment que Bill Peterson était venu le voir dans sa cellule de la prison du comté de Pontotoc et l'avait menacé s'il ne témoignait pas contre Ron Williamson. Gore déclarait que Peterson lui avait dit qu'il valait mieux qu'« on ne retrouve pas ses empreintes digitales dans l'appartement de Debbie Carter » et qu'il allait « s'occuper sérieusement » de lui.

Le deuxième exemple de falsification de preuve concernait, toujours d'après les plaignants, la deuxième prise d'empreinte de la paume de la main de Debbie Carter. Peterson reconnaissait avoir organisé une réunion avec Jerry Peters, Larry Mullins et les enquêteurs d'Ada, en janvier 1987, pour parler de l'empreinte de la paume. Il avait déclaré qu'il était « à bout de patience » avec cette enquête qui piétinait. Il avait donné à entendre qu'une meilleure empreinte pourrait être obtenue quatre ans et demi après l'inhumation et avait demandé à Mullins et Peters de regarder cela de plus près. Le corps avait été exhumé, une nouvelle empreinte avait été prise et les experts étaient brusquement revenus sur leur opinion.

(Les avocats de Ron et de Dennis avaient fait appel à un autre expert, Bill Bailey, qui avait déterminé que Mullins et Peters étaient arrivés à ces nouvelles conclusions en analysant différentes zones de l'empreinte de la paume. Bailey concluait sa propre analyse en affirmant que l'empreinte trouvée sur le mur n'était pas celle de Debbie Carter.)

Le juge fédéral rejeta la demande de Peterson de jugement en référé au motif qu'il existait un point de fait à régler, pour savoir si Peterson, Peters et Mullins, ainsi que d'autres, avaient délibérément cherché à falsifier les preuves dans le but d'obtenir la condamnation de Williamson et de Fritz.

Le magistrat poursuivait ainsi :

> Dans cette affaire, tout indique une volonté concertée du procureur et des différents enquêteurs de priver les plaignants d'un ou plusieurs de leurs droits constitutionnels. L'omission

répétée par les enquêteurs de fournir des éléments permettant de disculper les accusés en ne retenant que les éléments à charge, la falsification probable de preuves, le refus de suivre d'autres pistes évidentes impliquant d'autres personnes, l'utilisation de conclusions médico-légales discutables, tout donne à penser que les défendeurs agissaient délibérément, dans le seul but d'obtenir la condamnation de Williamson et de Fritz, sans tenir compte des éléments indiquant que cet objectif était injuste et n'était pas corroboré par les faits de l'enquête.

Cette décision, en date du 7 février 2002, porta un coup décisif à la défense et changea le cours de l'action en justice.

Renee avait essayé pendant des années de convaincre Annette de quitter Ada. Les gens se méfieraient toujours de Ron et diraient du mal de sa sœur dans son dos. Leur église l'avait repoussé. Le procès intenté contre la ville et le comté allait susciter de nouvelles animosités.

Annette résistait. Ada était sa ville natale et Ron avait été innocenté. Elle avait appris à ne pas s'occuper des murmures et des regards en coin et se sentait capable de les supporter.

L'action en justice la préoccupait. Le dossier s'étoffait depuis près de deux ans ; Mark Barrett et Barry Scheck avaient le sentiment que les choses tournaient en leur faveur. Des négociations visant à trouver un arrangement étaient à l'ordre du jour et le sentiment général chez les avocats des deux camps était que l'affaire n'irait pas jusqu'au tribunal.

Le moment était peut-être venu de changer d'horizon. En avril 2002, à l'âge de soixante ans, Annette quitta Ada pour s'installer à Tulsa, où elle avait des parents. Son frère ne tarda pas à la rejoindre.

Elle était impatiente de lui faire quitter Norman. Il s'était remis à boire et, quand il était ivre, il était incapable de se taire. Il se vantait du gros procès qui se préparait, des nombreux avocats qui travaillaient pour lui, des millions qu'il allait faire cracher à ceux qui l'avaient injustement envoyé dans le couloir de la mort et ainsi de suite. Il traînait au *Deli* et dans d'autres bars, il attirait l'attention de drôles de personnages qui deviendraient de très bons amis dès que l'argent serait là.

Ron vint donc s'installer chez Annette. Il apprit vite que les mêmes règles étaient en vigueur dans la maison de Tulsa que dans celle d'Ada. Il cessa de boire, l'accompagna à l'église, se lia avec son pasteur. Un groupe d'étude de la Bible baptisé Lumière pour les Égarés levait des fonds pour aller propager la foi dans les pays pauvres. Tous les mois, un dîner steak-pommes de terre réunissait les donateurs. La tâche de Ron consistait à entourer les pommes de terre cuites à la vapeur dans une feuille de papier aluminium. Il prenait plaisir à l'accomplir.

Au cours de l'automne 2002, un accord fut trouvé avant le procès pour un montant de plusieurs millions de dollars. Il y avait des carrières et des ego à protéger. Les nombreux défendeurs exigèrent la signature d'un accord de non-divulgation. Ils verseraient – avec leurs assureurs – de grosses sommes sans reconnaître qu'ils avaient fait quoi que ce soit de mal. L'accord secret fut mis en lieu sûr et protégé par une décision de la Cour fédérale.

Les détails ne tardèrent pas à se répandre de bouche à oreille dans les cafés d'Ada, où la municipalité fut obligée de révéler qu'elle avait puisé cinq cent mille dollars dans ses réserves pour régler sa part des dommages-intérêts. Les sommes qui circulaient variaient de café en café mais elles tournaient autour de cinq millions de dollars. On trouva ce montant dans les colonnes de l'*Ada Evening News*, qui citait des sources anonymes.

Ron et Dennis étant toujours considérés comme suspects, les bonnes gens d'Ada étaient encore nombreux à croire qu'ils avaient trempé dans le meurtre de Debbie. Les voir profiter de leur crime braquait un peu plus la population contre eux.

Mark Barrett et Barry Scheck avaient tenu à ce que leurs clients, après un versement initial, reçoivent une rente mensuelle, pour protéger leurs intérêts.

Avec l'argent, Dennis acheta une maison dans un faubourg de Kansas City. Il en fit profiter sa mère et sa fille, et déposa le reste dans une banque.

Ron ne fut pas aussi prudent.

Il réussit à convaincre Annette de l'aider à acheter un appartement près de chez elle et de leur église. Un joli duplex au prix de soixante mille dollars. Une fois de plus, Ron allait vivre seul. Il resta stable pendant quelques semaines. Quand Annette, pour une raison ou pour une autre, ne pouvait le conduire à l'église, il s'y rendait à pied.

À Tulsa, Ron se sentait comme chez lui ; il ne tarda pas à reprendre le chemin des bars et des strip-teases. Il offrait des tournées générales, claquait des milliers de dollars en pourboires pour les filles. L'argent qui lui filait entre les doigts attirait toutes sortes de gens, d'anciens amis et des nouveaux, qui ne pensaient pour la plupart qu'à profiter de lui. Ron était généreux à l'excès et n'avait pas la moindre idée de ce qu'il fallait faire pour gérer sa fortune toute fraîche. Cinquante mille dollars s'envolèrent avant qu'Annette intervienne.

Près de son appartement se trouvait un bar de quartier, le *Bounty*, un endroit tranquille dont Guy Wilhoit, le père de Greg, était un habitué. Ils buvaient ensemble et passaient de longues heures à discuter avec animation, à parler de Greg, à évoquer les fantômes du couloir de la mort. Guy expliqua aux serveurs et au patron du *Bounty* que Ron était un très bon ami à lui et à son fils. Il leur demanda, si jamais Ron s'attirait des ennuis, comme il avait tendance à le faire, de le prévenir, lui, pas la police. Ils promirent de le protéger.

Mais Ron ne pouvait pas se passer des strip-teases. Dans son établissement préféré, le *Lady Godiva*, il s'enticha d'une danseuse. Elle était déjà prise ; il s'en fichait. Quand il découvrit qu'elle avait des enfants et qu'elle cherchait un logement, il proposa de les héberger et leur offrit la chambre d'amis, à l'étage. L'effeuilleuse, les deux gamins et leur père putatif, tout le monde s'installa dans le beau duplex tout neuf de Ron. Mais le réfrigérateur était vide. Ron appela Annette pour lui dicter une longue liste de produits de première nécessité à acheter. Annette accepta de mauvais gré. Quand elle arriva avec les provisions, Ron n'était pas là. La danseuse et sa famille s'étaient enfermés dans la chambre et refusaient de sortir. Annette leur lança un ultimatum à travers la porte : elle porterait plainte s'ils ne débarrassaient pas immédiatement le plancher. Ils prirent la poudre d'escampette, au grand dam de Ron.

Les aventures se succédèrent jusqu'à ce qu'Annette, sa tutrice légale, fasse intervenir la justice. Ils se chamaillèrent pour l'argent mais Ron savait ce qui était le mieux pour lui. Le duplex fut mis en vente et Ron entra dans une nouvelle maison de santé.

Ses vrais amis ne l'abandonnaient pas. Dennis savait que Ron avait du mal à conserver une vie stable ; il lui proposa de venir habiter chez lui, à Kansas City. Il s'assurerait que Ron suivait son traitement et un régime pour maigrir, il lui ferait faire de l'exercice, il l'obligerait à réduire l'alcool et le tabac. Dennis avait découvert les aliments diététiques – vitamines, suppléments nutritionnels, infusions – et était impatient d'en expérimenter les effets bénéfiques sur son ami. Ils parlèrent du déménagement pendant plusieurs semaines, jusqu'à ce qu'Annette y mette son veto.

Greg Wilhoit, Californien à part entière et partisan acharné de l'abolition de la peine de mort, suppliait Ronnie de venir à Sacramento, où la vie était facile et décontractée, et où on pouvait véritablement oublier le passé. L'idée plaisait beaucoup à Ron mais il préférait en parler plutôt que le faire.

Bruce Leba aussi proposait une chambre chez lui, comme il l'avait fait si souvent dans le passé. Avec l'accord d'Annette, Ron partit s'installer chez Bruce qui, à l'époque, conduisait des poids lourds. Ron, qui l'accompagnait dans ses longs trajets, adorait la liberté des grands espaces.

Annette avait prédit que leur entente ne durerait pas plus de trois mois, la moyenne pour Ron, qui se laissait rapidement des gens et des lieux. Elle avait vu juste : trois mois plus tard, ils se disputèrent. Ron revint à Tulsa, passa quelques semaines chez Annette, puis loua une chambre d'hôtel pendant trois mois.

En 2001, deux ans après la mise en liberté de Ron et de Dennis, près de dix-neuf ans après le meurtre, la police d'Ada décida de clore l'enquête. Il fallut attendre deux ans de plus pour que Glen Gore soit transféré de Lexington afin d'être jugé.

Pour des tas de raisons, Bill Peterson ne s'occupa pas de l'affaire. Il aurait eu bonne mine s'il était avancé vers le jury, l'index pointé sur Glen Gore, en déclarant : « Glen Gore, vous méritez de mourir pour ce que vous avez fait à Debbie Carter », lui qui avait fait la même chose avec deux autres hommes. Il envoya son assistant, Chris Ross, à la table de l'accusation.

Richard Wintory, le procureur désigné par le parquet d'Oklahoma City, n'eut aucune difficulté, avec les résultats des analyses ADN, à obtenir la condamnation de Glen Gore. Après avoir pris connaissance des nombreux actes de violence figurant dans le casier judiciaire de l'accusé, le jury n'hésita pas à lui infliger la peine capitale.

Dennis refusa de suivre le procès mais Ron ne pouvait rester indifférent. Il téléphonait tous les jours au juge Landrith pour lui dire : « Tommy, il faut arrêter Ricky Joe Simmons » ou encore « Tommy, ce n'est pas Gore ! Le vrai tueur est Ricky Joe Simmons ! »

Les maisons de santé se succédaient. Dès qu'il commençait à se lasser d'un endroit, Ron se jetait sur le téléphone et Annette faisait des pieds et des mains pour trouver un autre établissement où on accepterait de l'accueillir. Elle préparait ses bagages et y conduisait Ron. Certains établissements sentaient le désinfectant et la mort, d'autres étaient chaleureux et sympathiques.

Il était dans une maison de santé agréable, à Howe, quand Susan Sharp lui fit une visite surprise. Ron n'avait pas bu une goutte depuis plusieurs semaines et se sentait en pleine forme. Ils firent une balade en voiture et se promenèrent au bord d'un lac. Le ciel était limpide, l'air frais et vif.

« On aurait dit un petit garçon, confia Susan Sharp. Heureux de profiter du soleil par une belle journée. »

Quand il ne buvait pas et prenait régulièrement ses médicaments, Ron était adorable. Ce soir-là, il l'invita au restaurant, comme pour un vrai rendez-vous. Il était très fier de se montrer en compagnie d'une jolie femme.

17.

Les douleurs d'estomac commencèrent au début de l'automne 2004. Ron se sentait ballonné, il n'était à l'aise ni assis ni allongé. La marche lui faisait du bien mais la douleur s'intensifiait. Quoique fatigué, il n'arrivait pas à dormir. Il errait dans les couloirs de la maison de santé à toute heure du jour et de la nuit pour essayer de soulager le poids qui pesait sur son ventre.

Il n'avait pas vu Annette depuis un mois mais se plaignait au téléphone. Le jour où elle passa le prendre pour le conduire chez le dentiste, elle fut horrifiée par le volume de son ventre. « On aurait dit une femme enceinte ! » Ils annulèrent le rendez-vous chez le dentiste pour se rendre directement aux urgences de l'hôpital de Seminole. On les adressa à un hôpital de Tulsa, où Ron passa la nuit. Le lendemain, on diagnostiqua une cirrhose du foie. Insoignable. Inopérable. Impossible de pratiquer une greffe. Une autre condamnation à mort, la douleur en plus. Un pronostic optimiste lui donnait six mois.

Il avait vécu cinquante et un ans, dont quatorze passés derrière les barreaux d'une prison sans boire une goutte d'alcool. Depuis sa mise en liberté qui remontait à cinq ans, il s'était adonné à la boisson mais avec de longues périodes de sobriété.

Une cirrhose paraissait quelque peu prématurée. Outre l'alcool, Ron avait pris de la drogue, surtout dans sa jeunesse, très peu depuis qu'il avait été libéré. Une autre cause probable était les médicaments dont on l'avait bourré. Pendant la moitié de sa vie,

Ron avait absorbé, à différentes périodes et dans des quantités variables, de fortes doses de puissants psychotropes.

Peut-être son foie ne fonctionnait-il pas très bien. De toute façon, il était trop tard. Annette téléphona à Renee pour lui annoncer cette nouvelle qui la laissa abasourdie.

Les médecins drainèrent plusieurs litres de liquide, puis on demanda à Annette de chercher un endroit où envoyer le malade. Elle essuya des refus dans sept établissements avant de trouver une chambre dans la maison de santé de Broken Arrow, où le personnel accueillit Ronnie comme un ami de longue date.

Il fut bientôt évident pour Annette et Renee que le pronostic de six mois était irréaliste. Ron dépérissait à vue d'œil. À part le ventre affreusement dilaté, le reste de son corps se ratatinait. Il n'avait plus d'appétit, il arrêta de boire et de fumer. Quand le foie cessa de jouer son rôle, la douleur devint insupportable. Il n'arrivait pas à trouver une position confortable et passait des heures à marcher d'un pas lent dans les couloirs.

Ses proches se serrèrent les coudes et s'efforcèrent de passer le maximum de temps avec lui. Annette habitait tout près mais Renee, Gary et leurs enfants vivaient à présent à Dallas. Ils faisaient les cinq heures de route dès qu'ils le pouvaient.

Mark Barrett lui rendit plusieurs visites. Bien que surchargé de travail, il réussissait à donner la priorité à Ron. Ils parlaient de la mort et de la vie éternelle, de Dieu et du salut par le Christ. Ron était d'une sérénité presque parfaite devant la mort. Il l'attendait, depuis de longues années. Il n'avait pas peur de mourir. Il n'y avait pas d'amertume en lui. Il regrettait quantité de choses, les erreurs qu'il avait commises, le chagrin qu'il avait causé, mais il avait demandé sincèrement à Dieu de lui pardonner et le Seigneur l'avait exaucé.

Il ne gardait pas de ressentiment, sinon, presque jusqu'à la fin, envers Bill Peterson et Ricky Joe Simmons. Il finit par leur pardonner, à eux aussi.

Un jour où Mark avait abordé le sujet de la musique, Ron parla pendant des heures de la nouvelle carrière qui s'offrait à lui et de tout ce qu'il ferait quand il sortirait de le maison de santé. Il ne fut pas question cette fois-là de maladie ni de mort.

Annette apporta sa guitare mais, comme il avait du mal à en jouer, il lui demanda de chanter quelques cantiques de leur enfance. Ron se produisit pour la dernière fois en public à l'occasion d'une séance de karaoké, où il trouva la force de chanter, encouragé par les infirmières et les patients qui savaient ce qu'il avait vécu. Ensuite, il dansa avec ses sœurs.

Contrairement à la plupart des agonisants qui ont le temps de préparer leur départ, Ron ne réclama pas la présence d'un pasteur. Il connaissait les Saintes Écritures aussi bien qu'eux. Peut-être s'était-il égaré plus que d'autres mais il le regrettait et avait été pardonné.

Il était prêt.

Ses cinq années de liberté lui avaient réservé quelques bons moments mais, d'une manière générale, elles n'avaient pas été très heureuses. Il avait déménagé dix-sept fois et prouvé en plusieurs occasions qu'il était incapable de vivre seul. Quel avenir aurait-il eu ? Il était une charge pour Annette et Renee. Il avait été une charge pendant la majeure partie de sa vie, et il était fatigué.

Après avoir échappé au couloir de la mort, il avait souvent dit à Annette qu'il regrettait d'être né et qu'il voulait mourir, quand son heure serait venue. Il avait honte du mal qu'il avait fait, surtout à ses parents, et il voulait les rejoindre, leur demander pardon et rester éternellement avec eux.

Un jour, Annette avait trouvé Ron dans sa cuisine, pétrifié devant la fenêtre. Il lui avait saisi la main. « Prie avec moi, Annette, avait-il dit. Prie pour que le Seigneur m'appelle à lui, tout de suite. »

Elle n'avait pas pu faire cette prière.

Greg Wilhoit arriva pour les vacances de Thanksgiving et passa dix jours avec Ronnie. Celui-ci était bourré de morphine mais il trouva encore la force d'évoquer le couloir de la mort et même d'en rire.

On était en novembre 2004. L'Oklahoma exécutait ses condamnés à une allure record. Un certain nombre de leurs anciens voisins de cellule n'étaient plus de ce monde. Ron savait qu'il en retrouverait quelques-uns au ciel mais la plupart seraient ailleurs.

Il confia à Greg qu'il avait vécu ce que la vie a de plus beau mais aussi ce qu'elle a de pire. Il ne voulait plus rien connaître d'autre. Il était prêt à partir.

D'après Greg : « Il était totalement en paix avec le Seigneur. Il ne craignait pas la mort. Il voulait seulement en finir. »

Ce jour-là, quand Greg se retira, Ron était à peine conscient. Il n'avait plus que quelques jours à vivre.

D'autres amis furent pris au dépourvu par la rapidité de sa mort. Après avoir traversé Tulsa en voiture sans trouver la maison de santé, Dennis Fritz se promit de revenir plus tard. Le temps lui manqua. Bruce Leba travaillait loin de l'Oklahoma et ne s'était pas manifesté depuis quelque temps.

Juste avant la fin, Barry Scheck téléphona. Mise sur haut-parleur, sa voix emplit la chambre. La conversation fut à sens unique ; bourré de médicaments, Ron était moribond. Barry promit de passer aussi tôt que possible pour échanger les derniers potins. Il arracha un sourire à Ron quand il lança : « Si tu ne t'en sors pas, Ronnie, je te promets que nous finirons par avoir la peau de Ricky Joe Simmons. »

Trois ans auparavant, Taryn Simon, une photographe cotée, avait sillonné le pays à la recherche de condamnés innocentés, pour un livre en projet. Elle avait fait des portraits de Ron et de Dennis, qu'elle légenda avec un résumé de leur affaire. Elle leur avait demandé d'écrire ou de dire quelques mots pour accompagner leur photographie.

Ron avait dit :

> « J'espère n'aller ni au ciel ni en enfer. J'aimerais, quand mon heure sonnera, m'endormir pour ne plus me réveiller et ne plus faire de cauchemars. Le repos éternel, comme on le voit écrit sur des pierres tombales, voilà ce que je souhaite. Je ne veux pas du Jugement. Je ne veux pas être jugé à nouveau. Je me suis demandé, quand j'étais dans le couloir de la mort, pour quelle raison j'était venu au monde, s'il fallait supporter tout cela. Pour quelle raison. J'en ai presque voulu à ma mère et à mon père – ce n'est pas bien – de m'avoir donné la vie. Si je pouvais tout recommencer, je ne naîtrais pas. »
> *in Les Innocents* (Umbrage, 2003)

Au moment de rendre le dernier soupir, Ron avait fait machine arrière. Il désirait vraiment passer l'éternité au ciel.

Le 4 décembre, Annette, Renee et leur famille se rassemblèrent pour la dernière fois au chevet de Ron et lui firent leurs adieux.

Le service funèbre se tint trois jours plus tard au funérarium Hayhurst, à Broken Arrow, en présence du pasteur de Ron, le révérend Ted Heaston. Charles Story, l'aumônier qu'il avait connu à McAlester, raconta quelques anecdotes de l'époque. Mark Barrett fit un éloge funèbre émouvant, où il évoquait leur amitié. Cheryl Plate lut une lettre de Barry Scheck, occupé ailleurs à innocenter non pas un mais deux hommes.

Le cercueil était ouvert, l'homme au teint blafard et aux cheveux gris reposait en paix. Son maillot de base-ball, son gant et sa batte étaient disposés sur le cercueil, près de sa guitare.

La musique comprenait deux gospels bien connus, « I'll Fly Away » et « He Set Me Free », des chants que Ron avait appris dans son enfance et chantés toute sa vie, pendant des *revivals*, pour l'enterrement de sa mère, avec des chaînes aux chevilles, dans le couloir de la mort, aux heures les plus sombres de sa captivité, chez Annette, le soir de sa mise en liberté. L'assistance se détendit, des sourires apparurent sur toutes les lèvres.

Ce fut un moment empreint de tristesse, mêlé à un sentiment de soulagement. Ron avait eu un destin tragique et il était passé dans un monde meilleur. C'est ce qu'il demandait dans ses prières. Il était enfin libre.

Dans l'après-midi, à Ada, les parents du défunt se rassemblèrent pour l'inhumation. Un nombre réconfortant d'amis de la famille se joignit à eux. Par respect pour les Carter, Annette avait choisi un autre cimetière que celui où reposait Debbie.

Un vent glacial soufflait, ce samedi 7 décembre 2004, vingt-deux ans jour pour jour après qu'on avait vu Debbie vivante pour la dernière fois.

Le cercueil fut descendu dans la fosse par les porteurs, au nombre desquels se trouvaient Dennis Fritz et Bruce Leba. Après quelques mots d'un pasteur, une prière et des larmes, tout le monde fit ses adieux au défunt.

La pierre tombale porte une épitaphe gravée dans le marbre :

RONALD KEITH WILLIAMSON

3 février 1953 – 4 décembre 2004

Condamné injustement en 1988

Innocenté le 15 avril 1999

Note de l'auteur

Deux jours après les obsèques de Ron Williamson, je suis tombé sur sa nécrologie en feuilletant *The New York Times*. Le titre – « Ronald Williamson, arraché au couloir de la mort, s'est éteint à 51 ans » – retenait l'attention mais la notice biographique rédigée par Jim Dwyer contenait les ingrédients d'un ouvrage beaucoup plus fourni. Elle était illustrée par une photographie de Ron dans la salle d'audience, le jour où il avait été innocenté. Il avait l'air à la fois perplexe et soulagé, peut-être aussi légèrement suffisant.

Je n'avais jamais entendu parler de Ron Williamson ni de Dennis Fritz. J'avais raté l'épisode de leur mise en liberté, en 1999.

J'ai relu la nécro. Jamais je n'aurais pu imaginer une histoire aussi riche et variée que celle de la vie de Ron. Et la notice biographique, comme je n'allais pas tarder à le découvrir, restait à la surface des choses. Quelques heures plus tard, je m'étais entretenu au téléphone avec ses deux sœurs, Annette et Renee. Un livre me tendait les bras.

L'idée d'écrire autre chose qu'un livre de fiction m'a rarement effleuré – j'avais trop de plaisir avec mes romans – et je ne savais pas dans quelle aventure je me lançais. J'ai consacré dix-huit mois aux recherches et à l'écriture de cet ouvrage. Je me suis rendu à maintes reprises à Ada, au tribunal, dans la prison, dans les cafés de la ville. J'ai vu l'ancien couloir de la mort et le nouveau au pénitencier de McAlester. Je suis allé à Asher, où j'ai passé deux heures à parler base-ball avec Murl Bowen. Je me suis rendu dans les bureaux du Projet Innocence, à New York. J'ai déjeuné à Seminole avec le juge Frank Seay. Je suis allé au Yankee Stadium et à la prison de Lexington pour y voir Tommy Ward. À Norman, j'ai passé de longues heures à discuter de l'affaire avec Mark Barrett. J'ai rencontré Dennis Fritz à Kansas City, Annette et Renee à Tulsa. J'ai réussi à convaincre Greg Wilhoit de venir de Californie pour une visite de McAlester en sa compagnie ; il a revu la vieille cellule où il était enfermé quinze ans auparavant.

Chaque visite, chaque conversation apportait un éclairage nouveau. J'aurais pu écrire cinq mille pages.

Ces recherches m'ont également permis de m'intéresser de plus près aux erreurs judiciaires, une question sur laquelle je ne m'étais jamais penché, au temps où j'exerçais en tant qu'avocat. Le problème n'est pas propre à l'Oklahoma, loin de là. Des erreurs judiciaires sont commises tous les mois, dans chaque État. Les raisons en sont diverses et toujours semblables : travail insuffisant de la police, témoignages scientifiques discutables, identification erronée de témoins oculaires, avocats de la défense peu compétents, procureurs trop peu exigeants ou trop arrogants.

Dans les métropoles, les spécialistes des laboratoires de criminalistique sont surchargés de travail et ne font pas toujours montre de la rigueur nécessaire. Dans les petites villes, aucun contrôle n'est exercé sur le travail des policiers qui n'ont pas toujours une formation suffisante. Un viol, un meurtre sont des événements qui suscitent des réactions violentes : on exige que justice soit rendue, et vite. La population, les citoyens, les jurés, tout le monde fait confiance aux autorités. Quand elles ne sont pas à la hauteur, cela donne Ron Williamson et Dennis Fritz.

Mais aussi Tommy Ward et Karl Fontenot, tous deux condamnés à perpétuité. Tommy pourra peut-être obtenir un jour une libération conditionnelle, pas Karl, pour des raisons de procédure. Ils ne pourront être sauvés par leur ADN, car il n'y a aucune empreinte génétique. Le ou les tueurs de Denice Haraway ne seront jamais découverts, du moins par la police. Pour en savoir plus : www.wardandfontenot.com

Dans le courant de mes recherches, je suis tombé sur deux autres affaires ayant pour cadre la ville d'Ada. En 1983, un certain Calvin Lee Scott a été jugé pour viol dans le tribunal du comté de Pontotoc. La victime, une jeune veuve, avait été agressée dans son sommeil par un homme qui lui avait plaqué un oreiller sur le visage et qu'elle n'avait donc pu identifier. Un rapport d'expertise de l'OSBI concluait que deux poils pubiens collectés sur la scène de crime étaient « compatibles à l'examen microscopique » avec des échantillons fournis par Calvin Lee Scott, qui clamait son innocence. Les jurés ne l'avaient pourtant pas cru et l'avaient condamné à vingt-cinq ans de réclusion. Au bout de vingt ans, il avait bénéficié d'une remise de peine. Quand les analyses ADN l'avaient disculpé, en 2003, il avait déjà été remis en liberté.

L'enquête avait été menée par Dennis Smith. Le procureur s'appelait Bill Peterson.

En 2001, Dennis Corvin, l'adjoint du chef de la police d'Ada, traduit devant un tribunal fédéral pour fabrication et distribution de métamphétamine, a plaidé coupable et a écopé d'une peine de six ans. On se souvient que Corvin était le policier d'Ada mis en cause par Glen Gore dans sa déclaration sous serment signée vingt ans après leur association présumée dans le trafic local de la drogue.

Ada est une ville agréable et une question vient naturellement aux lèvres : quand se décidera-t-on à mettre de l'ordre dans la maison ?

Quand on en aura assez de payer, peut-être. Ces deux dernières années, la municipalité a été obligée d'augmenter la taxe foncière pour remplir les caisses vidées par les dommages-intérêts versés à Ron et à Dennis. Cette taxe est due par tous les propriétaires fonciers, y compris plusieurs membres de la famille de Debbie Carter.

Il est impossible d'évaluer le total de l'argent ainsi gaspillé. L'Oklahoma dépense à peu près vingt mille dollars par an pour chacun de ses détenus. Sans prendre en compte les dépenses supplémentaires liées au couloir de la mort et à ses séjours dans les hôpitaux psychiatriques de l'État, la note de Ron s'établit au bas mot à deux cent cinquante mille dollars. Même chose pour Dennis. Si l'on ajoute les sommes versées au titre de dédommagement, on peut estimer à plusieurs millions de dollars le gâchis provoqué par ces deux affaires.

Une somme qui ne prend pas en compte les milliers d'heures consacrées par les avocats à la préparation des différents appels des deux condamnés, pas plus que le temps gaspillé par les représentants du ministère public pour les faire exécuter. Chaque dollar dépensé par les deux camps est sorti de la poche des contribuables.

Heureusement que l'on a pu rogner sur certaines dépenses. Barney Ward, par exemple, a reçu la somme astronomique de trois mille six cents dollars pour la défense de Ron et le juge Jones lui a refusé l'autorisation de rémunérer un expert pour contester les éléments à charge de l'accusation. Les honoraires de Greg Saunders s'étaient également élevés à trois mille six cents dollars et on lui avait aussi refusé le concours d'un expert. Il fallait protéger le contribuable.

Si lourd que fût le gaspillage financier, le bilan humain était encore plus désastreux. À l'évidence, les problèmes mentaux de Ron avaient été exacerbés par sa condamnation injuste. Même après avoir recouvré la liberté, il ne s'en était pas remis. Comme la plupart des condamnés innocentés. Dennis Fritz, lui, s'en est bien sorti. Il a eu le courage et l'intelligence, puis l'argent nécessaire pour tout reconstruire. Il mène une vie paisible, normale et prospère à Kansas City. Il est même devenu grand-père.

Bill Peterson est encore le procureur du comté de Pontotoc. Nancy Shew et Chris Ross travaillent sous ses ordres, Gary Rogers est toujours un de ses enquêteurs. L'inspecteur Dennis Smith a pris sa retraite en 1987 ; il est mort brutalement le 30 juin 2006. Barney Ward est décédé au cours de l'été 2005, quand je travaillais sur ce livre. Je n'ai jamais eu la possibilité de m'entretenir avec lui. Après avoir perdu la confiance des électeurs en 1990, le juge Ron Jones a quitté la région d'Ada.

Glen Gore est toujours un pensionnaire de l'Unité H, au pénitencier de McAlester. En juillet 2005, la cour d'appel de l'Oklahoma a cassé la décision de première instance, au motif que le condamné n'avait pas eu un procès équitable, le juge Landrith n'ayant pas permis à l'avocat de la défense d'arguer que deux autres hommes avaient déjà été condamnés pour le même meurtre. Le 21 juin 2006, Glen Gore fut de nouveau déclaré coupable. Le jury n'ayant pas réussi à s'entendre sur la peine de mort, le juge Landrith, conformément à la loi, le condamna à la prison à perpétuité, sans possibilité de libération conditionnelle.

Je tiens à remercier tous ceux – ils sont nombreux – qui m'ont aidé à écrire ce livre. Annette, Renee et leurs proches m'ont permis de découvrir tous les aspects du passé de Ron. Mark Barrett m'a accompagné sur les routes de l'Oklahoma. Il m'a raconté des histoires que j'ai eu, au début, de la peine à croire, a retrouvé des témoins et exhumé de vieux dossiers en s'appuyant sur son réseau de relations. Melissa Harris, son assistante, a copié une multitude de documents avec méticulosité.

Dennis Fritz a accepté de revivre son douloureux passé avec beaucoup de bonne volonté et ne s'est dérobé à aucune question. Tout comme Greg Wilhoit.

Brenda Tollett, de l'*Ada Evening News*, s'est plongée dans les archives du quotidien et y a déniché des articles remontant à l'époque des deux meurtres. Ann Kelley Weaver, qui travaille aujourd'hui pour *The Oklahoman*, avait en mémoire quantité d'anecdotes relatives à la mise en liberté de Ron et de Dennis.

Au début, le juge Frank Seay s'est montré réticent à parler de l'affaire. Il avait l'idée quelque peu désuète qu'un juge doit être entendu et non pas vu mais il a fini par se ranger à mon avis. Lors d'une de nos conversations téléphoniques, j'ai lâché le mot « héros » à son sujet. Il s'y est aussitôt opposé : qualificatif rejeté ! Vicky Hildebrand, qui travaille encore avec lui, se souvient avec précision du jour où elle a lu pour la première fois la demande d'*habeas corpus* de Ron.

Jim Payne est devenu un juge fédéral. Il s'est montré ouvert mais n'a aucunement cherché à s'attribuer le mérite d'avoir sauvé la vie de Ron. C'est pourtant lui aussi un héros. La lecture attentive de la requête de Janet Chesley qu'il avait faite chez lui, après le travail, lui avait inspiré des doutes assez forts pour qu'il recommande au juge Seay d'ordonner un sursis à quelques jours de l'exécution.

Le juge Tom Landrith n'est entré en scène qu'à la fin de l'histoire mais il a eu le plaisir de prononcer la remise en liberté des deux condamnés blanchis. Lors des différentes visites que je lui ai rendues au tribunal d'Ada, il m'a raconté quantité d'histoires passionnantes, vraies pour la plupart.

Barry Scheck et les combattants du Projet Innocence m'ont bien accueilli. Au moment où j'écris ces pages, ils ont rendu la liberté à cent quatre-vingts détenus grâce aux analyses ADN et inspiré une trentaine d'autres projets au niveau national. Pour en savoir plus : www.innocenceproject.org

Tommy Ward a passé trois ans et demi dans le couloir de la mort du Bloc F avant d'être exilé à vie à la prison de Lexington. Nous avons échangé de nombreuses lettres. Dans certaines, il parlait de Ron ; il m'a permis de le citer dans cet ouvrage.

Pour évoquer le cauchemar de Tommy, je me suis beaucoup inspiré des *Rêves d'Ada*, l'ouvrage passionnant de Robert Mayer qui s'est montré très coopératif et m'a bien aidé dans mes recherches.

Un grand merci aux avocats et au personnel du Système de défense des indigents de l'Oklahoma, en particulier Janet Chesley, Bill Luker et Kim Marks. Mes remerciements vont aussi à Bruce Leba, Murl Bowen, Christy Shepherd, Leslie Delk, au Dr Keith Hume, à Nancy Vollertsen, au Dr Susan Sharp, à Michael Salem, Gail Seward, Lee Mann, David Morris et Bert Colley. John Sherman, un étudiant en droit de troisième année, s'est plongé pendant un an et demi dans les cartons de documents et a réussi à ne pas s'y perdre.

J'ai eu la chance de disposer de plusieurs volumes des dépositions sous serment de la plupart des acteurs de cette histoire. Certaines interviews n'étaient pas nécessaires, d'autres ne m'ont pas été accordées. Seuls les noms des prétendues victimes de viol ont été modifiés.

John Grisham
1er juillet 2006